À votre santé !

Le tournesol de la page couverture représente le soleil, la vitalité, le naturel à son meilleur et bien sûr les graines et l'huile de tournesol. Il fleurit de plus en plus le paysage québécois pour notre plus grand plaisir!

Autres titres chez MAXAM INC.

- Le Guide de l'alimentation saine et naturelle
- Le Guide de l'alimentation saine et naturelle Tome 2
- La Spiruline
- The Guide to Natural and Healthy Eating

Conception graphique : Guy Bergeron, Renée Frappier,
Danielle Gosselin

Infographie : Composition Monika, Québec
et Émond-Bergeron Publicité Communication inc., Sorel

Illustrations : Alain Cournoyer, Camyo

Dépôt légal : 1995, 1999

Bibliothèque nationale du Québec

ISBN 2-9801115-5-4 (2e édition 1999)

ISBN 2-9801115-4-6 (1re édition 1995)

IMPRIMÉ AU CANADA

Le Guide des Bons Gras

Les Éditions Maxam

Remerciements

Un merci chaleureux à l'équipe dynamique qui a contribué à la production de ce livre.

Conception de la couverture : Stéphane Guévremont,
Émond-Bergeron Publicité Communication inc., Sorel

Photo de la couverture : Bernard Lalonde «Par un doux matin d'été, un tournesol tout en beauté».

Infographie : Stéphane Guévremont, François Auclair,
Guy Bergeron,
Émond-Bergeron Publicité Communication inc.
Diane Dolbec, Composition Monika

Illustrations : Alain Cournoyer, Camyo

Lecture (1re édition 1995) : Frances Boyte, Dt.P.,
Adélard Denis,
Monique Généreux,
Marie-Josée Guy,
Bernard Lalonde,
Dominique Lalonde, M.D.,
André Lapierre, M.D.,
Françoise Pichette,
Hélène Poitras, Dt. P.,
Lise Pronovost,
Muriel Terlon,
Carol Vachon, Ph. D.

Lecture (2e édition 1999) : André Lapierre, M.D.

Analyse nutritionnelle des recettes : Françoise Pichette à l'aide du logiciel *Nutritionist IV Diet Analysis*

Photos
Renée Frappier : Tango photographie
Danielle Gosselin : Renay Photographe inc.

Préface

Il y a quelques années, je pesais trente-trois livres de plus que maintenant. Associés à cette obésité, surtout abdominale, une hypertension symptomatique avec de fréquentes migraines, des douleurs dans la poitrine, de l'essoufflement et des palpitations inquiétantes; un bilan lipidique anormal avec des taux de cholestérol total, de « mauvais » cholestérol LDL et de triglycérides trop élevés et un « bon » cholestérol HDL trop bas ; un côlon irritable, un sommeil agité et peu réparateur ainsi que de la somnolence et un manque d'énergie qui rendaient mon travail de plus en plus pénible. Pour couronner le tout, des sentiments d'anxiété, de dépression, de l'impatience et une hostilité difficilement contenues.

Comme il arrive souvent dans les moments de stress physique et psychologique intenses, je contactai une fort mauvaise grippe qui me cloua au lit et m'empêcha de travailler pendant deux semaines. Moi qui n'avais jamais manqué plus d'une journée d'ouvrage !

Durant ce repos forçé, j'eus la chance de tomber sur un article du Dr Dean Ornish décrivant comment il avait réussi à faire baisser le cholestérol total de ses patients de 24 % et leur cholestérol LDL de 37 %, ce qui avait entraîné une régression de la maladie coronarienne chez une majorité d'entre eux, une diminution rapide et remarquable de leur angine ainsi qu'une perte de poids de vingt-deux livres en moyenne. Et comment avait-il obtenu ce résultat surprenant et révolutionnaire dans une maladie considérée jusqu'alors irréversible et inexorablement progressive ? Avec une alimentation végétarienne, sans sucres concentrés, où les gras constituaient à peine 7 % des calories, du yoga, de l'exercice, l'arrêt du tabac et un groupe de support.

Très impressionné, je décidai de faire au moins trente minutes d'exercice par jour, principalement de la marche, et changeai mon alimentation du jour au lendemain. Finis la viande, les fromages gras, l'alcool, les sucreries, le beurre ou la margarine. Très peu d'huile (canola). Chaque jour des produits céréaliers à grains entiers, des fruits, des légumes, le plus souvent crus, des pousses, de la germination et des légumineuses en abondance. Du blanc d'œuf, des noix et des amandes quelques fois par semaine. Des produits laitiers écrémés, dont au moins un verre de lait, deux fois par jour, sans oublier les olives dont je n'aurais pu me passer... En somme, une alimentation où les gras constituaient environ 15 % des calories, comme celle des Chinois, assez proche également d'une alimentation de type méditerranéen, l'huile d'olive en moins. Deux types d'alimentation reconnue maintenant comme particulièrement saine et qui font en sorte qu'on observe dix fois moins d'infarctus à Pékin et à Barcelone qu'à Montréal...

Les résultats ne se firent point attendre : vingt livres de moins en vingt semaines, mes problèmes de santé disparus comme par enchantement, mes humeurs anxieuses remplacées par une humeur beaucoup plus calme et sereine. Une véritable renaissance ! Par la suite, une perte additionnelle et très graduelle de vingt-trois livres. Et, comble de bonheur pour un cardiologue, une amélioration spectaculaire de mon bilan lipidique avec une baisse de 55 % de mon ratio cholestérol total / HDL et de 80 % de mon ratio triglycérides / HDL. Un résultat qui aurait nécessité la prise de médicaments puissants à dose maximale si je m'étais contenté de l'approche pharmacologique.

Il n'en fallait pas davantage pour me convaincre de l'importance fondamentale d'une bonne alimentation pour moi et mes patients. Et je n'étais pas très étonné de lire récemment qu'en Occident, la mauvaise alimentation cause 30 à 40 % des maladies chroniques et des décès prématurés.

C'est pourquoi, en acceptant de partager mon expérience dans cette préface, je ne voulais pas manquer cette occasion privilégiée de collaborer à un livre qui s'intéresse à ce problème majeur de santé publique, et c'est avec enthousiasme que j'ai lu et vous recommande les judicieux conseils et les délicieuses recettes du Guide des bons gras. Bonne lecture et bon appétit !

ANDRÉ LAPIERRE, MD, FRCPC
Cardiologue
Hôpital Maisonneuve-Rosemont

Introduction

Depuis plusieurs années, le projet d'écriture d'un livre sur les gras nous tient énormément à cœur. Partenaires dans plusieurs projets d'éducation, nous avons décidé d'unir notre intérêt pour la recherche et la diffusion de ce dossier si passionnant et toujours très actuel. En effet, les excès de matières grasses sont directement reliés à la détérioration de la santé et constituent une préoccupation majeure chez une grande partie de la population.

Les recherches scientifiques des trente dernières années ont conduit à une évidence : il faut réduire notre consommation de matières grasses.

Comment couper dans les gras ? Lesquels choisir ? Pour s'y retrouver facilement et avec plaisir, *Le Guide des bons gras* propose un voyage très « nourrissant » au domaine des gras.

L'itinéraire proposé vous captivera. Après avoir pris connaissance des conséquences des excès de gras sur la santé (chap. 1), nous partons à la découverte de tous les termes scientifiques qui se multiplient dans notre quotidien, que ce soit concernant une étiquette, la promotion d'un produit ou l'état de notre santé (chap. 2 à 5).

Vous verrez également combien il est facile de combler ses besoins en matières grasses en choisissant les bonnes sources (chap. 3).

Puis, nous ferons une halte ressourçante chez les antioxydants, ces protecteurs indispensables (chap. 6).

Nous examinerons ensuite chacun des groupes d'aliments riches en matières grasses afin d'en reconnaître la qualité (chap. 7 à 17). Couper dans le gras, tout en privilégiant la qualité ne sera plus un problème, après avoir exploré les chapitres 18 et 19.

Une étape très importante de ce voyage consiste à saisir l'aspect global d'une alimentation saine et à mettre à profit le guide alimentaire végétarien proposé au chapitre 20.

Il va de soi que vous découvrirez en route combien il est agréable de cuisiner et de savourer des mets équilibrés, variés, délicieux... (Section Recettes).

Nous souhaitons de tout cœur que *Le Guide des bons gras* soit un outil très inspirant pour l'équilibre de votre alimentation et que vous en récoltiez les bienfaits.

Le fait d'intégrer la QUALITÉ au menu aura des répercussions, non seulement sur votre propre santé, mais aussi sur la santé de l'environnement, des plantes, des animaux et même des autres peuples !

LES RÉPERCUSSIONS
DE NOS CHOIX ALIMENTAIRES
SONT INESTIMABLES !

NOTRE CONCEPT

THÉORIE ET RECETTES = DEUX LIVRES DANS UN =
DISCOURS ET PRATIQUE!

THÉORIE

Formule questions et réponses, pour encourager et dynamiser la lecture.

1° Réponses dans des termes accessibles pour tous.

2° Utilisation du visuel (une image vaut mille mots).

3° Des tableaux, des schémas, des encadrés, etc.

RECETTES

Une formule nouvelle et vivante avec la participation de différents intervenants qui ont bien voulu présenter quelques-unes de leurs recettes santé porteuses de plaisirs gustatifs.

Un centre de santé:

- Centre de Santé d'Eastman

Une consultante en nutrition:

- Françoise Pichette de Saint-Hubert

2 cuisinières pour groupes:

- Tanya Wodicka de Hull
- Atmo Zakes de Sainte-Anne-de-Bellevue

2 herboristeries:

- L'Armoire aux Herbes de Ham Nord
- La Clef des Champs de Val David

2 jardins à visiter :

- L'Achillée Millefeuille de La Conception
- Les Jardins du Grand-Portage de St-Didace

Un producteur de fromage de chèvre :

- La Fromagerie Tournevent de Chesterville

2 restaurants et services de traiteur :

- Le Commensal
- Fontaine Santé

Et bien sûr, les auteures :

- Renée Frappier de Montréal
- Danielle Gosselin de Sherbrooke

Bonne lecture

Renée & Danielle

Note: La forme masculine, employée seule tout au long du livre par souci de clarté du texte, inclut le féminin.

CHAPITRE

1

Les maladies liées aux excès de gras

La très grande majorité des troubles de la santé est directement ou indirectement reliée à la façon de se nourrir. Plusieurs études scientifiques démontrent la relation qui existe entre les aliments que nous consommons **régulièrement** et l'évolution des maladies reliées aux excès de gras. Le menu n'est pas le seul responsable. Cependant, il peut influencer fortement la situation dans un sens comme dans l'autre.

LES MALADIES NE SONT PAS SEULEMENT RELIÉES À CE QUE L'ON MANGE, MAIS AUSSI À CE QUE L'ON NE MANGE PAS!

Au Québec, les gras constituent un peu plus de 34% des calories consommées dont 12,7% proviennent des gras saturés. Actuellement, au Canada, les matières grasses représentent environ 37% de l'apport énergétique total (calories). On s'améliore du point de vue de la quantité, car il y a à peine quelques décennies, les gras couvraient plus de 40% des besoins énergétiques des Québécois. Bravo!

Arrêtons-nous donc sur ces quelques pages pour réfléchir sur le lien entre notre consommation de gras et certaines maladies qui leur sont reliées comme l'obésité, l'hypercholestérolémie, les maladies cardiovasculaires et certains cancers.

Facteurs de risque reliés à l'alimentation et au mode de vie dans les principales maladies.

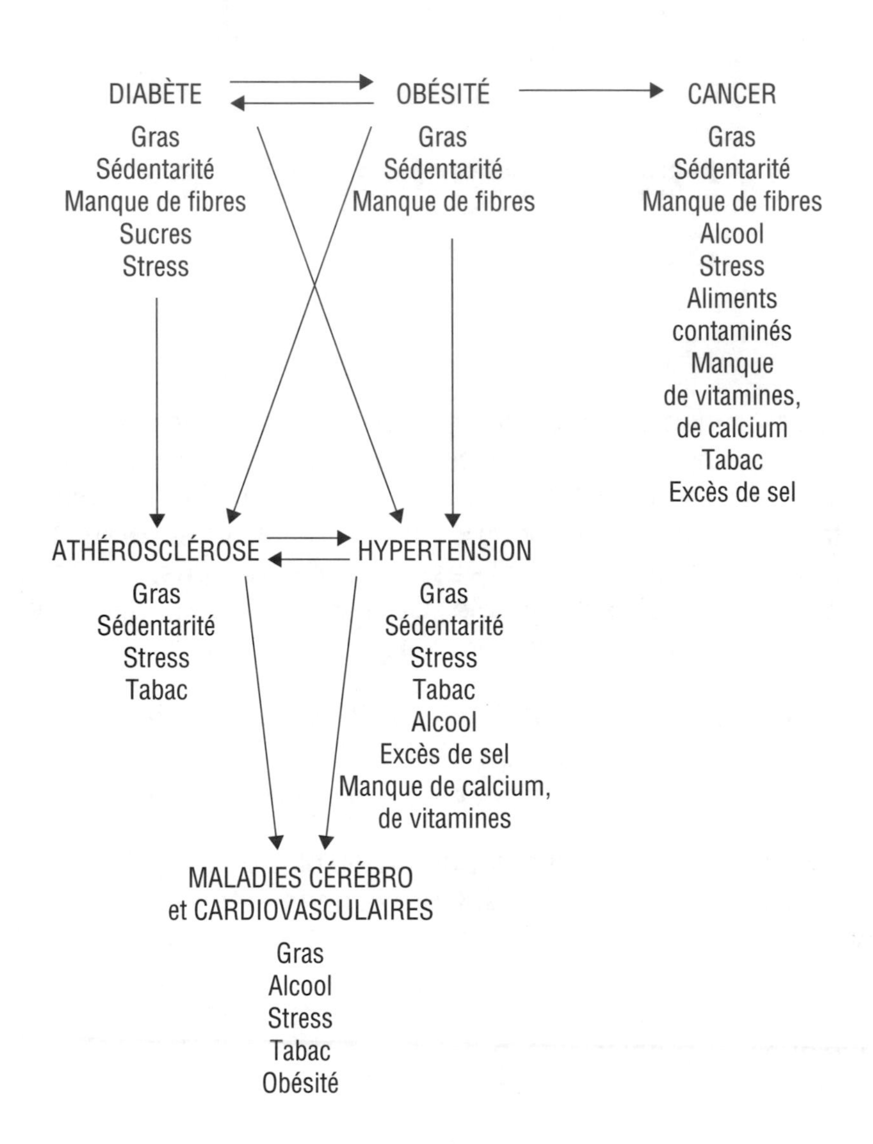

OBÉSITÉ

1 *Notre société devient-elle de plus en plus lourde ?*

- L'obésité est fréquente, dans les pays industrialisés (États-Unis en tête), et d'ailleurs, chez tous ceux qui adoptent le régime de vie de ces pays. Les excès de poids sont monnaie courante, touchant une grande proportion d'enfants, d'adolescents et d'adultes.

- L'embonpoint se définit par un excès de 10 à 20 % de notre poids santé et l'obésité par un surplus d'au moins 20 % chez l'homme et plus de 30 % chez la femme, ou encore par un indice de masse corporel (IMC) entre 25 et 29,9 pour l'embonpoint et égal ou supérieur à 30 pour l'obésité, la normale étant de 18,5 et 25. (Critères de l'OMS).

- La prise de quelques kilos au niveau abdominal à l'âge adulte est suffisante pour augmenter le risque de maladies cardiovasculaires.

QUELQUES FAITS ET STATISTIQUES

- 51 % des Canadiens sont considérés comme faisant de l'embonpoint ou de l'obésité. On en compte 44 % au Québec. Sur ce nombre 11 % ont un taux de cholestérol élevé et 12 % sont hypertendus.

- Les facteurs génétiques reliés à l'obésité expliqueraient 25 à 40 % de l'IMC et 50 % de la distribution de la graisse corporelle ! Les gènes responsables sont en voie d'identification.

- 60 % des Canadiennes cherchent à perdre du poids, alors que 33 % d'entre elles ont déjà un poids santé !

- Parmi les obèses, environ 60 % des femmes et 40 % des hommes s'efforcent de perdre du poids. LA SANTÉ ET L'APPARENCE PHYSIQUE SONT AU CŒUR DE LEUR MOTIVATION.

- En 10 ans aux États-Unis, le montant dépensé pour les diètes se chiffre à 50 milliards de dollars et celui pour les complications à 40 milliards. En comparaison, par année, on investit 34 millions dans la recherche sur l'obésité, et la compagnie Kellogg dépense 32 millions pour faire connaître un seul de ses produits, les « Frosted Flakes ». Combien ce serait fantastique d'investir le tout dans la PRÉVENTION !

SILHOUETTE POMME OU POIRE

- La distribution de la graisse dans le corps joue un rôle important dans les risques de maladies associées à l'obésité.

- Une surcharge de graisse autour du tronc et de l'abdomen est plus fréquente chez les hommes. Elle donne une silhouette en forme de pomme. La silhouette en forme de poire, rencontrée généralement chez les femmes, se caractérise par un excès de graisse sur les hanches et les cuisses.

- La forme pomme, indépendamment du taux de gras total, est associée à un plus grand risque de maladies cardiovasculaires, de diabète et d'hypertension. En fait, ce type d'obésité est le troisième plus important facteur de risque de maladie coronarienne, après l'âge et le cholestérol, surpassant l'hypertension, le tabagisme et le diabète. Ce risque apparaît avec un tour de taille supérieur à 80-90 cm chez l'homme et la femme après quarante ans et, à 75-85 cm chez la femme ménopausée.

- On explique les effets néfastes de cette localisation de la graisse de cette façon. La graisse abdominale se situe près de la circulation du foie. Quand elle est mobilisée, elle va directement vers cet organe, où elle est transformée en cholestérol LDL (« mauvais » cholestérol).
- La silhouette en forme de poire ne semble pas, quant à elle, associée à une incidence plus élevée de maladies cardiovasculaires.

2 Quels sont les principaux facteurs qui favorisent l'obésité ?

Outre les facteurs génétiques, les désordres endocriniens et la prise de certains médicaments, les facteurs psychologiques, environnementaux et socio-économiques peuvent aussi favoriser l'obésité.

- **Environnement émotionnel :** la perception et l'estime de soi ainsi que notre relation avec les autres.
- **Environnement familial :** les habitudes alimentaires prises à la maison. Aux parents de valoriser cet aspect qui fait partie de l'héritage familial. Donner de l'importance à la qualité de la préparation des repas ainsi qu'à l'atmosphère qui y règne peut être significatif.
- **Environnement passif :** notre penchant pour l'immobilité, la télévision et l'ordinateur nous empêche de brûler nos calories. Nous sommes remplis de bonnes intentions, cependant 70 % de ceux qui s'inscrivent à des programmes de mise en forme abandonnent avant un an !
- **Environnement publicitaire :** la publicité oriente trop souvent nos choix alimentaires. En bougeant, on évite en prime quantité d'annonces publicitaires qui incitent à manger !

LE CHANGEMENT D'HABITUDE COMMENCE PAR LE CHANGEMENT D'ATTITUDE !

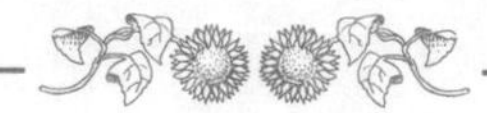

LES ENFANTS SOUS INFLUENCE

- Dans une année, un enfant aura été soumis à plus de 10000 publicités télévisées vantant les mérites d'aliments gras, sucrés et salés!!! Les résultats parlent d'eux-mêmes...

- À chaque année, le nombre d'enfants obèses augmente. Les causes principales sont les habitudes alimentaires, la télévision et les jeux vidéo.
- Des études ont rapporté que la prévalence de l'obésité augmente de 2% pour chaque heure passée devant l'écran de télévision.
- Si les parents n'achètent pas les aliments qu'il faut abandonner, les enfants (et même les grands!) sont moins tentés de les manger!
- Offrir «à volonté» fruits, légumes crus et jus frais. Mettre un «frein» aux friandises, aux croustilles et aux boissons gazeuses. Notre progéniture mérite mieux que les panures et les fritures!

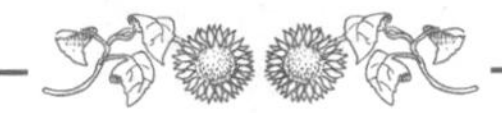

- Les faire participer à l'élaboration des repas... sains de préférence!
- Les inciter à être actifs, à faire partie d'une équipe sportive. Bougeons avec eux, été comme hiver!

LES ADOLESCENTES À RISQUE

- Les adolescentes n'ont pas amélioré leurs habitudes alimentaires. Soit qu'elles mangent trop, soit qu'elles mangent trop peu. D'une manière ou d'une autre, elles ne réussissent pas à combler leurs besoins nutritionnels.
- Le «junk food» fait trop souvent partie de leur menu, et elles en subissent les conséquences: excès de poids, acné, menstruations difficiles, mauvaise humeur, fatigue.
- La peur d'être grosse est omniprésente. Plus de 30% des filles de 9 ans craignent de devenir grosses. Cette crainte croît avec l'âge; elle est exprimée par 80% des filles de 18 ans.[1]
- Cette peur de devenir grosse, combinée à d'autres facteurs, peut malheureusement mener à des désordres beaucoup plus sérieux comme la boulimie et l'anorexie.

3 *Comment atteindre son poids santé sans frustration?*

- Ne pas prendre les mannequins comme référence. Ces très jeunes femmes pèsent 20% de moins que la moyenne des femmes!!!
- La route pour arriver à son poids santé est parsemée de belles découvertes sur soi et sur les aliments naturels, loin des régimes austères, restrictifs ou compliqués.

1. Mellin L.M., Irwin E. E., Scully S. «Prevalence of disordered eating in girls: a survey of middle class children.» *Journal of American Dietetic Association*, 1992, 92; 851-853.

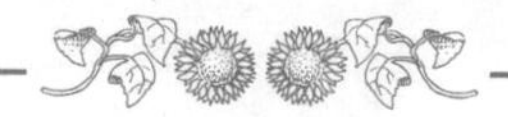

- Entre l'obésité et le poids santé existent les excès de poids et les mille et un régimes qui font miroiter la fonte des graisses! Ces régimes sont pour la plupart déséquilibrants et le taux d'abandon est très élevé. Rien de mieux, si l'on veut réellement maigrir et que ce soit justifié, que de se mettre à ce qu'il est convenu ici d'appeler «les plaisirs de l'alimentation saine». Finis les régimes yo-yo!

POUR UN BON DÉPART

- Prenons nos calories dans les sucres complexes comme l'amidon, plutôt que dans les gras et les sucres concentrés et raffinés.
- Apprenons à reconnaître les aliments amis. Arrêtons de développer des phobies face aux «calories».
- De nombreuses personnes autour de nous ont réussi là où la majorité des régimes avaient échoué, en intégrant dans leur menu QUALITÉ, PLAISIR ET PERSÉVÉRANCE.

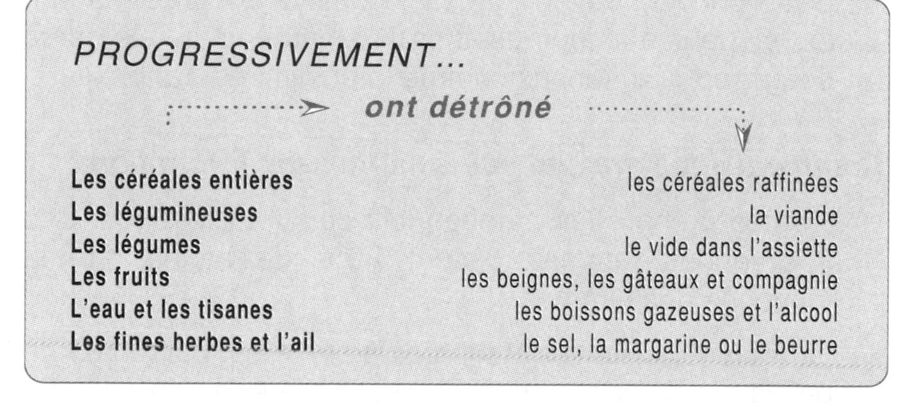

PROGRESSIVEMENT...

ont détrôné	
Les céréales entières	les céréales raffinées
Les légumineuses	la viande
Les légumes	le vide dans l'assiette
Les fruits	les beignes, les gâteaux et compagnie
L'eau et les tisanes	les boissons gazeuses et l'alcool
Les fines herbes et l'ail	le sel, la margarine ou le beurre

LE DÉLICIEUX CHANGE DE CAMP!

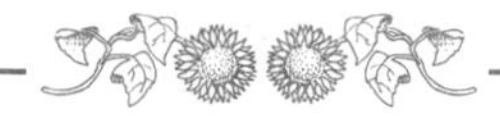

- Développons de nouvelles attitudes et habitudes:
  - Trouvons des alternatives pour régulariser l'appétit et les fringales (fruits, eau, respiration, détente, etc.);
  - Donnons-nous le temps d'apprivoiser les nouvelles saveurs et textures;
  - Attardons-nous à mieux mastiquer, à savourer chaque bouchée;
  - Réapproprions-nous notre corps et ressentons-en tout le bien-être;
  - Devenons plus conscient de ce que les aliments nous apportent;
  - Bougeons plus qu'avant.
- Essentiel pour réussir:
  - Mangeons beaucoup de fruits et de légumes crus (riches en fibres);
  - Buvons au moins 8 verres d'eau par jour, incluant les bons jus de légumes frais, afin de bien nettoyer le gros intestin.
- Retenir que les lipides (gras) dégagent plus du double des calories fournies par les glucides et les protéines. Les lipides dégagent 9 calories par gramme, les glucides et protéines 4 calories par gramme.
- L'équation est simple: lorsque nous mangeons plus de calories que nous n'en dépensons, nous faisons des réserves de graisse, d'autant plus facilement que ces charmantes calories proviennent des gras.
- Se rappeler que l'alcool dégage 7 calories par gramme. De plus, l'alcool ralentit la capacité de notre corps à brûler les matières grasses. Dans la multitude de dossiers consultés, les conseils se rejoignent: moins on consomme d'alcool, mieux c'est pour la santé globale!

SAVIEZ-VOUS QUE:

BOUGER ET BRÛLER SA GRAISSE

Vaut-il vraiment la peine de se mettre à l'exercice physique pour perdre de la graisse ? Eh bien, oui ! Mais pas à n'importe quelle condition.

D'abord, pour utiliser ses graisses en réserve, il faut pratiquer un exercice d'intensité moyenne pendant au moins une vingtaine de minutes. En général, plus l'exercice se prolonge, plus grande est la contribution des gras pour fournir de l'énergie. Avant ce laps de temps, les muscles brûlent surtout du glucose.

Ensuite, l'utilisation du gras est d'autant plus efficace que le corps parvient facilement à s'oxygéner. Mais, même si nous ne sommes pas des athlètes, entraînons-nous ! Plus on s'entraîne, plus la capacité du cœur et des poumons s'améliore, et plus les cellules s'adaptent à emmagasiner l'oxygène.

Seulement 20 minutes d'un exercice aérobique, trois fois par semaine, stimule le corps à brûler les graisses et 30 minutes par jour suffisent à optimaliser la perte de graisse abdominale. Les bienfaits se prolongent au-delà de la période d'activité, car l'utilisation des gras à un rythme accéléré peut continuer pendant une journée !

D'où vient cette graisse ? Les zones qui ont le plus de gras à partager le donnent en plus grandes quantités. Malheureusement, ce ne sont pas nécessairement celles que l'on remarque le plus... D'après les experts, il faut perdre du poids pour réduire aussi les « poignées d'amour ». Ne flanchons pas et persévérons ! L'exercice donne le tonus musculaire qui améliore l'apparence générale, et ce, à tout âge.

Trois fois par semaine, rappelons-nous qu'une bonne marche est la route pour une utilisation optimale des gras et une foule d'autres bienfaits.

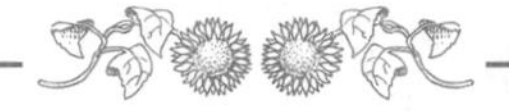

4 Quels sont les problèmes de santé reliés à l'obésité?

- Hypertension, hypercholestérolémie, troubles digestifs, diabète, maladies cardiovasculaires, troubles rénaux, certains cancers, constipation, etc. S'ajoutent généralement des répercussions psychologiques, sociales et économiques difficiles à vivre.
- **Nouvelle encourageante:** la moindre perte de poids (aussi peu que 10%) diminue tous ces risques.
- Les incidences de l'obésité sur notre société se traduisent en milliards de dollars et en perte incalculable de qualité de vie.

Notre attitude envers la nourriture doit se simplifier et intégrer davantage la notion de PLAISIR. Plaisir d'avoir accès à des aliments sains, plaisir de les préparer, plaisir de les déguster.

QUE NOTRE ALIMENTATION DEVIENNE
UNE COMMUNICATION ENTRE NOUS
ET NOTRE ENVIRONNEMENT INTÉRIEUR
ET EXTÉRIEUR.

MALADIES CARDIOVASCULAIRES (M.C.V.)

- Même s'il est vrai que le taux de M.C.V. a chuté ces dernières années, grâce surtout aux progrès de la chirurgie, il y a encore place à l'amélioration. Les statistiques qui suivent le prouvent.

QUELQUES FAITS ET STATISTIQUES

- Première cause de mortalité au Canada (39 %) : les maladies cardiovasculaires !
- Première cause de mortalité au Québec : les maladies cardiovasculaires !
- Première cause de mortalité aux États-Unis (44 %) : les maladies cardiovasculaires !
- Première cause de mortalité en France : les maladies cardiovasculaires !
- 19 000 Québécois meurent chaque année de maladies cardiovasculaires !
- Les maladies cardio et cérébrovasculaires ont coûté 20 milliards de dollars en coûts directs et indirects à la collectivité canadienne en 1994 !
- 2,4 millions de Québécois ont un taux de cholestérol trop élevé !
- **Sept Québécois sur dix** présentent l'un ou l'autre des quatre facteurs de risque soit le tabagisme, un taux de cholestérol trop élevé, l'hypertension ou le manque d'exercice.
- De nos jours, pour chaque femme de plus de 50 ans qui meurt d'un cancer du sein, treize femmes meurent d'un infarctus ou d'une maladie cérébrovasculaire.

Ces constatations portent à réfléchir sur les facteurs de risque qui mènent à une telle situation et nous incitent fortement à agir pour les réduire au minimum.

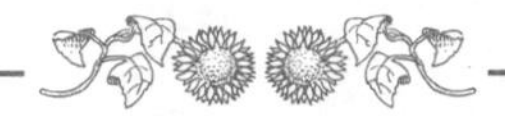

- La mortalité et les handicaps physiques et psychologiques entraînés par un accident cardio ou cérébrovasculaire ne sont pas un « aboutissement » ou une « fatalité ». Ces situations touchent tellement de familles qu'on a tendance à penser qu'elles sont inévitables. **Et pourtant, il est encore possible d'avancer en âge resplendissant de santé !**

L'ACCIDENT CARDIOVASCULAIRE
N'EST PAS TOUJOURS UN ACCIDENT,
IL EST LE PLUS SOUVENT UN RÉSULTAT !

5 Quels sont les principaux bourreaux du cœur ?

- Il est important de se rappeler que les **habitudes alimentaires** sont un facteur clé, mais qu'il existe plusieurs **autres facteurs de risque** : tabagisme, stress, obésité, hypercholestérolémie, sédentarité et excès d'alcool.

LA JUNGLE DU CHOLESTÉROL

- Plusieurs études épidémiologiques ont démontré qu'il existe un lien entre une trop grande consommation de cholestérol et de gras saturés et l'excès de cholestérol dans le sang (hypercholestérolémie) et les M.C.V.
- Ces dernières années, les chercheurs ont mis en évidence un **facteur de risque indépendant** pour les maladies cardiovasculaires. Un taux, même légèrement élevé, d'**homocystéine dans le sang** cause des dommages aux artères.
- Certaines vitamines du groupe B: l'acide folique, la B_6 (pyridoxine) et la B_{12} (cobalamine) sont des facteurs très importants dans la régulation du taux d'homocystéine. Le précurseur de l'homocystéine est un acide aminé, la **méthionine**, qu'on retrouve dans toutes les protéines, mais plus abondant dans les produits animaux.
- La théorie de l'homocystéine explique pourquoi les populations ayant une alimentation basée sur les produits animaux et les aliments raffinés sont plus susceptibles de faire de l'athérosclérose.

LA PRÉVENTION : LE CŒUR DE LA SOLUTION !

À noter

Chez les végétariens et les peuples ayant un régime simple (céréales entières, légumineuses, fruits et légumes, noix et graines), la pression artérielle est plus basse, les taux de cholestérol sanguin sont normaux et les maladies cardiovasculaires sont rares.

Le **Dr Dean Ornish**, un chercheur américain, a prouvé qu'il est possible d'arrêter, et même de faire régresser les maladies cardiovasculaires en améliorant son mode de vie. Son étude a été publiée dans la revue médicale *The Lancet*. Pour les personnes déjà aux prises avec un problème de maladies cardiovasculaires et d'obésité, il conseille un régime très limité en gras et pratiquement sans cholestérol.

6 Faire de l’exercice, est-ce réellement bénéfique pour le cœur ?

- Voilà une question dont tout le monde connaît la réponse et que plusieurs études scientifiques viennent confirmer. OUI, l’exercice protège le cœur !
- Les gens qui font de l’exercice vigoureux (courir, nager, faire du vélo, etc.) entre 15 et 40 ans ont 5 fois moins de risque d’avoir une crise de cœur que les sédentaires.
- **L’exercice à tout âge s’avère très bénéfique** non seulement pour le cœur mais pour tous les systèmes du corps... et même pour le moral et l’humeur ! Une marche rapide d’une demi-heure par jour reste l’exercice le plus accessible et le plus apprécié du plus grand nombre.

IL N’EST JAMAIS TROP TARD !

- Souvenons-nous que le cœur est un muscle remarquable qui accomplit un travail intense et constant: pomper sans relâche le sang à toutes les cellules, dont celles si précieuses du cerveau ! L'exercice le renforce et lui permet de mieux remplir ses précieuses fonctions.

La prévention sous toutes ses formes doit être **au cœur** des budgets, des programmes, des publicités, des recherches et des cuisines, comme moyen majeur pour freiner et même pour renverser la situation présente.

DÈS MAINTENANT, OCCUPONS-NOUS
DE LA SANTÉ DE NOS ARTÈRES,
ÇA VAUT LE CŒUR!

LE CANCER, CE MALICIEUX DÉRÈGLEMENT DE LA VIE CELLULAIRE

- Le cancer est l'histoire inquiétante d'une cellule anormalement constituée qui se multiplie dans notre corps tout en provoquant des désordres très graves. Deuxième cause de mortalité de nos sociétés industrialisées, il est très important, devant cette maladie si souffrante, de connaître et de privilégier tous les éléments protecteurs.
- Les agents cancérigènes sont multiples. Le tableau suivant met en évidence l'importance de la nourriture et du tabac.

Taux de cancer attribuables à divers agents cancérigènes

Agents cancérigènes	% de cancers
Constituants normaux de la nourriture	35
Tabac	30
Sexualité et reproduction	7
Risques professionnels	4
Alcool	3
Additifs et colorants	1
Causes inconnues	20

QUELQUES FAITS ET STATISTIQUES

- En se basant sur les statistiques de 1989, on estime que pour un Canadien la probabilité d'être atteint de cancer au cours de sa vie se fixe autour de 38%; celle qu'il en meurt de 22%.
- Chez la femme canadienne, le cancer du sein représente 28% des nouveaux cas de cancer et 20% des décès par cancer.

- Selon les chercheurs de l'École de santé publique de Harvard, les hommes qui mangent de la viande rouge comme plat de résistance cinq fois ou plus par semaine ont 2,6 fois plus de probabilités d'avoir un cancer avancé de la prostate que ceux qui n'en mangent pas plus d'une fois par semaine.
- Les individus sédentaires sont plus exposés au cancer du côlon, le manque d'activité physique augmentant le temps du transit intestinal.[1]
- La plupart des études épidémiologiques internationales ont montré l'existence d'une relation inverse entre le taux de mortalité dû au cancer du côlon et la présence des fibres alimentaires au menu.[2]

7 *Quels sont les cancers reliés à l'alimentation ?*

- Les cancers de l'œsophage, de l'estomac, du côlon, du rectum, de l'utérus, du sein et de la prostate sont ceux qui sont le plus souvent reliés à nos erreurs alimentaires. Ils sont beaucoup plus fréquents dans les pays où la consommation de la viande et d'autres matières grasses est élevée.
- Dans les régimes riches en protéines animales, il y a apparition de substances mutagènes[3] lors de la cuisson prolongée ou à haute température, augmentant les risques de cancer du côlon.

---

1. Vena J.E. et coll. « Occupational exercise and risk of cancer ». *Am J Clin Nutr.* 1987, 45 (suppl) ; 318-327.
2. Jacobs L.R. « Relationship between dietary fiber and cancer. » *Biol. Med.* 1986, 183 ; 299-310.
3. Mutagène : substance qui peut modifier les caractères héréditaires par changement génétique.

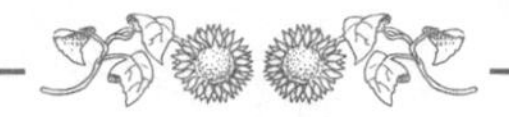

- Lorsque le régime alimentaire contient beaucoup de graisses et de cholestérol, la digestion de ces excédents requiert davantage de bile. Or, certaines bactéries de la flore intestinale peuvent se multiplier, réagir avec les acides biliaires et produire des substances cancérigènes. Si, de plus, les **fibres alimentaires** capables d'évacuer ces substances nocives manquent au menu, les risques de cancer du côlon augmentent. En effet, le temps de contact entre les matières fécales et les parois de l'intestin devient trop long.

À noter Les végétariens ont des taux de mortalité par cancer plus bas que tout le reste de la population, même quand les cancers liés au tabagisme et à l'alcool sont exclus.

L'AMÉLIORATION ET LE MAINTIEN DE LA SANTÉ DEVIENNENT POSSIBLES DU MOMENT OÙ NOUS SOMMES CONVAINCUS DES BIENFAITS ET DES PLAISIRS RELIÉS À UNE SAINE ALIMENTATION.

MODE DE VIE PROTECTEUR

L'être humain, dans sa très grande complexité, doit mener une vie conforme aux lois naturelles qui le gouvernent. Pour grandir, s'épanouir, conserver ses acquis ou retrouver l'équilibre, il ne peut se permettre de négliger ne serait-ce qu'une des différentes facettes de sa vie : santé physique, mentale et spirituelle.

Parmi les facteurs naturels de santé, l'alimentation occupe bien sûr une large part, mais d'autres aspects sont aussi vitaux. Pensons à une table, dont les quatre pattes sont aussi importantes l'une que l'autre pour la maintenir en équilibre.

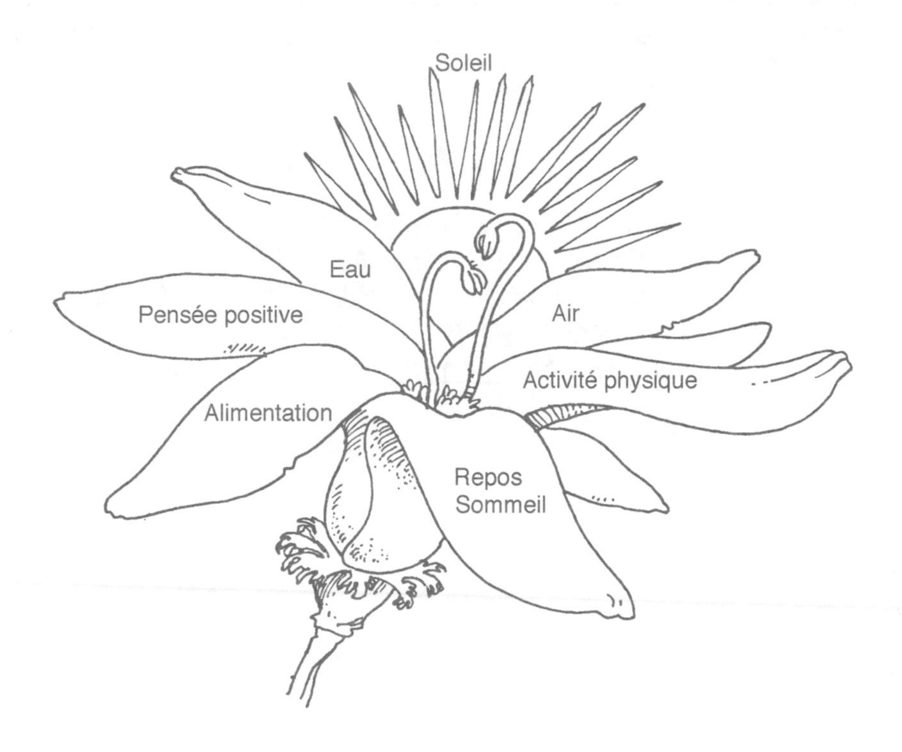

À RETENIR:

- Les aliments sains ne contiennent jamais qu'une seule substance intéressante et ne protègent pas que d'une seule maladie. Au contraire, ils renferment une multitude d'éléments nutritifs et d'autres substances protectrices très puissantes désignées sous le terme phytochimiques comme les antioxydants et bien d'autres.
- Les aliments sains nous protègent du cancer aux maladies cardiovasculaires en passant par l'arthrite, les ulcères, l'hypertension, etc. À mettre au menu quotidien !

Les aliments et leurs substances protectrices

Aliments	Substance protectrices	Actions
Citrouille, patate sucrée, carotte, chou frisé, épinard, courges orangées, cantaloup, brocoli spiruline, *algue super blue green*	Caroténoïdes	• Neutralisent les radicaux libres. • Stimulent le système immunitaire. • Consommation élevée associée à un bas taux de cancer.
Tomate, melon d'eau, pamplemousse rose	Lycopène (caroténoïde)	• Anticancérigène.
Chou, chou-fleur, brocoli, chou de Bruxelles, navet	Indoles Isothiocyanates	• Détruisent les œstrogènes connus pour initier certains cancers, particulièrement le cancer du sein. • Inhibent certains carcinogènes.
Légumineuses (fèves, pois, arachides)	Isoflavones	• Anticancérigènes. • Inhibent les œstrogènes.

Aliments	Substance protectrices	Actions
Graines de lin, soya, céréales à grains entiers,	Lignanes	• Inhibent l'action des œstrogènes. • Inhibent certaines substances inflammatoires. • Abaissent le taux de cholestérol. • Protègent contre les cancers du sein, du côlon, de la prostate, de l'utérus.
Poissons gras	Oméga-3 Cœnzyme Q10	• Inhibent certaines substances inflammatoires. • Favorisent une meilleure oxygénation des tissus.
Persil, curcuma	Polyacétylène	• Détruit certaines substances toxiques. • Inhibe certaines substances. inflammatoires.
Soya	Inhibiteurs de protéases Génistéine et daidzéine	• Détruisent les enzymes qui favorisent la propagation du cancer. • Inhibent les œstrogènes.
Légumineuses, soya	Raffinose Stachyose	• Multiplication intestinale de bactérie *Bifidus* et inhibition de bactéries pathogènes.
Concombre, chou, tomate, courge, céréales à grains entiers, brocoli	Stérols	• Abaissent le taux de cholestérol.
Ail, oignon, poireau	Soufre Quercétine	• Anticancérigènes. • Abaissent la taux de cholestérol. • Abaissent la tension artérielle.

Aliments	Substance protectrices	Actions
Huile de lin, de bourrache, d'onagre, de cassis (gadelier noir), de canola	Acide alpha - linolénique	• Abaisse le cholestérol. • Contrôle la tension artérielle. • Favorise la production de substances anti-inflammatoires
Agrumes (orange, pamplemousse, citron, lime)	Terpènes Vitamine C	• Anticancérigènes. • Abaissent le cholestérol.
Noisette, amande, avocat, huile d'olive, de canola, de sésame	Gras monoinsaturés Vitamine E	• Abaissent le cholestérol. • Action antioxydante.
Pomme, avoine, carotte, légumineuses	Fibres solubles (pectines)	• Abaissent le cholestérol.
Romarin	Quinones	• Anticancérigènes.
Légumes feuilles, légumes verts	Flavonols	• Action antioxydante. • Anticancérigènes.
Myrtilles, bleuets, baies rouges, thé vert	Anthocyanes Tanins	• Action antioxydante. • Protection contre les cancers.
Ginseng	Ginsénosides	• Effet antifatigue, antistress, meilleure immunité.
Légumes verts, algues vertes, pousses et germes verts (herbe de blé, pousses de tournesol, de sarrasin)	Chorophylle	• Action contre les bactéries et les virus.

idée Consommer le plus possible les légumes crus ou légèrement cuits à la vapeur. La chaleur altère certains antioxydants.

VOICI LA COMBINAISON GAGNANTE!

Répétez-la à votre entourage, car elle peut changer le monde, sauf que... **faut s'y mettre!**

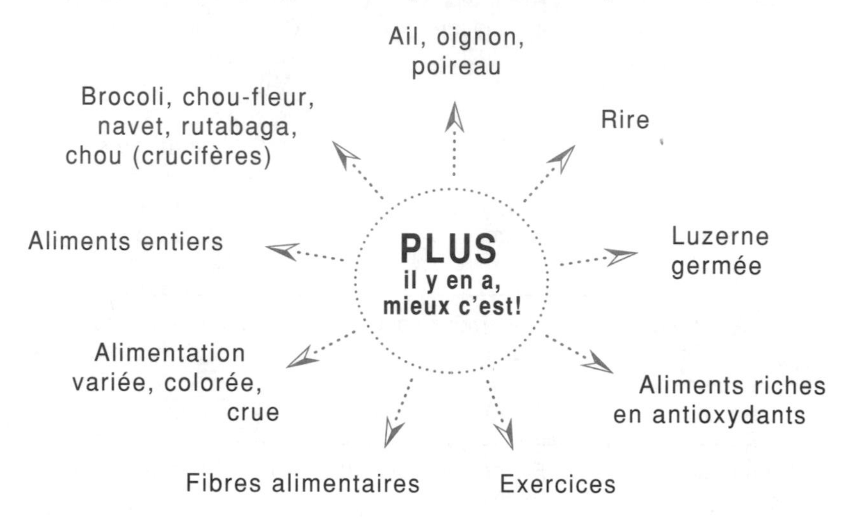

Tous ces aliments et ces habitudes de vie nous protègent contre une foule de maladies et renforcent notre système immunitaire.

À ÉVITER!

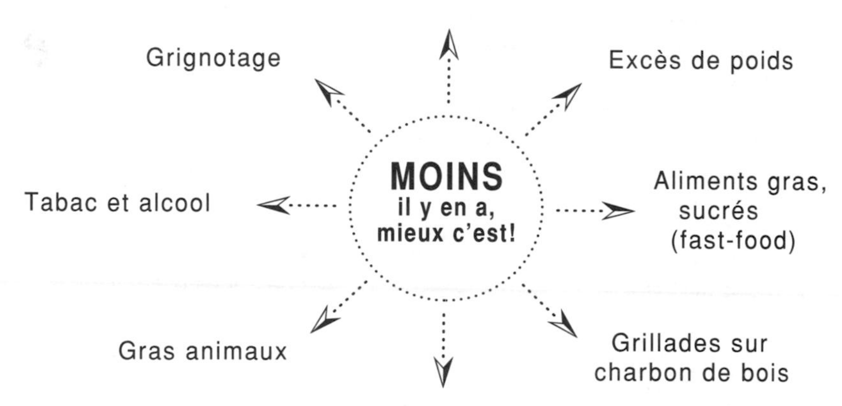

CHAPITRE

2

Gras, graisses, lipides... en langage clair !

Aujourd'hui, les mots scientifiques sont mis à la portée de tous. À la télévision, dans les circulaires d'épicerie ou sur les étiquettes, on ne se gêne pas pour utiliser toute une panoplie de termes plus ou moins complexes, rarement expliqués. Voici donc l'occasion d'acquérir un brin de connaissance.

Alors, suivez-nous pas à pas à travers ce monde fascinant des lipides. Dans les pages qui suivent, nous allons débroussailler le terrain des termes qui se rapportent aux gras : lipides, gras, graisses, huiles, acides gras, polyinsaturés, monoinsaturés, saturés, acides gras essentiels, cholestérol, gras « trans », etc.

La compréhension de ce langage de base vous permettra ensuite de placer dans un contexte juste les notions qui se rapportent aux gras.

COMMENÇONS PAR LE COMMENCEMENT

Avant d'entrer dans le « gras » du sujet, voici quelques notions de base qui vous seront utiles. Nous les avons rendues aussi simples que possible en y ajoutant des illustrations. Ces notions seront expliquées plus longuement au fil des chapitres.

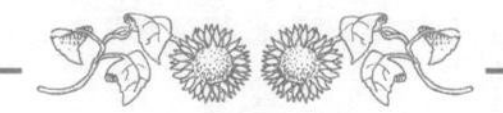

1. Lipides est le terme scientifique pour gras. Ils incluent :
   - les graisses (gras solides à la température ambiante) ;
   - les huiles (gras liquides à la température ambiante) ;
   - les phospholipides (ex. : lécithine) ;
   - certaines hormones (ex. : hormones sexuelles) ;
   - le cholestérol.
2. La majorité des lipides des aliments viennent sous la forme de (n'ayons pas peur des mots !) **triglycérides**. On les retrouve aussi dans notre corps où ils circulent dans le sang (un test sanguin peut vous donner votre taux de triglycérides). L'excès, non utilisé pour la dépense d'énergie, se dépose dans les cellules adipeuses. Ces cellules abondent sur le ventre, les hanches, les cuisses...
3. Si on décortique un triglycéride, voici ce qu'on y décèle : du glycérol et 3 **acides gras**.

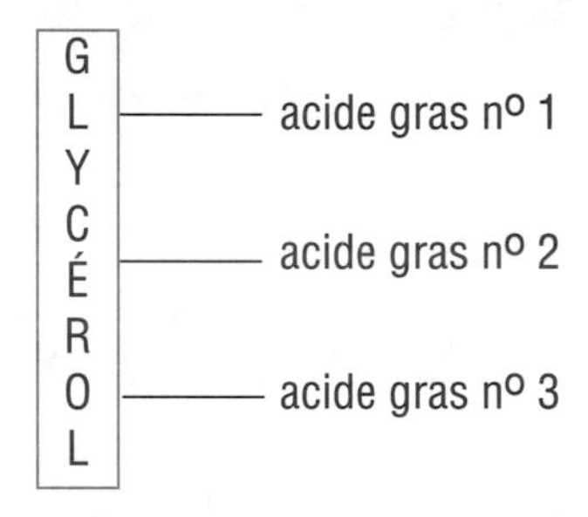

   Ce sont ces fameux acides gras dont on parle quand on lit « saturés », « polyinsaturés » ou « monoinsaturés » sur les étiquettes. Les effets de chacun de ces groupes de gras sur la santé sont de plus en plus importants et connus.

4. Nos cellules sont incapables de fabriquer deux acides gras. Nous devons donc absolument les prendre dans nos aliments. On les appelle les **acides gras essentiels ou vitamine F** (terme commode mais impropre). Ce sont des acides gras polyinsaturés.

Des noms à retenir:

- **L'acide linoléique (oméga-6)**
- **L'acide alpha-linolénique (oméga-3)**

La fameuse crème Budwig du Dr Kousmine les a mis à l'honneur. On ne cesse de découvrir leur importance.

5. Nous avons des besoins établis en acides gras saturés, monoinsaturés et polyinsaturés, incluant les acides gras essentiels. Il est important de connaître les sources de ces gras.

6. Les gras peuvent remplir pleinement leurs fonctions s'ils sont **naturels, c'est-à-dire non chauffés, hydrogénés ou frits**. La chaleur, surtout intense, dégrade les gras en substances plus ou moins toxiques. Les gras «trans» font partie de ces produits qu'il faut éviter. On les retrouve notamment dans certaines huiles, les fritures, les margarines hydrogénées et les produits qui en renferment.

7. Le cholestérol est un lipide différent des acides gras. Le corps en a besoin, c'est pourquoi le foie et presque toutes nos cellules sont aptes à produire tout le cholestérol nécessaire. Certains aliments en contiennent beaucoup. **La combinaison d'un excès de gras saturés et de cholestérol s'avère néfaste pour nos artères**.

8. Le cholestérol que nous produisons ainsi que celui que nous ingérons voyagent dans le sang avec d'autres lipides et des protéines. Ces transporteurs sont fabriqués dans le foie. On les connaît sous le nom de HDL[1] («bon» cholestérol) et LDL[2] («mauvais» cholestérol). Le dit «mauvais» cholestérol n'est pas mauvais en soi. En fait, **c'est l'excès de LDL qui le rend mauvais**, car il est tout à fait normal que le corps le produise.

   Les aliments renferment du cholestérol mais pas de transporteurs de cholestérol (HDL, LDL).

9. Les poissons gras contiennent des gras différents des animaux terrestres. Les Inuit, qui vivent d'une manière traditionnelle, leur doivent des artères propres malgré une très forte consommation de gras. Ces gras sont connus sous le nom **d'huiles de poisson ou d'oméga-3**.

10. Une alimentation simple et équilibrée incluant de petites quantités de noix, de graines et d'huiles de qualité comble nos besoins sans fournir d'excès.

Pour compléter ces notions, attardons-nous aux importantes fonctions des gras dans notre corps et dans nos cellules. Comme vous le constaterez, LES GRAS PEUVENT AVOIR PLUSIEURS VERTUS!

---

1. HDL est l'abréviation de *High Density Lipoproteins*. En français: protéines de haute densité.
2. LDL est l'abréviation de *Low Density Lipoproteins*. En français: protéines de basse densité.

PRINCIPALES FONCTIONS DES LIPIDES DANS LE CORPS

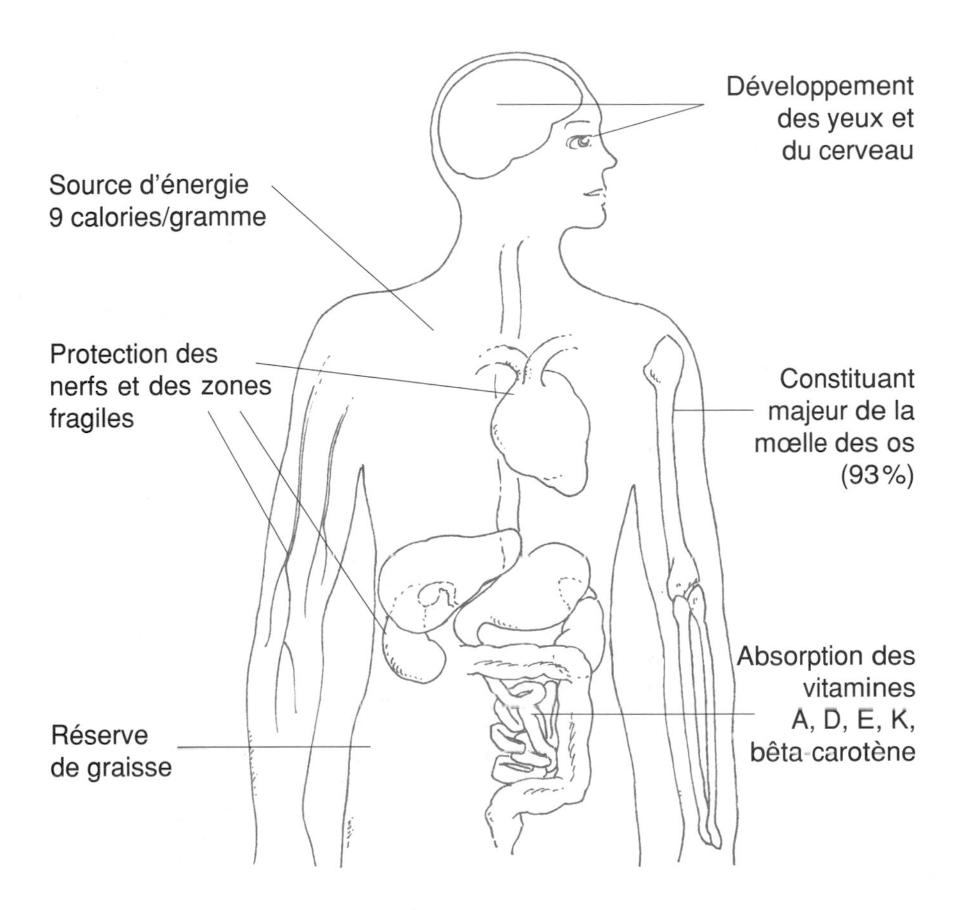

Les gras des aliments procurent une sensation de satiété en ralentissant la digestion.

Ils ajoutent saveur, arôme et tendreté aux aliments... de là la popularité du fast-food.

PRINCIPALES FONCTIONS DES LIPIDES DANS LA CELLULE

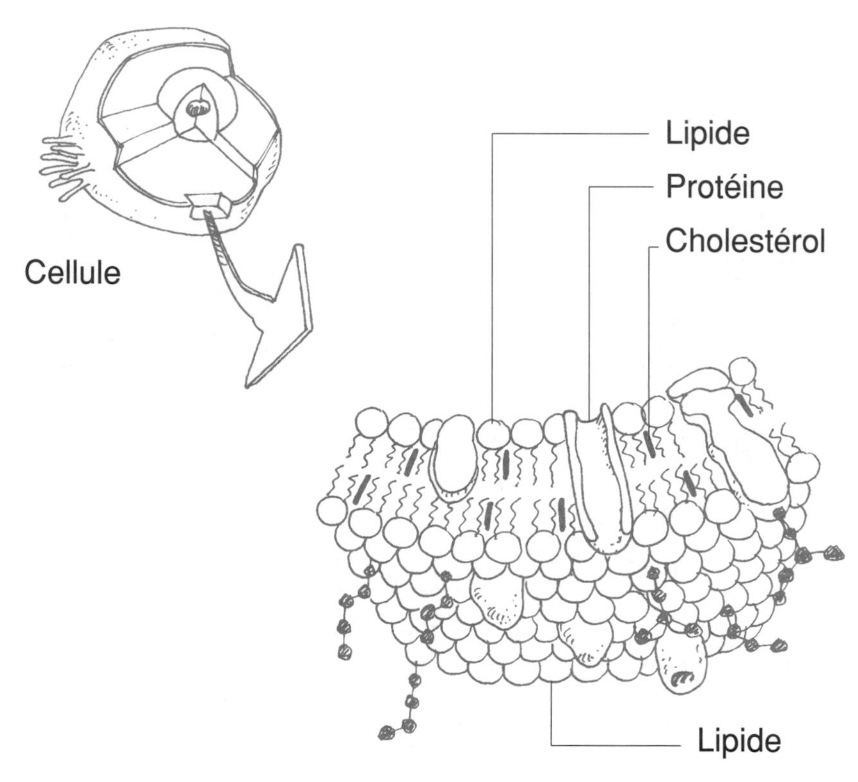

Membrane cellulaire

C'EST GRÂCE AUX GRAS DE LA MEMBRANE DE NOS CELLULES QUE NOTRE PEAU EST IMPERMÉABLE ET SÉLECTIVE!

CHAPITRE

3

Les gras à la loupe

Avant de couper dans le gras sans considération, apprenons d'abord à connaître nos besoins. Malgré l'image négative portée par les matières grasses, une certaine quantité reste essentielle pour notre bien-être.

De plus en plus d'aliments affichent des étiquettes sur lesquelles les gras sont détaillés: saturés, monoinsaturés et polyinsaturés. Il est intéressant et utile de connaître ces termes, nos besoins en ces différents gras ainsi que les aliments qui les fournissent.

Pour mettre en évidence l'importance de la QUALITÉ des matières grasses, jetons d'abord un coup d'œil sur les changements survenus dans la consommation de gras depuis le début du siècle.

ÉVOLUTION DE LA CONSOMMATION DE GRAS

- Le graphique suivant nous montre que la quantité totale de gras consommée depuis le début du siècle a non seulement augmenté, mais que le type de matières grasses consommé a beaucoup changé (et n'a pas grand-chose d'une «évolution»...).

- Vers 1909, on utilisait le beurre pour tartiner, le lard pour cuisiner, peu de graisse végétale et encore moins de margarine et d'huiles raffinées.
- Regardons maintenant les changements dans le choix des gras : beaucoup de shortening, d'huiles et de margarine. Malheureusement, ces produits ne sont pas naturels ni de grande qualité. Parallèlement, les maladies cardiovasculaires ont augmenté pour atteindre un maximum il y a quelques années. Évidemment, l'alimentation n'est pas le seul facteur en cause (tabagisme, stress, etc.).

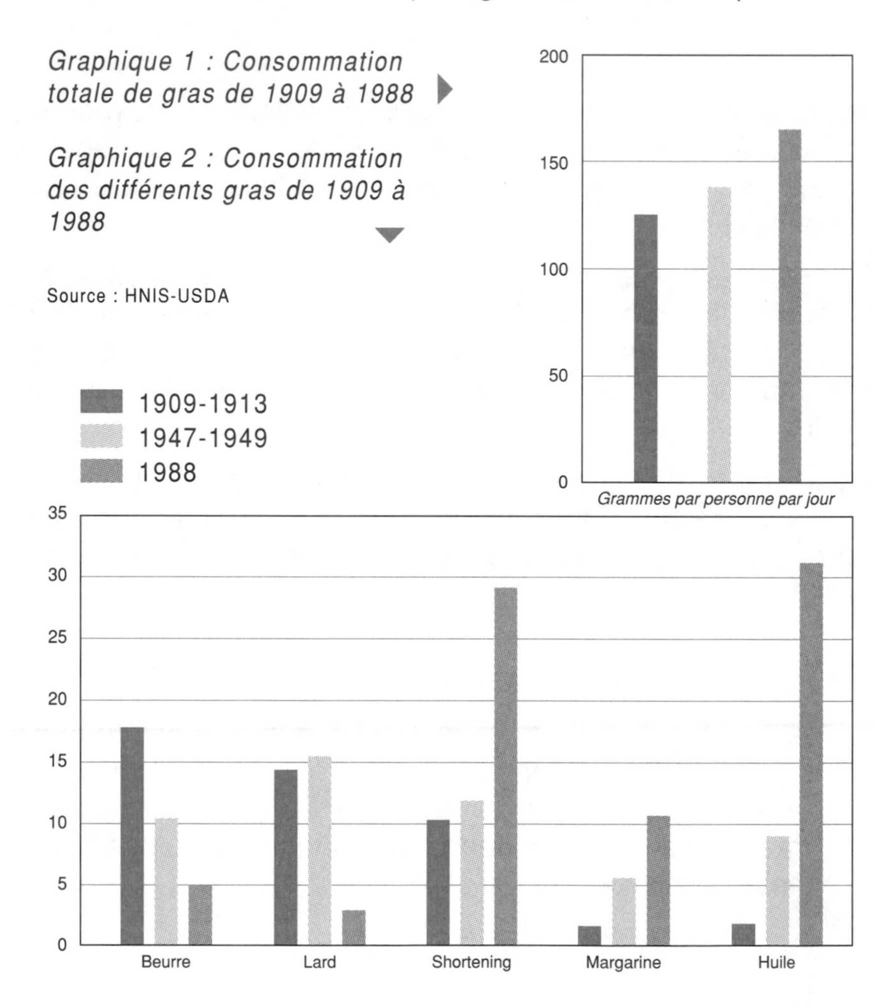

Graphique 1 : Consommation totale de gras de 1909 à 1988

Graphique 2 : Consommation des différents gras de 1909 à 1988

Source : HNIS-USDA

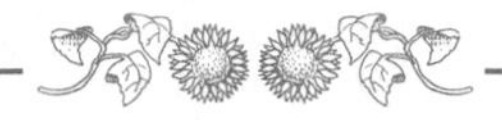

À QUELS GRAS DOIT-ON SE VOUER?

Pourquoi donc en sommes-nous à demander des précisions sur les sortes de gras contenus dans les aliments? C'est que le marché suit de près les résultats des recherches sur les corps gras. C'est ainsi que les offensives publicitaires apportent des modifications dans les tendances, les conseils, les allégations, etc., concernant le choix des gras. Toutes ces informations semblent changeantes, et trop souvent confondent le consommateur plus qu'elles ne le rassurent.

Voyons rapidement l'évolution des études sur les gras.

1. Il y a quelques décennies, les gras polyinsaturés prirent la vedette grâce à leur capacité à faire baisser le taux de cholestérol sanguin. Résultat: la margarine et les huiles végétales gagnèrent du terrain au détriment du beurre et des gras tropicaux riches en gras saturés.
2. Puis, des études démontrant les effets néfastes rattachés aux gras «trans», produits lors de l'hydrogénation, amenèrent compagnies et consommateurs avertis à opter pour des gras non hydrogénés.
3. Par la suite, des études sur la diète méditerranéenne et l'huile d'olive ont créé un coup de cœur pour les monoinsaturés!
4. La consommation de poissons gras et frais par les Inuit et leur faible taux de mortalité dû aux maladies coronariennes mirent en évidence les bienfaits des oméga-3.

Nous en sommes là! Comment s'y retrouver?

C'EST LÀ QUE LA NOTION DE QUALITÉ
VIENT NOUS ÉCLAIRER!

LE GRAS DANS LES ALIMENTS

L'amélioration de notre alimentation en ce qui concerne les matières grasses passe par deux moyens: consommer une quantité adéquate (ni trop ni trop peu) de gras et équilibrer les apports en différents gras (saturés ou non).

D'abord, où se cache tout ce gras dont on nous dit de nous méfier? Bien sûr, une partie des gras se distingue facilement à l'œil nu. On parle de gras visibles qui représentent environ 40% de notre consommation: beurre, margarine, huile, gras de certaines pièces de viande. Au fil des chapitres, nous examinerons la QUALITÉ de ces différents produits.

Les gras invisibles fournissent 60% des lipides. On les appelle aussi gras cachés, car on ne les voit pas comme tels. Des exemples: crème dans le lait, gras du jaune d'œuf, gras de la viande maigre, huile des noix et graines, graisse des gâteaux et biscuits, etc. Nous verrons que ces produits peuvent représenter de grands pièges et faire basculer la balance assez rapidement.

LES BESOINS EN GRAS TOTAL

La quantité de gras recommandée est presque affaire individuelle. Elle dépend en grande partie de l'énergie que nous dépensons dans une journée. Nos ancêtres, qui travaillaient fort physiquement, semblaient métaboliser les gras beaucoup mieux que les sédentaires d'aujourd'hui. Mais il faut aussi ajouter que leurs matières grasses n'étaient pas transformées par l'industrie !

8 Quelle quantité de gras un régime sain doit-il contenir ?

- Actuellement, les experts occidentaux de la santé nous recommandent fortement de diminuer la consommation de gras à 30 % des calories. D'autres conseillent même 25 %. Ces recommandations valent pour des individus en santé, c'est-à-dire dont le taux de cholestérol et de triglycérides est normal, et dont les artères ne sont pas encrassées.
- L'Organisation mondiale de la santé (OMS) propose entre 15 et 30 % de l'énergie (calories) consommée. Les Chinois se portent très bien avec 15 %.
- Quant aux Méditerranéens de mode de vie traditionnel, ils sont en santé avec 35 %. Par contre, il faut absolument noter que leur alimentation est riche en antioxydants pris dans les fruits et les légumes frais. De plus, leur huile d'olive fraîche n'est pas raffinée.
- Aux personnes ayant des antécédents cardiaques, des cardiologues américains[1] suggèrent un régime n'apportant pas plus de 10 % des calories sous forme de gras. Un tel régime, combiné à de l'exercice physique et à une réduction du stress, permet d'obtenir une légère régression des lésions coronariennes dans la majorité des cas.

1. Si vous êtes intéressé par une telle démarche globale, consultez *Dr. Dean Ornish's Program for Reversing Heart Disease,* Édition Ballantine.

- De toute évidence, les recommandations sous forme de pourcentage des calories ne disent pas grand-chose à la population. Allons voir en quantité (grammes) ce dont vous avez vraiment besoin. Il est plus facile de compter des grammes qu'un pourcentage.
- En général, on peut estimer que le besoin en gras pour les hommes se situe entre 80 et 90 grammes de gras **par jour**. Pour les femmes, il est de l'ordre de 65 grammes. **Ces quantités valent pour les personnes qui ne sont pas à risque.**
- Pour être plus précis, ou encore si vous devez restreindre votre consommation de gras, suivez la démarche suivante.
- Le tableau ci-dessous vous indique la quantité d'énergie requise par des adultes modérément actifs, selon l'âge et le sexe. Physiologiquement, à niveau d'activité égale, les hommes dépensent plus d'énergie...

Besoin en énergie selon l'âge et le sexe

Sexe	Âge	Énergie Calories
Femme	19-50 ans	2 200
Femme	+ 51 ans	1 900
Homme	19-50 ans	2 900
Homme	+ 51 ans	2 300

Note : Un minimum de 1 500 calories par jour est requis pour couvrir les besoins en vitamines et minéraux à la condition de ne prendre que des aliments très nutritifs.

- Retenez la quantité d'énergie que vous dépensez et trouvez dans le tableau qui suit la quantité de gras que vous devriez consommer par jour. **Gardez en tête le nombre de grammes de gras** qui correspond à vos besoins. Cette donnée vous sera utile.

Grammes de gras selon le % des calories

Énergie Calories/jour	15 %	20 %	25 %	30 %
1500	25 g	33 g	42 g	50 g
1900	32 g	42 g	53 g	64 g
2200	37 g	49 g	61 g	73 g
2300	38 g	51 g	64 g	77 g
2900	43 g	64 g	81 g	97 g

- Voici un **exemple** : je suis une femme et je dépense 1900 calories par jour. Je désire limiter ma consommation de gras à 30 % des calories, donc je dois prendre environ 64 grammes de gras dans mes aliments.

9 Combien de gras les différents aliments fournissent-ils ?

- Maintenant que vous savez combien de grammes de gras vous pouvez raisonnablement prendre dans une journée, il faut connaître la teneur en gras des aliments. Encore des calculs ? Pas vraiment. Tout dépend du type d'alimentation qu'on adopte. Quand on cuisine soi-même, il est relativement facile de limiter l'étendue des gras !... Toutefois, quand on se nourrit de prêt-à-manger ou si l'on mange au restaurant, on ignore très souvent les cachettes (gras invisibles).
- Regardez attentivement le tableau suivant qui vous révélera peut-être des surprises. Avant de le consulter, essayez d'imaginer combien de gras contient un hamburger préparé par une chaîne de « fast-food ». Ou encore, notez ce que vous avez mangé hier ou un autre jour et additionnez les grammes de gras consommés de cette journée.

Grammes de gras par portion d'aliment

Aliments	Portions[1]	Grammes de gras
Viande, volaille, poisson, fruits de mer, œuf		
Agneau, maigre	100 g	7-13
Agneau, maigre + gras	100 g	20-30
Bison, rôti	100 g	2
Bœuf, maigre	100 g	6-14
Bœuf, maigre + gras	100 g	12-30
Bacon, grillé	5 tranches	15
Caille, poitrine	100 g	3
Canard domestique	100 g	11
Cheval	100 g	6
Dinde, viande blanche, sans peau	100 g	3
Dinde, cuisse, viande + peau	100 g	10
Lapin domestique	100 g	6
Oie domestique, viande sans peau	100 g	13
Porc, maigre	100 g	5-13
Porc, maigre + gras	100 g	15-32
Poulet, viande blanche, sans peau	100 g	4
Poulet, viande brune, sans peau	100 g	10
Poulet, viande + peau	100 g	19
Veau, maigre	100 g	4-7
Veau, maigre + gras	100 g	8-13
Bâtonnets de poisson	2 (104 g)	14
Crevettes, panées, frites	6 à 8 (164 g)	25
Crevettes, vapeur	25 petites	2
Flétans, au four	100 g	3
Hareng de l'Atlantique, au four	100 g	12
Homard, vapeur	100 g	0,6
Huîtres panées, frites	100 g	13
Huîtres, vapeur	100 g	5
Maquereau bleu	100 g	18
Morue, vapeur	100 g	1
Sardines du Canada dans l'huile de soya (égouttées)	100 g	11
Saumon de l'Atlantique cru	100 g	6
Œuf de poule	1 gros	5

1. Une portion de viande de 100 g (31/2 onces) a environ la grosseur d'un jeu de cartes régulier. 250 mL = 1 tasse; 125 mL = 1/2 tasse; 30 mL = 2 c. à s.; 15 ml = 1 c. à s.; 50 g de fromage = 3 po x 1 po x 1 po.

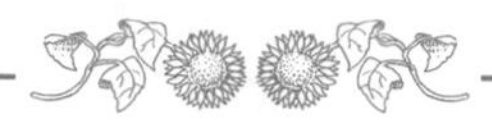

Aliments	Portion[1]	Grammes de gras
Charcuteries		
Boudin	100 g	34
Cretons, maison	100 g	25
Pastrami de bœuf	100 g	29
Pepperoni de porc et bœuf	100 g	44
Salami de bœuf	100 g	21
Saucisses, porc et bœuf	2 (32 g)	8
Saucisson de Bologne, porc et bœuf	2 tranches	14
Lait et produits laitiers		
Crème à café 15% m.g.	15 mL	2
Crème à fouetter 35% m.g.	15 mL	5
Crème glacée à la vanille	250 mL	15-25
Crème sure, 14% m.g.	15 mL	2
Lait de chèvre	250 mL	4
Lait (boisson) de soya régulier	250 mL	5
Lait écrémé 0,5% m.g.	250 mL	0,5
Lait entier	250 mL	8,6
Lait 1% m.g.	250 mL	2,7
Lait 2% m.g.	250 mL	5,0
Yogourt 1-2% m.g.	250 mL	4
Yogourt, 0,1% m.g.	250 mL	0,2
Fromages		
À la crème	15 mL	5
Bleu, brick, gouda	50 g	14
Cheddar, gruyère	50 g	16
Camembert	50 g	12
Cottage, 4,5% m.g.	125 mL	5
Cottage, 2,5% m.g.	125 mL	2
Préparation de fromage fondu	50 g	12
Mozzarella fait de lait partiellement écrémé	50 g	8
Parmesan râpé	30 mL	4
Ricotta fait de lait entier	50 g	7

1. Une portion de viande de 100 g (3 ½ onces) a environ la grosseur d'un jeu de cartes régulier. 250 mL = 1 tasse; 125 mL = ½ tasse; 30 mL = 2 c. à s.; 15 ml = 1 c. à s.; 50 g de fromage = 3 po x 1 po x 1 po.

Aliments	Portion[1]	Grammes de gras
Ricotta fait de lait partiellement écrémé	50 g	4
Suisse	50 g	13
Matières grasses		
Beurre, un carré	5 mL	4
Beurre	15 mL	11
Huiles, toutes variétés	15 mL	14
Margarine molle	15 mL	11
Mayonnaise régulière	15 mL	11
Sauce à salade de type mayonnaise	15 mL	5
Vinaigrette française	15 mL	6
Noix et graines		
Amandes, nature	30 mL	10
Arachides, rôties à sec	30 mL	9
Autres noix et graines	30 mL	8-12
Noix de coco, crue, râpée, pressée	60 mL	11
Beurre d'arachide, de noix ou de graines	30 mL	12-16
Fast-food et divers		
Bagel	1	2
Big Mac	1	26
Biscuits variés	2	2-7
Croissant	1	12
Croissant avec œuf, bacon et fromage	1	23
Croquettes de poulet	6	15
Croustilles régulières (chips)	55 g (petit sac)	16
Filet de poisson	1	18
Frites, pleine friture	20 frites	16
Frites au four	20 frites	8
Lait malté au chocolat, régulier	250 mL	18

1. Une portion de viande de 100 g (3 ½ onces) a environ la grosseur d'un jeu de cartes régulier. 250 mL = 1 tasse; 125 mL = ½ tasse; 30 mL = 2 c. à s.; 15 ml = 1 c. à s.; 50 g de fromage = 3 po x 1 po x 1 po.

Aliments	Portion[1]	Grammes de gras
Muffin nature maison	1	4
Œuf Mc Muffin	1	11
Pizza pepperoni, double fromage	2 pointes	25
Quiche au fromage	1 morceau	24
Rondelles d'oignons panées chauffées au four	5	13
Salade de pommes de terre	250 mL	22
Tablettes de chocolat		
Chocolat au lait	30 g	17
Chocolat, toutes variétés	30 g	19
Chocolat, type «Caravan» ou «Caramilk»	30 g	23

LE «FAST-FOOD» EST TROP RICHE EN GRAS ET EN SEL ET DÉFICIENT EN VITAMINES ET EN MINÉRAUX!

1. Une portion de viande de 100 g (3 ½ onces) a environ la grosseur d'un jeu de cartes régulier. 250 mL = 1 tasse; 125 mL = ½ tasse; 30 mL = 2 c. à s.; 15 ml = 1 c. à s.; 50 g de fromage = 3 po x 1 po x 1 po.

10 ***Peut-on manger sans compter?***

- Il ne faut surtout pas que vous restiez sur l'impression que nous devons manger avec une calculatrice! Absolument pas. Arrivons simplement à donner une large part aux aliments sains et naturels dans notre assiette. Ils nous procurent aussi beaucoup de satisfaction!

11 Qu'arrive-t-il si on ne consomme pas un minimum de gras ?

- Comme on l'a vu au chapitre précédent, les gras remplissent de multiples fonctions. Si nous ne prenons pas un minimum de gras dans notre alimentation, nous risquons de ne pas rencontrer nos besoins en énergie et de maigrir. Les personnes maigres sont souvent frileuses. Les femmes qui n'ont pas un taux minimal de gras dans leurs tissus voient leur cycle menstruel perturbé. Ainsi, les athlètes féminines bien minces et musclées n'ont plus de menstruations.
- De plus, il est très important de ne pas manquer d'**acides gras essentiels**: ils remplissent des fonctions vitales sur tous les plans. **Le cerveau**, organe essentiel de la conscience, **en a particulièrement besoin**.

DÉCORTIQUONS LES GRAS

Afin d'en arriver à des changements réels et bénéfiques, il est nécessaire d'identifier les sources de gras, mais aussi les sources des différents gras. Ce n'est pas pour rien que l'industrie nous donne un étiquetage détaillé.

12 Comment classe-t-on les gras ?

- Nous avons déjà mentionné que les aliments apportent des gras sous la forme chimique de triglycérides. Les acides gras sont l'unité de base de ces grosses molécules. Les étiquettes comportent de plus en plus souvent la quantité de chacun des gras de l'aliment en question.
- Les acides gras sont classés en trois groupes:
  - **acides gras saturés**
  - **acides gras monoinsaturés**
  - **acides gras polyinsaturés**

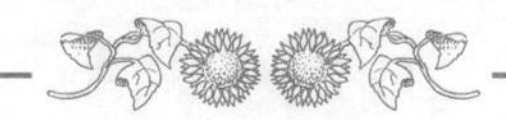

- Tout d'abord, il faut retenir qu'**aucun aliment ne renferme qu'un seul type de gras**. Les aliments fournissent ces trois groupes de gras, mais ils sont classés selon le type de gras qui y prédomine. Par exemple, l'huile de tournesol, très riche en gras polyinsaturés, contient de petites quantités de gras monoinsaturés et saturés.
- Des aliments différents peuvent contenir les mêmes acides gras. Ainsi, le même gras monoinsaturé se retrouve dans l'olive, l'avocat, l'amande, la pistache et un grand nombre d'autres aliments.
- Chaque groupe de gras travaille à sa façon dans le corps et les cellules. Chacun a son utilité.

Chaque aliment contient des
→ gras saturés
→ gras monoinsaturés
→ gras polyinsaturés

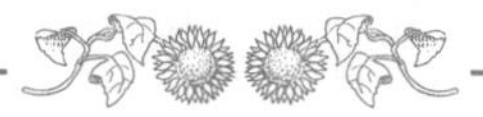

13 En quoi se différencient les gras?

- Le tableau suivant résume les principales caractéristiques de chacun des groupes de gras.

Principales caractéristiques des différents gras	
Gras saturés	• Solides à la température ambiante. • Surtout présents dans la viande, la volaille, les œufs, le gras des produits laitiers, les huiles de palme, de palmiste, de coprah (coco). • En excès, liés à des problèmes de santé.
Gras mono-insaturés	• Liquides à la température ambiante. • Semi-liquides au réfrigérateur. • Abondants dans les olives, l'avocat, les noix, le sésame. • On leur reconnaît maintenant un effet bénéfique sur le système circulatoire.
Gras polyinsaturés	• Liquides à la température ambiante et au froid. • Fragiles à l'oxydation. • Abondants dans le lin, les noix, le soya, le tournesol, les poissons gras, etc. • Comprennent les 2 acides gras essentiels. • Les acides gras essentiels sont très importants dans de multiples fonctions tant pour la circulation, que pour la cicatrisation ou l'inflammation.

- Si vous avez la curiosité de connaître les différences de structure chimique des gras, l'encadré qui suit apporte des informations simples.

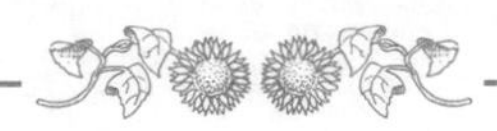

POUR EN SAVOIR PLUS LONG

GRAS SATURÉS

- Les acides gras sont constitués d'une chaîne plus ou moins longue de carbone (C) à laquelle sont attachés des hydrogènes (H) et un peu d'oxygène(O).

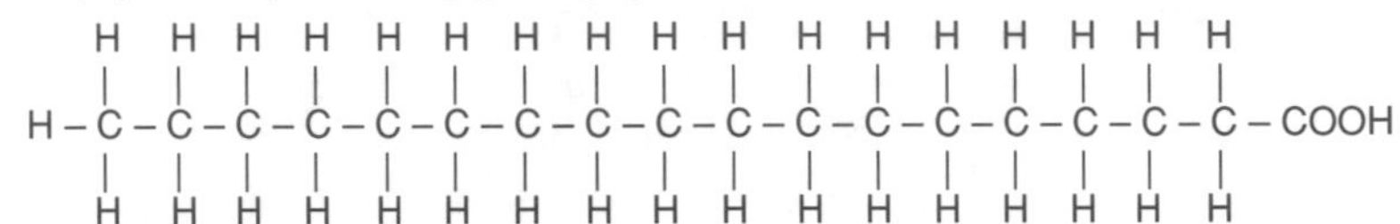

Acide stéarique, abondant dans le bœuf

- Quand un acide gras est complètement rempli d'hydrogène, il est dit saturé. Un tel gras est dense, linéaire et relativement stable. Il donne de la résistance aux membranes des cellules.
- On trouve des gras saturés de différentes longueurs. On les appelle à chaîne courte, moyenne ou longue.
- Un corps gras qui renferme beaucoup de gras saturés est solide à la température ambiante: beurre, gras de la viande, etc. C'est une graisse.

GRAS MONOINSATURÉS

- Maintenant, observez l'illustration suivante:

```
    H   H   H   H   H   H   H   H   H   H   H   H   H   H   H   H   H
    |   |   |   |   |   |   |   |   |   |   |   |   |   |   |   |   |
H – C – C – C – C – C – C – C – C – C = C – C – C – C – C – C – C – C – COOH
    |   |   |   |   |   |   |   |   ↑       |   |   |   |   |   |   |
    H   H   H   H   H   H   H   H   |       H   H   H   H   H   H   H
```

Acide oléique, abondant dans l'huile d'olive

- Que remarquez-vous au point indiqué par une flèche?
  Un lien double. On peut constater que deux atomes d'hydrogène manquent.
- Le lien double donne de la souplesse. L'acide gras peut «plier» à cet endroit. N'oublions pas que toutes nos cellules ont besoin de flexibilité.
- Un lien double est plus fragile à l'air, la chaleur, la lumière, mais il possède son utilité dans les cellules.
- Quand un acide gras ne possède qu'un seul lien double, c'est un monoinsaturé.

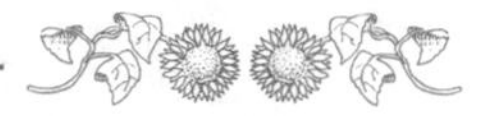

GRAS POLYINSATURÉS

- Un gras polyinsaturé possède au moins 2 liens doubles.

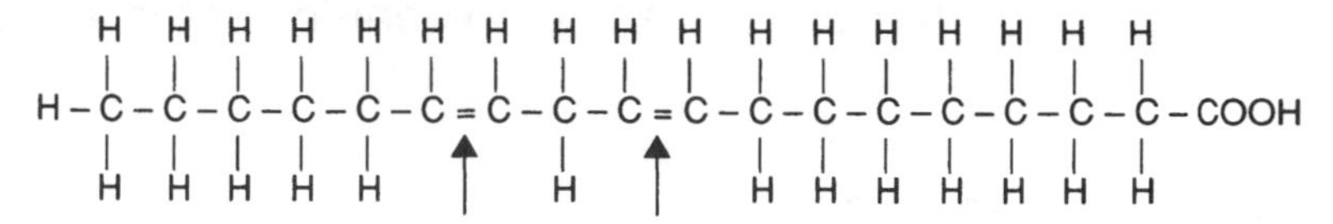

Acide linoléique, abondant dans l'huile de tournesol

- On connaît des acides gras insaturés à 2, 3, 4, 5, 6 et même 7 liens doubles.
- Ces gras donnent de la fluidité aux membranes des cellules.
- Les acides gras essentiels possèdent 2 et 3 liens doubles tandis que les huiles de poisson en ont 5 et 6. On les nomme EPA et DHA et sont parfois appelés gras « superinsaturés ». Notre corps peut fabriquer ces derniers, bien que ce soit un processus lent.

LES BESOINS EN DIFFÉRENTS GRAS

14 *Combien de gras devrions-nous prendre sous forme saturée, monoinsaturée et polyinsaturée ?*

- Depuis le grand intérêt que les chercheurs ont porté au régime méditerranéen, certains experts nous font la recommandation de partager l'ensemble de nos gras comme suit :

  Pour 30 % de nos kilocalories sous forme de gras

  - 7,5 % de gras saturés
  - 15 % de gras monoinsaturés
  - 7,5 % de gras polyinsaturés

- Ces recommandations nous disent de privilégier les gras monoinsaturés, diminuer les gras saturés et s'assurer d'un apport adéquat de gras polyinsaturés (AGE). Pour connaître les meilleures sources de gras monoinsaturés, consultez le tableau de la page 60.

- Plutôt que de parler seulement de restrictions, il est plus intéressant de penser que certaines substitutions nous apporteront PLAISIR ET SANTÉ. Allons voir de plus près chacun des types de gras, leurs particularités et leurs sources.

LES GRAS SATURÉS

15 *Où trouve-t-on les gras saturés?*

- Les acides gras saturés proviennent surtout des aliments d'origine animale.
- Seuls quelques produits d'origine végétale sont riches en gras saturés. Ce sont les huiles tropicales de palme, de palmiste et de coprah (coco).

Sources d'acides gras saturés

Sources animales	Sources végétales
• Agneau, bœuf, porc, canard, oie, dinde, poulet • Lard (saindoux) • Gras des produits laitiers: beurre, crème, fromages • Œufs	• Noix de coco • Huiles de palme, de palmiste, de coprah (coco) • Craquelins, biscuits, pâtisseries renfermant des huiles tropicales • Beurre de cacao (chocolat)

16 *Quel lien y a-t-il entre les gras saturés et le cholestérol?*

- Le cholestérol est une substance grasse, mais ce n'est pas un acide gras saturé. Ce sont des substances tout à fait différentes. Par contre, il faut savoir que les aliments d'origine animale contiennent à la fois du cholestérol et des gras saturés.

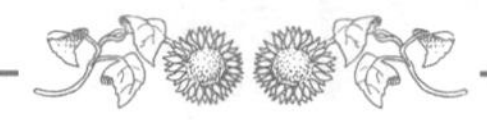

- Certains aliments assez maigres renferment une quantité appréciable de cholestérol. C'est le cas des crevettes. Les abats ne semblent pas gras, mais ils s'avèrent les champions de la teneur en cholestérol par portion.
- Les gras saturés tendent à faire monter le taux de cholestérol sanguin, contrairement aux gras insaturés qui le font baisser.
- Les questions concernant le cholestérol sont regroupées au chapitre 4.

LES GRAS MONOINSATURÉS

17 *Quelle est l'utilité des gras monoinsaturés?*

- On a longtemps méconnu leurs effets bénéfiques. Aujourd'hui, on sait qu'ils sont suffisamment fluides pour aider à garder les artères souples.
- Les recherches récentes indiquent qu'ils peuvent abaisser le taux de cholestérol, alors qu'on a déjà cru qu'ils n'avaient aucun effet.
- L'acide oléique est le plus important des gras monoinsaturés. Il doit son nom à l'olive dans laquelle il est particulièrement abondant. Nos glandes sébacées (peau, cuir chevelu) le produisent en bonne quantité.
- Les Méditerranéens utilisent largement les olives et leur huile. Les Grecs, les Italiens, les Espagnols, etc., qui vivent d'une manière simple et traditionnelle, possèdent une excellente santé. De plus, leur cuisine est tout à fait savoureuse.

18 *Où retrouve-t-on les gras monoinsaturés ?*

- Tous les corps gras, autant d'origine animale que végétale, en renferment. L'olive, l'avocat et la majorité des noix et graines sont particulièrement riches en acide oléique, le principal acide gras monoinsaturé.

Principales sources de gras monoinsaturés

Sources animales	Sources végétales
Porc	Noisette (aveline)
Bœuf	Olive
Agneau	Noix de macadam
Veau	Amande
Poulet	Noix de cajou
Oie	Pistache
Canard	Pacane
Dinde	Avocat
	Canola
	Arachide
	Sésame

Note : Les sources végétales en contiennent entre 54 et 78 % tandis que les sources animales fournissent de 34 à 47 %. Dans le tableau, les aliments sont placés selon une teneur décroissante.

- Le chapitre 9 comporte des tableaux détaillés sur les noix et les graines.

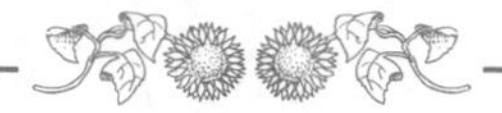

ACIDES GRAS ESSENTIELS (POLYINSATURÉS)

Au Québec, les enseignements du Dr Catherine Kousmine et la popularité de la crème Budwig nous ont fait prendre conscience de la valeur des huiles pressées à froid.

Par contre, peu de gens connaissent le secret de l'huile de lin... Nous allons vous le révéler... Le trésor contenu dans cette huile ainsi que dans les huiles de tournesol, de carthame, de soya, etc. est la teneur en certains acides gras dont notre corps ne peut pas du tout se passer, sans quoi nous pourrions développer des carences. On les appelle acides gras essentiels.

19 *Que faut-il savoir des acides gras essentiels?*

- Retenons leurs noms:
  - **l'acide linoléique** (oméga-6)
  - **l'acide alpha-linolénique**[1] (oméga-3)
- On les appelle parfois vitamine F, car leurs fonctions les rapprochent des vitamines. Toutefois, ce ne sont pas de véritables vitamines puisque, contrairement à ces dernières, ils fournissent de l'énergie.
- L'acide linoléique est assez abondant dans les aliments qu'ils soient d'origine végétale ou animale. Par contre, l'acide alpha-linolénique se fait beaucoup plus rare et se trouve surtout dans les végétaux.
- Leur forme recourbée donne de la souplesse à la membrane cellulaire.

1. On dit encore parfois acide linolénique. Mais, depuis la popularité d'un autre gras, l'acide gamma-linolénique (huile d'onagre, de bourrache), on le désigne sous son nom complet.

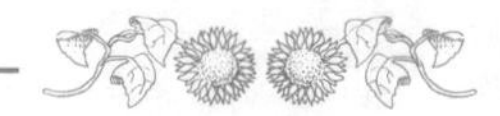

20 *Certaines étiquettes mentionnent les termes oméga-3, oméga-6 et même oméga-9, qu'est-ce que ça signifie ?*

- Ces appellations désignent simplement la position du premier lien double sur la molécule en commençant par l'extrémité nommée oméga. Ouf ! Le vocabulaire de la chimie nous rattrape jusqu'à l'épicerie...

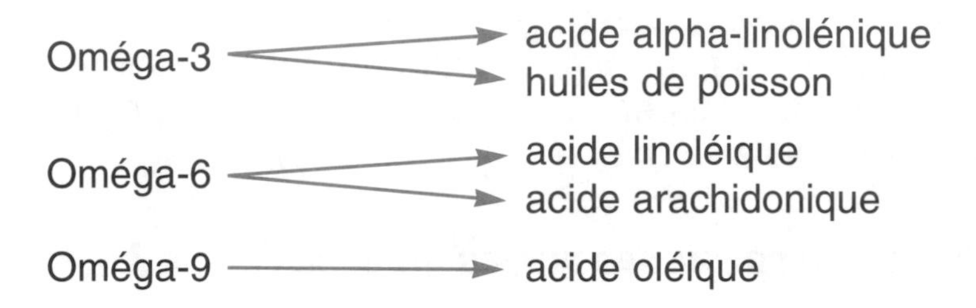

- On ne cesse de vanter les bienfaits de la famille des oméga-3. Une consommation suffisante et régulière de ce type de gras réduit énormément les risques de maladies cardiovasculaires. Le sujet des huiles de poisson est développé dans le chapitre 16.
- À part l'acide linoléique, la famille des oméga-6 inclut un acide gras que notre corps fabrique lentement, l'acide arachidonique. L'excès de celui-ci est mis en cause dans les réactions inflammatoires comme l'arthrite. L'acide arachidonique est présent surtout dans la viande, le gras des produits laitiers et le jaune d'œuf.
- L'acide oléique (oméga-9) est celui-là même que les Méditerranéens consomment en grande quantité dans l'huile d'olive. On sait qu'il diminue le risque de thrombose.

21 *À quoi servent les acides gras essentiels ?*

- Un grand nombre de leurs fonctions viennent du fait qu'ils sont les précurseurs de substances très importantes, nommées prostaglandines.

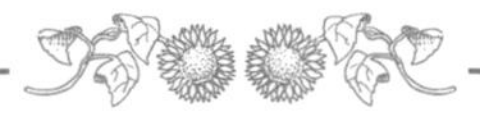

Le tableau suivant, qui énumère les principales fonctions des acides gras essentiels, donne un aperçu de la diversité et de la complexité de leurs effets. Remarquez qu'ils entrent dans toutes les fonctions du corps. Ce sont vraiment de très «bons gras»!

Principales fonctions des acides gras essentiels

- Ils sont des facteurs de croissance.
- Ils participent au transport de l'excès de cholestérol.
- Ils favorisent le bon fonctionnement du système immunitaire.
- Ils jouent un rôle dans l'absorption de la lumière à travers la peau.
- Ils participent au transport de l'oxygène des poumons jusqu'aux cellules.
- Ils régularisent la formation des caillots sanguins et la tension artérielle.
- Ils retiennent l'oxygène dans la membrane des cellules où l'oxygène agit comme barrière contre les virus et les bactéries[1].
- Ils entrent dans la structure des membranes cellulaires, leur assurant élasticité et flexibilité.
- Ils diminuent le temps de récupération des muscles après l'exercice physique.
- Ils sont les précurseurs des prostaglandines, ces hormones accomplissant de multiples tâches dans notre organisme: activité hormonale, régulations diverses.

POUR ÊTRE RAYONNANT DE SANTÉ,
ON NE PEUT SE PASSER
DES ACIDES GRAS ESSENTIELS!

1. Cette grande attraction des acides gras essentiels pour l'oxygène se manifeste aussi lors de l'entreposage des aliments. Il est très important d'éviter le rancissement puisqu'un acide gras oxydé ne peut remplir ses fonctions dans le corps.

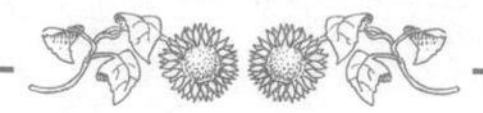

À noter Pour nous rendre ces innombrables services, les gras réclament la présence d'environ une trentaine d'autres éléments nutritifs. Une bonne alimentation, c'est global !

DANS LE CORPS, ON TRAVAILLE EN ÉQUIPE !

22 *Est-il possible d'avoir une carence en acides gras essentiels ?*

- Comme ils sont présents dans une grande quantité d'aliments, on ne devrait pas rencontrer de carence... mais, il faut savoir comment la transformation des huiles peut les dénaturer !
- Les acides gras essentiels sont en partie altérés lors du raffinage, par la friture, à la chaleur et à l'air.
- De plus, ces dernières années, on a associé plusieurs problèmes de santé au fait que les acides gras essentiels seraient mal utilisés par nos cellules. En lisant attentivement le tableau suivant, on note que la QUALITÉ totale de l'alimentation et du mode de vie se tiennent.
  TOUT EST LIÉ !

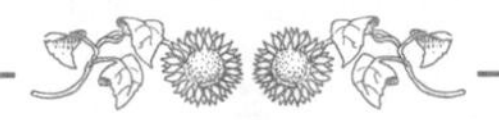

Facteurs qui nuisent à l'utilisation des acides gras essentiels

- Aliments riches en graisses saturées et en cholestérol
- Aliments renfermant des acides gras «trans»[1] (margarine, etc.)
- Alcool
- Diabète ou carence en insuline
- Manque d'enzymes à cause du vieillissement
- Infections virales
- Carence en zinc

23 *Quels sont les effets d'une carence en acides gras essentiels?*

- Les carences graves seraient rares. Par contre, on peut supposer que bien des gens prennent très peu d'acide alpha-linolénique.
- Les troubles reliés à une carence sont très diversifiés à cause de leurs fonctions dans plusieurs systèmes.

Signes de carence en acides gras essentiels

- Troubles cardiaques et circulatoires
- Troubles de la peau (eczéma), perte de cheveux
- Désordres des reins et du foie
- Problèmes inflammatoires et arthrite
- Diminution du gain de poids (enfants)
- Défaillance du système immunitaire, etc.

- Le tout jeune bébé, dont le cerveau continue de se développer à un rythme accéléré, a un besoin très élevé en acides gras essentiels. D'ailleurs, le lait maternel en fournit sept fois plus que le lait de vache.

1. L'acide gras «trans» est expliqué au chapitre 12.

- Des recherches sont actuellement en cours pour démontrer les **effets bénéfiques des acides gras essentiels** sur le syndrome prémenstruel, l'eczéma, l'asthme, les allergies, l'arthrite, la sclérose en plaques et plusieurs autres problèmes de santé.

24 *En quelle quantité avons-nous besoin des acides gras essentiels ?*

- La quantité quotidienne semble minime, mais il est tellement important de combler ses besoins. Pour les adultes, il faut :

  - acide linoléique : 7 à 11 g
  - acide alpha-linolénique : 1,1 à 1,8 g

- Il faudrait consommer de 4 à 7 fois plus d'acide linoléique que d'acide alpha-linolénique (ratio de 4:1 à 7:1). Actuellement, l'alimentation nord-américaine fournit un ratio d'environ 10:1. En d'autres mots, on consomme suffisamment, **et souvent trop**, d'acide linoléique (oméga-6) et pas assez d'acide alpha-linolénique (oméga-3).

- Pour atteindre ces objectifs : choisir régulièrement des aliments riches en acide alpha-linolénique (oméga-3). Poursuivez votre lecture, vous les trouverez à la page suivante.

25 Où trouver les acides gras essentiels (polyinsaturés) ?

- L'**acide linoléique** est abondant dans la plupart des noix et graines. Parmi les produits animaux, seuls le poulet et la dinde en renferment une quantité appréciable.
- On peut constater que les sources d'**acide alpha-linolénique** sont assez rares. Mais, comme nous sommes en harmonie avec ce que la nature nous offre, il nous faut de 4 à 7 fois moins d'acide alpha-linolénique que d'acide linoléique. **Les graines** et l'**huile de lin ainsi que l'huile de canola** représentent les principales sources de cet acide gras essentiel.
- Les acides gras essentiels se trouvent aussi en petites quantités dans une grande variété d'aliments : luzerne, épinard, mangue, soya (tofu), millet, spiruline, algues marines, œufs de poules nourries aux graines de lin et de pourpier, etc.

Principales sources d'acides gras essentiels

Acide linoléique oméga-6	Acide alpha-linolénique oméga-3
Huile de carthame	Huile de lin
Huile d'onagre	Huile de chanvre
Huile de tournesol	Huile de citrouille
Huile de maïs	Huile de canola
Huile de citrouille	Huile de noix
Huile de germe de blé	Huile de soya
Huile de noix	Huile de germe de blé
Huile de soya	

Note : Les aliments sont classés par ordre décroissant. Seules les sources d'acide linoléique qui en offrent plus de 50 % apparaissent dans ce tableau. Dans le cas de l'acide alpha-linolénique, seule l'huile de lin présente une teneur qui dépasse 50 %.

- Des mélanges d'huiles au ratio équilibré se vendent dans les magasins de produits naturels. Ils ont un goût agréable et valent la peine d'être essayés.

26 *Est-il facile de combler tous les jours ses besoins en acides gras essentiels?*

Oui, mais pour y arriver, il faut corriger nos erreurs les plus courantes: réduire les gras animaux, éviter les gras hydrogénés (margarine, shortening, etc.), cuisiner avec le moins de gras possible et surtout éviter les fritures. Puis il suffit de prendre plaisir à incorporer des noix, des graines et un peu de bonnes huiles pressées à froid à nos menus quotidiens.

- La façon la plus simple d'équilibrer les menus est encore de suivre un bon guide alimentaire qui propose une alimentation à base de produits végétaux frais et entiers.
- Les chapitres 18, 19 et 20 offrent plusieurs stratégies pour choisir les meilleures sources de gras, bien les cuisiner, couper les excès ainsi qu'un guide alimentaire végétarien facile à suivre.

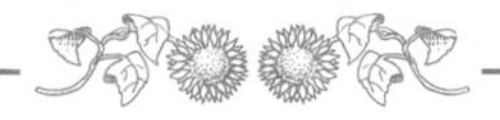

RÉSUMÉ À RETENIR :

1. Les aliments, qu'ils soient d'origine animale ou végétale, apportent différents types de gras : les gras saturés, les gras monoinsaturés et les gras polyinsaturés.
2. Les gras polyinsaturés comprennent deux acides gras essentiels. Ce sont l'acide linoléique (oméga-6) et l'acide alpha-linolénique (oméga-3). Le premier se trouve facilement tandis que le deuxième se fait plus rare.
3. Nous avons besoin de tous les types de gras. L'équilibre entre les différents gras est important.
4. Une femme en santé, modérément active, peut consommer jusqu'à 65 g de gras par jour. Un homme en santé peut combler ses besoins avec environ 90 g de gras.
5. Actuellement, la consommation de gras total et de gras saturés est trop élevée. Les sources de gras saturés sont la viande, le gras des produits laitiers et les graisses tropicales.
6. Les aliments qui mènent vers les excès de gras sont les fritures, les corps gras comme le beurre, l'huile, la margarine, la mayonnaise, la vinaigrette.
7. Une portion de 15 mL d'huile (corps gras pur) fournit 14 g de gras. La même quantité de beurre (ou de margarine) en apporte 11 g. Trop souvent, les salades assaisonnées de mayonnaise ou de vinaigrette fournissent à elles seules presque tout le gras qu'un repas complet devrait contenir !
8. Le fast-food, qui contient des fritures (ex. : poulet pané, frites), de la viande grasse, du fromage gras et beaucoup d'huile raffinée dans les salades, déséquilibre notre alimentation. Ces mets sont non seulement trop gras, mais trop salés et déficients en vitamines et minéraux. De plus, les gras qu'ils renferment sont hydrogénés, chauffés et souvent très cuits.
9. Les desserts riches en gras comme la plupart des gâteaux, des tartes (croûte) et des biscuits apportent trop de gras, aussi bien les recettes maison traditionnelles que les produits commerciaux achetés.
10. Les BONS GRAS sont apportés par les noix, les graines, les olives, les avocats et les huiles pressées à froid. Toutefois, ces aliments étant très riches en calories et en gras, il faut les prendre très MODÉRÉMENT.

CHAPITRE
4

Le cholestérol : nécessaire ou nuisible ?

Aujourd'hui, le cholestérol, pourtant **essentiel** dans toutes nos cellules, est presque devenu synonyme de crise de cœur ! Pour protéger ce précieux muscle, la publicité s'en donne à cœur joie...

En examinant les rayons de l'épicerie, nous ne savons plus s'il faut acheter tous ces produits annoncés « sans cholestérol » ou s'il est préférable de prendre de la margarine à la place du beurre. Ensuite, on nous parle de «bon» et de « mauvais » cholestérol. Et puis, on nous annonce que la margarine n'est pas sans danger pour les artères.

Finalement, croyez-vous que le cholestérol soit un poison vif ? Y a-t-il des frites avec cholestérol et d'autres sans cholestérol ? Peut-on se passer du cholestérol ? Allons donc découvrir la véritable identité de ce fameux cholestérol.

27 *Qu'est-ce que le cholestérol ?*

- Le cholestérol est une substance complexe et naturelle produite par toutes les cellules, sauf celles du cerveau.
- Le cerveau est l'organe le plus riche en cholestérol, suivi du foie et des reins.

- Le plus grand producteur de cholestérol est le foie. C'est aussi le seul organe qui peut l'emmagasiner et le libérer au besoin. Les scientifiques qualifient ce cholestérol d'«endogène» (qui vient de l'intérieur) contrairement au cholestérol «exogène» qui vient de l'extérieur, c'est-à-dire de certains aliments.
- Notre corps fabrique tout le cholestérol dont il a besoin à partir des glucides, des protéines et des lipides.
- Tous les animaux fabriquent du cholestérol, mais les plantes en sont incapables. C'est à retenir!
- Comme on peut le constater, si nous en produisons, c'est que le cholestérol est indispensable à la vie.

À noter Le lait maternel contient du cholestérol. Il en renferme de 100 à 210 mg par litre. Les substituts du lait maternel (laits maternisés) en sont dépourvus, car les huiles végétales utilisées dans leur préparation en sont exemptes. Le cholestérol du lait maternel facilite la digestion des matières grasses.

28 Depuis quand connaît-on le cholestérol?

- C'est un chimiste français du début du XIXe siècle qui isola cette substance blanche et grasse des calculs biliaires. Il l'a nommée «cholestérine» mot qui signifie «bile» et «solide». En effet, le cholestérol ne fond qu'à une température de 149°C (300°F).
- Le terme cholestérol est apparu vers le milieu du XIXe siècle quand un autre chimiste français a identifié ce composé comme un alcool.

- Au début des années 1930, un chercheur a fait le rapprochement entre l'obstruction des artères par le cholestérol et les maladies coronariennes. Avant cette époque, on ne reconnaissait pas ces affections d'une manière officielle.
- Depuis une cinquantaine d'années, les études se sont multipliées sur le sujet, à tel point que 13 prix Nobel ont été attribués à des chercheurs qui ont travaillé sur cette importante molécule.

29 *Depuis quand le cholestérol est-il à la mode ?*

- À la fin des années 1950, un chercheur américain, Ancel Keys, a émis une hypothèse quant à l'action des gras sur le risque de maladies cardiovasculaires. Il suggérait qu'une alimentation riche en matières grasses augmenterait les risques.
- À cette époque, on ne parlait que de deux groupes de gras : les saturés et les polyinsaturés. Selon Keys, les gras saturés sont deux fois plus athérogènes[1] que les gras polyinsaturés ne sont protecteurs des artères.
- Suite à cet énoncé, les Américains ont effectué une très longue étude, qui dure depuis plus de 40 ans, sur la population d'une petite ville près de Boston, Framingham. Tous les habitants sont sous surveillance médicale. Cette étude confirme qu'un taux de cholestérol élevé (hypercholestérolémie) accroît les risques de maladies du cœur.
- Au fil des ans, grâce à une technologie plus avancée, on a identifié les transporteurs du cholestérol dans le sang, le HDL et le LDL. Le HDL est protecteur et l'excès de LDL est à l'origine de dépôts dans les artères.

1. Qui favorise la formation d'athéromes ou plaques dans les artères.

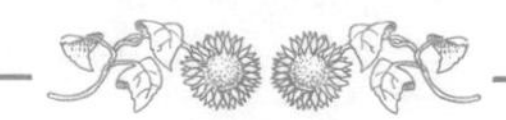

- En 1985, l'Organisation Mondiale de la Santé pilote l'étude Monica. On compile la fréquence des maladies du cœur dans 40 régions du monde dont trois se situent en France. Et c'est là que surgit le fameux «paradoxe français».

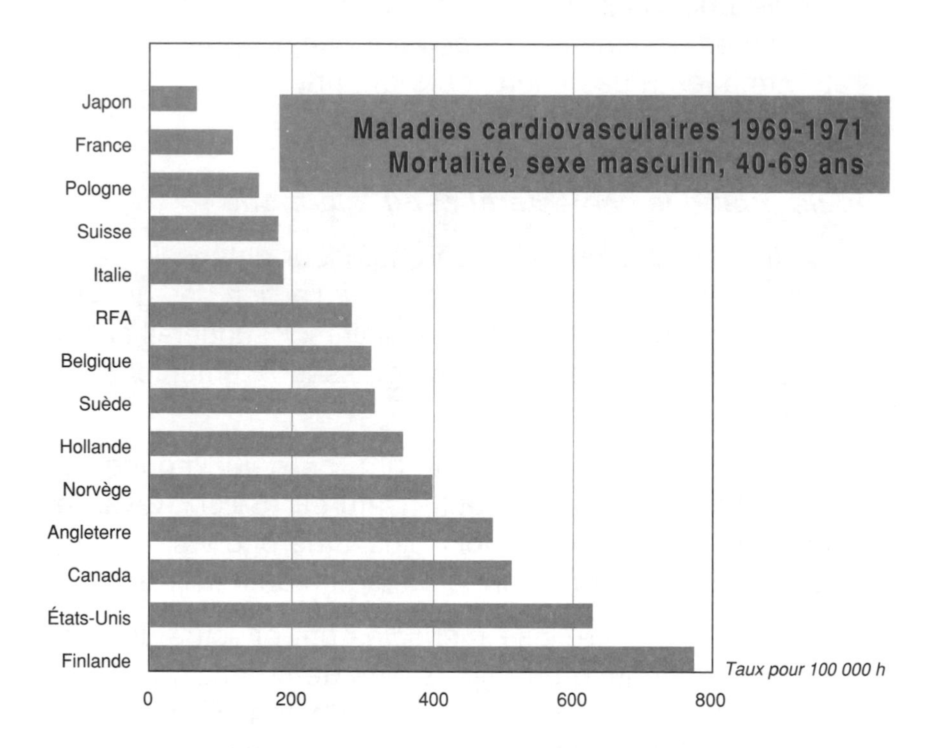

- Dans le Sud de la France, on consomme plus de gras (sans distinction des sources) que dans le Nord, mais l'incidence des maladies cardiovasculaires y est plus basse. Ce qui attire l'attention, c'est que dans le Sud, la consommation de fruits, de légumes et de vin rouge est plus élevée. Les gras animaux (beurre, graisse) y sont en partie remplacés par l'huile d'olive. De plus, la régularité des repas est exemplaire et on n'a pas l'habitude de grignoter entre les repas.

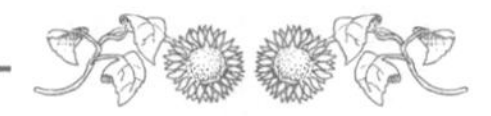

- Malgré leur consommation élevée de gras, le sang des Français du Sud présente un rapport « bon » cholestérol/gras total plus élevé qu'ailleurs. Comment expliquer ce paradoxe ?
- Les médias ont largement fait état de leur consommation régulière de vin rouge. Pour expliquer cette protection, les hypothèses abondent. On pense que certains composés du vin auraient l'effet d'empêcher certains constituants du sang (les plaquettes) de s'agglutiner, processus qui entre dans la formation de plaques dans les artères.
- L'alcool (éthanol) peut augmenter le bon cholestérol. Cependant, **l'effet prédominant** des composantes non-éthyliques présentes dans les raisins, le jus de raisin et le vin désalcoolisé (flavonoïdes et tanins) seraient des antioxydants encore plus puissants que la vitamine E.

À noter Même si cela plaît beaucoup de penser que le vin pourrait protéger les artères et le cœur, il ne faut pas oublier que l'alcool est toxique, qu'il peut entraîner des dépendances. L'Association médicale canadienne, dans son encyclopédie médicale de la famille, affirme que l'excès d'alcool reste un facteur majeur de criminalité, de divorce, de sévices sur les enfants, d'accidents et d'absentéisme. L'abus prolongé de boissons alcoolisés, sans dépendance, peut entraîner une cirrhose du foie ou une perte de la force du cœur.

Les Français décèdent deux fois plus que les Américains de cirrhoses et de maladies du foie !

En bref, il serait irresponsable de préconiser une consommation régulière d'alcool pour prévenir les maladies du cœur... Pensons à protéger notre système nerveux !

- Pour revenir à l'étude Monica, les résultats ont soulevé de nouvelles questions et les gras monoinsaturés ont pris la vedette. Depuis, on ne cesse de vanter les bienfaits de l'huile d'olive.
- Cette fameuse étude a également démontré que les Finlandais avaient un taux de mortalité par infarctus dix fois plus élevé que les Japonais. L'alimentation au Japon? Beaucoup de riz, du poisson, des algues, etc., et globalement peu de matières grasses. En Finlande, les tables regorgent de produits animaux.
- Au cours de ces grandes études sur les causes des maladies cardiovasculaires, on a identifié plusieurs autres facteurs de risque: tabagisme, hypertension, sédentarité, obésité, hérédité, etc.
- Finalement, contrairement à l'hypothèse de départ, on voit que la consommation totale de gras et de cholestérol n'est pas le seul facteur dans la genèse des maladies cardiovasculaires. En ce qui concerne l'alimentation, les regards sont tournés vers l'effet des différents aliments sur le cholestérol sanguin.

30 *À quoi sert le fameux cholestérol?*

- Les fonctions du cholestérol se font sentir partout dans le corps. En observant le tableau de la page suivante, vous pouvez noter que notre bien-être en dépend en grande partie.

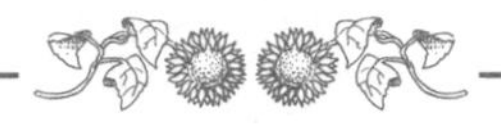

POUR EN SAVOIR PLUS LONG

LES FONCTIONS DU CHOLESTÉROL

- Il entre dans la composition des membranes cellulaires (90 % du cholestérol du corps) et en contrôle la fluidité. La membrane, qui est comme une peau autour de chaque cellule, doit être à la fois souple et résistante. Par exemple, la cellule peut fabriquer du cholestérol pour « donner du corps » à une membrane trop souple.
- Il est un précurseur des hormones sexuelles comme, par exemple, les hormones féminines œstrogènes et progestérone ainsi que l'hormone mâle testostérone.
- Il est à l'origine des hormones surrénales corticostéroïdes. Une de ces hormones (aldostérone) joue un rôle dans l'équilibre de l'eau, tandis que la cortisone prépare notre corps au stress et supprime la réaction inflammatoire.
- Il est indispensable à la fabrication de la vitamine D. Cette vitamine permet l'absorption du calcium et du phosphore.
- Il contribue à la production de la bile. Cette dernière joue un rôle important dans la digestion et l'absorption des graisses, des huiles et des vitamines liposolubles (A, D, E et K). L'excès de cholestérol de notre corps peut être évacué dans la bile.
- Il est présent dans la peau. Il participe à sa protection contre la déshydratation en plus de favoriser la guérison des tissus et de prévenir les infections.

31 *Dans les aliments, le cholestérol est-il bon ou mauvais?*

- Voilà une question qu'on pose souvent et qui dénote la confusion qui entoure ce sujet! Le cholestérol présent dans les aliments n'est ni bon ni mauvais. C'est du cholestérol tout court!

32 *Alors, qu'entend-on par «bon» et «mauvais» cholestérol?*

- Ces noms inappropriés qualifient les **transporteurs de cholestérol dans le sang**, que ce dernier provienne des aliments ou qu'il soit produit par le corps.
- Pour faire les distinctions qui s'imposent, suivons le trajet du cholestérol.

LE VOYAGE INTÉRIEUR DU GRAS ET DU CHOLESTÉROL

Le voyage des gras et du cholestérol dans le système digestif est assez complexe. En voici seulement les grands points pour comprendre et apprécier le travail harmonieux qui s'accomplit sans que nous n'en ayons connaissance.

- Le cholestérol n'exige pas de digestion au sens propre puisqu'il est absorbé à travers la paroi intestinale sans être transformé. Au contraire, les gras sont digérés par des enzymes qui proviennent des cellules du petit intestin et du pancréas.
- La présence de bile est toutefois nécessaire. Elle émulsionne les gras et le cholestérol, c'est-à-dire qu'elle les disperse en une infinité de fines gouttelettes.
- La bile émise lors de la digestion des gras contient une certaine quantité de cholestérol. Une partie de ce cholestérol retourne dans la circulation et le reste est éliminé dans les selles.

à noter Certaines **fibres alimentaires** captent le cholestérol et favorisent ainsi son élimination via les intestins. C'est justement le cas des fibres de la pomme, de l'avoine et de la carotte. C'est à retenir.

LE VOYAGE DU CHOLESTÉROL DANS LE SANG

- Étant donné que le cholestérol est une substance grasse, il ne peut voyager seul dans le sang (à base d'eau). En effet, il aurait tendance à coller aux parois des vaisseaux. Les substances grasses s'associent donc à des protéines. Ces transporteurs se nomment **lipoprotéines** (de lipides et protéines).[1]
- Les deux lipoprotéines dont on parle le plus sont le cholestérol HDL[2] et le cholestérol LDL[3].

  HDL = « bon » cholestérol
  LDL = « mauvais » cholestérol
- Ces surnoms leur ont été attribués à cause de leurs effets dans les artères, particulièrement dans le cœur.

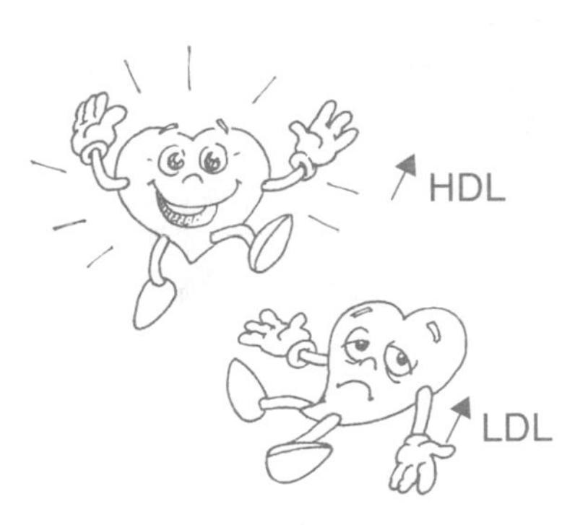

1. La découverte des lipoprotéines, a valu en 1975, le Prix Nobel de Médecine à deux chercheurs américains.
2. HDL est l'abréviation de *High Density Lipoproteins*. En français : protéines de haute densité.
3. LDL est l'abréviation de *Low Density Lipoproteins*. En français : protéines de basse densité.

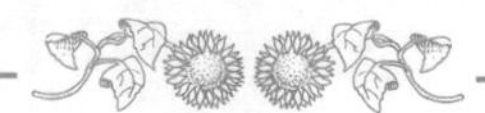

- Maintenant, voyons comment ces transporteurs de cholestérol voyagent dans le sang.

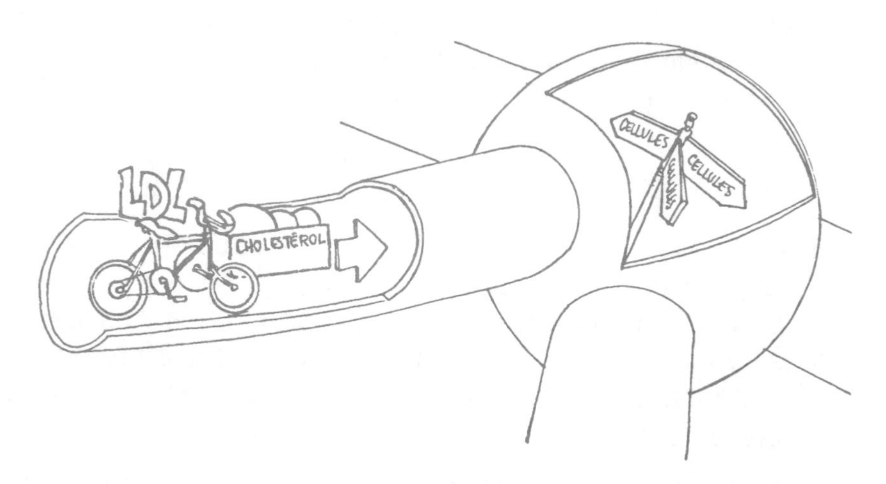

Le LDL distribue aux cellules le cholestérol dont elles ont besoin. C'est seulement en excès qu'il constitue un risque de maladies cardiovasculaires. La majorité du cholestérol qui circule dans le sang est transporté par le LDL.

Le HDL vidange les vaisseaux sanguins. Il rapporte au foie l'excès de cholestérol pour qu'il soit dégradé ou éliminé. Il possède une action nettoyante.

33 *Comment le cholestérol LDL peut-il obstruer les artères?*

- Un excès de LDL laisse petit à petit des dépôts de cholestérol sur les zones plus fragiles des artères. C'est la fameuse plaque d'athérome[1] qui diminue progressivement le diamètre des artères, perturbant le débit du sang. Par conséquent, les cellules irriguées par ces artères sont de moins en moins bien nourries.
- Toutes les artères peuvent se boucher. Si les artères du cœur sont atteintes, des douleurs surviennent: c'est l'angine de poitrine si courante en cette fin de siècle. Lorsque la plaque d'athérome ferme complètement une artère cardiaque importante, c'est l'infarctus.
- Des études récentes portent à croire que le LDL oxydé ou altéré (il a besoin d'être protégé par des antioxydants) risque encore plus de causer des dommages aux artères.
- Vous en apprendrez plus sur l'identité et l'importance des antioxydants au chapitre 6.
- Une plaque d'athérome peut aussi se détacher, surtout si la tension artérielle est élevée, et aller obstruer une petite artère. Différentes parties du corps peuvent être touchées, tels les reins, l'intestin, les membres inférieurs, la rétine de l'œil, entraînant des lésions plus ou moins graves.
- Une artère cérébrale qui se bouche et prive les cellules d'oxygène plus de trois minutes conduit à la destruction de ces cellules et peut aboutir à la paralysie, le plus souvent à l'hémiplégie, c'est-à-dire à la paralysie d'une moitié du corps.

---

1. Dépôt de gras sur la surface interne d'une artère, responsable d'athérosclérose.

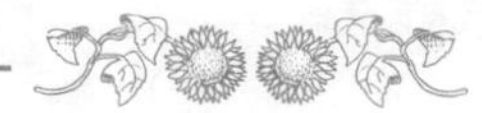

- La quantité de cholestérol LDL semble liée aux habitudes alimentaires. Dans certains cas, on attribue son excès à l'hérédité (hypercholestérolémie familiale). Les populations de certaines régions du Québec sont plus atteintes à cause de mariages entre parents au début de la colonisation française.

Section d'une artère

Début de la formation de la plaque. Elle peut apparaître avant l'âge de 15 ans.

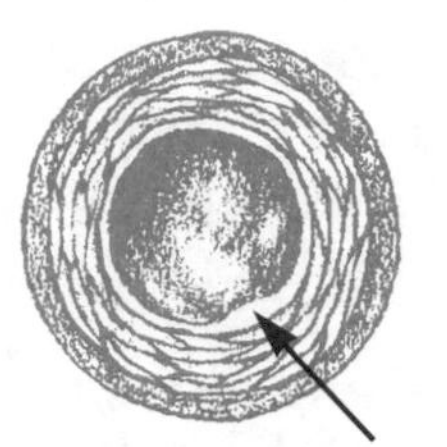

La plaque diminue progressivement le diamètre de l'artère et obstrue le flot sanguin.

Artère à demie obstruée par la plaque. Des caillots peuvent se former.

Artère presque fermée par la plaque. Danger de thrombose.

34 *Quels sont les facteurs qui affectent le taux de cholestérol ?*

- Les facteurs de risque sont de deux catégories. Les uns sont contrôlables, les autres ne le sont pas.

Facteurs de risque

Facteurs contrôlables	Facteurs incontrôlables
Excès de gras saturés	Hérédité
Gras hydrogénés	Sexe
Manque de fibres alimentaires	Âge
Excès de protéines animales	Diabète
Tabagisme	
Stress	
Obésité	
Manque d'exercice physique	
Excès d'alcool	
Excès de sucre	

- De multiples études ont démontré l'importance du facteur alimentaire : surconsommation de gras saturés (viande, produits laitiers), ce qui implique un manque de gras insaturés et une consommation insuffisante d'aliments riches en fibres alimentaires (fruits, légumes, grains entiers).
- Le total des gras saturés a plus d'influence que le cholestérol alimentaire seulement.
- À elle seule, la cigarette serait responsable d'au moins 30 % des décès dus à des affections coronariennes. De plus, elle est une cause importante de problèmes pulmonaires et du cancer du poumon.
- Les sucres raffinés mènent à une élévation des triglycérides, favorisent l'excès de poids, l'athéroslérose et le diabète.

35 *Les femmes sont-elles vraiment moins à risque que les hommes ?*

- Oui, les hormones féminines semblent jouer un rôle protecteur. Par contre, cet avantage disparaît progressivement après la ménopause. À partir de 65 ans, les femmes connaissent les mêmes risques que les hommes. Les maladies cardiovasculaires deviennent alors la première cause de décès.

LE CHOLESTÉROL AU LABORATOIRE

36 *Qu'est-ce qu'un taux de cholestérol sanguin normal ?*

- Aujourd'hui, pour évaluer le risque de maladie cardiaque athéroscléreuse (MCAS) et des maladies cardiovasculaires (MCV), on tient compte des taux de LDL, de HDL, de triglycérides (TG) et d'autres facteurs plutôt que du cholestérol total (CT) seulement.

LISTE DES FACTEURS DE RISQUE À CONSIDÉRER :

- **Âge** $\geq$ 45 ans (H) ou $\geq$ 55 ans (F) ou post-ménopause.
- **Antécédents familiaux** chez parent de 1er degré : (H) $<$ 55 ans, (F) $<$ 65 ans.
- **Tabagisme** (cigarette).
- **Hypertension** : $\geq$ 140 mm Hg systolique ou $\geq$ 90 mmHg diastolique par deux fois ou déjà sous médication hypotensive.
- **Hypertrophie ventriculaire gauche** (échographie ou ECG)
- **HDL** $\leq$ 0,9 mmol/L ou **LDL/HDL** $>$ 5
- **Diabète** : glycémie à jeun $\geq$ 7 ou au hasard $\geq$ 11,1 mmol/L par deux fois ou deux heures après une charge en glucose de 75 g.

Le **taux d'homocystéine** dans le sang constitue un facteur de risque de plus en plus considéré. Consulter la page 24.

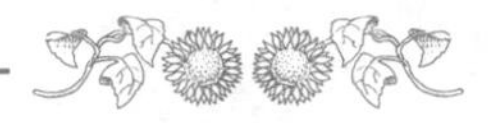

Nouvelles recommandations canadiennes 1998 pour les hommes de 40 à 70 ans et les femmes de 50 à 70 ans

Risque très élevé (plus de 40 % de risque de MCAS dans les 10 prochaines années)
4 des facteurs de risque ou MCAS ou MCV déjà présente

Viser : LDL < 2,5 mmol/L
CT/HDL < 4
TG < 2 mmol/L

Risque élevé (20 à 39 %)
3 facteurs de risque sans MCAS ou MCV

Viser : LDL < 3,5 mmol/L
CT/HDL < 5
TG < 2 mmol/L

Risque modéré (10 à 19 %)
2 facteurs de risque sans MCAS ou MCV

Viser : LDL < 4 mmol/l
CT/HDL < 6
TG < 2 mmol/L

Risque faible (moins de 10 %)
1 facteur de risque ou moins sans MCAV et MCV

Viser : LDL < 5 mmol/L
CT/HDL < 7
TG < 3 mmol/L

À noter Une modification du style de vie peut vous permettre d'atteindre les objectifs visés. Sinon, il peut être nécessaire de se faire prescrire par son médecin une médication hypolipémiante.

LE CHOLESTÉROL DANS L'ASSIETTE

38 *Que se passe-t-il si je ne prends pas de cholestérol dans mon alimentation ?*

- L'organisme est capable de produire tout le cholestérol dont il a besoin.
- Par contre, si je prends des sources de cholestérol en quantité raisonnable, le foie et les cellules s'adaptent et la production diminue, sauf chez environ 30 % de la population qui devrait donc limiter davantage sa consommation.
- On n'a jamais identifié de carence ou de maladie attribuable à un apport alimentaire faible ni établi de besoin alimentaire minimal de cholestérol.

39 *À combien de cholestérol alimentaire devrais-je me limiter ?*

- Dans ses dernières Recommandations sur la nutrition (1990) Santé et Bien-Être Social Canada tire cette conclusion :

  « Nous concluons qu'un abaissement de l'apport en cholestérol dans la population aux environs de 300 mg/jour ou moins favoriserait à long terme une diminution de la mortalité attribuable aux maladies coronariennes au pays ».

40 *Quels aliments sont riches en cholestérol ?*

- Seuls les aliments de source animale contiennent du cholestérol. Souvent, ces aliments sont également riches en gras saturés.
- Le cholestérol se cache autant dans les tissus maigres que gras. Ainsi, les fruits de mer, pourtant très maigres, en apportent beaucoup.

Teneur en cholestérol de certains aliments naturels ou préparés

Aliments	Portion[1]	Cholestérol (mg)
Abats		
Cervelle, rognon, ris de veau	100 g	460-2000
Foies		
Agneau, bœuf, porc, poulet	100 g	310-630
Œufs		
Œuf de poule	1 gros	274
Poissons et fruits de mer		
Crevettes, sardines, plie, homard, etc.	100 g	45-150
Viande		
Agneau, bœuf, porc, poulet	100 g	80-105
Produits laitiers		
Beurre	15 mL	30
Crème à café, 15% m.g.*	15 mL	8
Crème à fouetter, 35% m.g.*	15 mL	19
Fromage cheddar	50 g	52
Lait entier, crème glacée	100 g	20-35
Fast-food		
Chili con carne	250 mL	142
Chop suey, avec viande ou poulet	250 mL	106
Hamburger au fromage (100 g viande)	1	104
Muffin anglais, œuf, fromage, bacon	1	213
Pizza, viande et fromage	35 cm	135
Quiche lorraine	1 section	285
Sandwich au poisson, sans fromage	1 gros	91
Taco mexicain	1 grand	87
Tourtière	1 section	83
Noix et graines, huiles		0

*m.g. signifie matières grasses et non «moins de gras» comme beaucoup de gens le pensent!

1. Une portion de viande de 100 g a approximativement la taille d'un jeu de cartes régulier; 15 mL = 1 c. à s.; 50 g de fromage = 3 po x 1 po x 1po.

41 *Comment faire baisser un taux de cholestérol trop élevé ?*

- Pour réussir, il faut à la fois changer son régime alimentaire et son mode de vie.
- Les deux premiers pas à faire : **corriger son régime alimentaire et perdre du poids** si nécessaire.
- Deux autres moyens jouent un grand rôle : **cesser de fumer et faire de l'exercice.**
- L'exercice aérobique fréquent et soutenu fait baisser le LDL (« mauvais » cholestérol) et augmenter le HDL (« bon » cholestérol).
- De plus, il faut s'accorder une belle qualité de vie où l'on peut mieux **gérer son stress**. Prendre le temps de cuisiner de beaux et bons plats et de les savourer doucement fait partie des plaisirs de la vie !

42 *Quels sont les moyens alimentaires pour faire baisser un taux de cholestérol trop élevé ?*

1. **Réduire le gras total** à 30 % des calories ou moins c'est encore mieux ! Ce point est très important. Si le problème est sérieux, on peut suivre les recommandations du Dr Ornish et s'en tenir à 10 % des calories. Toutefois, il faut prendre soin d'inclure 5 à 15 mL (1 à 3 c. à thé) d'huile pressée à froid pour obtenir ses acides gras essentiels (lin, canola, etc.).
2. **Réduire les gras saturés**. Pour réussir, il faut remplacer les gras saturés par des noix, graines et huiles non raffinées et pressées à froid prises avec beaucoup de modération. Rien ne sert de remplacer le beurre par la margarine.
3. **Réduire le cholestérol** alimentaire à 300 mg par jour ou moins. La réduction des produits animaux produira cet effet.

4. **Consommer au moins 5 portions** de 125 mL (1/2 t.) de **fruits et légumes**, spécialement des légumes verts ou jaunes et des fruits riches en pectine (pommes, poires). Ces aliments sont d'excellentes **sources de vitamines antioxydantes**, celles qui protègent les gras dans notre corps.
5. **Prendre** au moins 6 portions de céréales à **grains entiers** ou de pains à la farine entière. Inclure régulièrement des **légumineuses**. Une plus grande place pour les végétaux diminue la part des produits animaux.

UNE ALIMENTATION PAUVRE EN GRAS ET RICHE EN SAVEUR, C'EST POSSIBLE !

43 *Y a-t-il des aliments qui favorisent le maintien ou la baisse du taux de cholestérol ?*

- Voici une liste d'aliments considérés comme très bénéfiques. Plusieurs d'entre eux doivent leur effet à leur teneur en pectine, une fibre alimentaire (soluble) reconnue pour capter le cholestérol de la bile et l'éliminer dans les selles.

Aliments favorisant une baisse du taux de cholestérol	
Ail	Luzerne
Algues	Oignon
Aubergine	Orge
Carotte	Pomme
Huiles, noix et graines	Son d'avoine
Lécithine de soya	Soya
Légumineuses	Tofu

LES MOYENS QUI GUÉRISSENT LA MALADIE SONT AUSSI LES MOYENS QUI LA PRÉVIENNENT !

CHAPITRE

5

La lécithine

Les personnes qui fréquentent les magasins de produits naturels connaissent habituellement la lécithine vendue sous forme de petits granules jaune pâle ou encore en capsules. Mais savez-vous d'où vient la lécithine?

44 Qu'est-ce que la lécithine?

- C'est une substance de la famille des lipides appelée phospholipides parce qu'ils renferment du phosphore.
- La lécithine contient aussi une vitamine parente du groupe B, la choline.

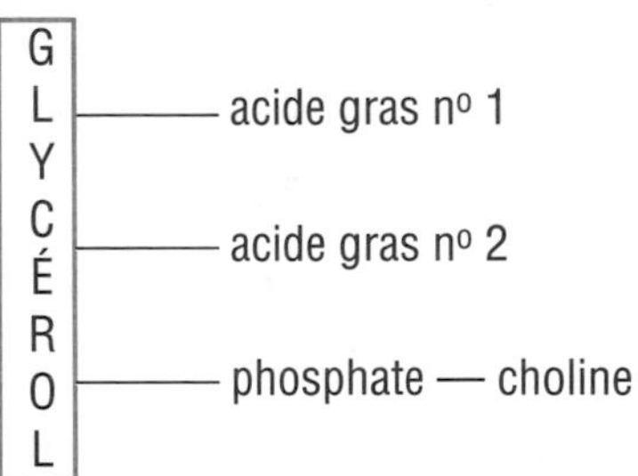

- Notre corps fabrique plus d'une sorte de lécithine.
- Le foie synthétise la lécithine. On ne la considère donc pas comme un élément nutritif essentiel. Toutefois, nous pouvons la fabriquer seulement si nous prenons dans nos aliments assez de matériaux de base.

- La lécithine est présente dans toutes les cellules et dans toutes les parties du corps : du cerveau au sperme, en passant par la mœlle des os, le cœur, le foie et les reins.
- Nous produisons de la choline avec l'aide des vitamines B_6 et B_{12}, de l'acide folique, du magnésium et d'un acide aminé nommé méthionine.
  TOUT EST LIÉ, N'EST-CE PAS ?
- La choline se retrouve dans une grande variété d'aliments dont le soya, le jaune d'œuf, le foie, le poisson, la levure de bière et le germe de blé.

45 *À quoi sert la lécithine ?*

- C'est un composant important de la membrane de toutes les cellules. Les phospholipides sont impliqués dans les phénomènes électriques et la fluidité de la membrane. Sans lécithine, la membrane durcirait.
- L'illustration de la membrane cellulaire de la page 40 montre bien la présence importante des phospholipides.
- C'est la membrane de la cellule qui régularise l'entrée et la sortie des éléments nutritifs et des déchets.
- Elle entre dans la composition de la gaine qui isole les nerfs et qu'on appelle gaine de myéline. La myéline est essentielle à une bonne conduction nerveuse. Dans la sclérose en plaques, elle est altérée.
- La lécithine agit comme **antioxydant**, donc protège la membrane de l'oxydation.
- Par sa présence dans les transporteurs du cholestérol (HDL, LDL), elle éloigne le cholestérol des parois artérielles et le protège également de l'oxydation.

- C'est un excellent **solvant**: elle ressemble à un détergent. Pour cette raison, la lécithine augmente la solubilité des gras et les maintient finement divisés ou émulsifiés.
- Elle joue un rôle dans la détoxification du foie.
- C'est un composant de la bile. Elle prévient la formation de pierres dans la vésicule biliaire. Comme on l'a vu, la bile est essentielle à la digestion des gras dans l'intestin.
- Un type de lécithine empêche les surfaces internes des poumons d'adhérer entre elles.
- La choline, fournie par la lécithine, entre dans la composition d'une molécule indispensable dans la transmission des messages nerveux. Il s'agit de l'acétylcholine.
- Dans le foie, la choline facilite l'utilisation des gras et du cholestérol.

46 *Quelles sont les sources de lécithine?*

- Les meilleures sources: le jaune d'œuf, le blé entier, le soya et les arachides.
- La lécithine de source animale (œuf) contient plus de gras saturés tandis que celle de source végétale (soya) renferme plus de gras polyinsaturés.
- Toutes les graines contiennent de la lécithine.
- La lécithine est retirée de l'huile lors du raffinage. Une raison de plus pour consommer des huiles pressées à froid où on la retrouve.

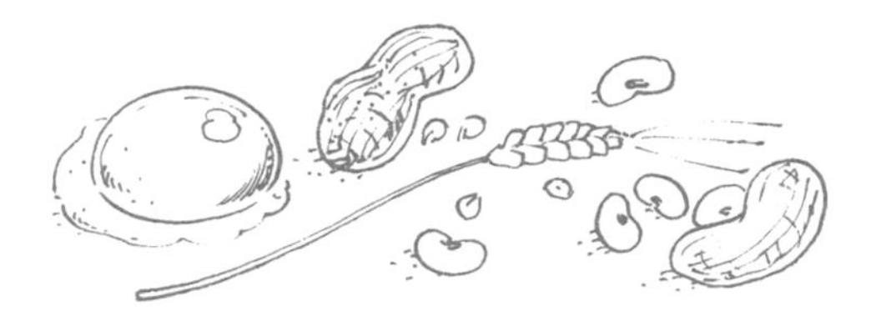

47 De quoi se composent les suppléments de lécithine?

- La lécithine est extraite des œufs, du soya ou du maïs.
- La lécithine se vend sous forme de granules jaune pâle, en capsules ou sous forme liquide. Elle possède une saveur douce. Les granules sont plus faciles à utiliser que la lécithine liquide qui possède une consistance sirupeuse et a tendance à coller au palais.
- Elle ne contient pas d'agents de conservation: à **garder au réfrigérateur**. Elle rancit facilement.
- La lécithine étant très périssable du fait de sa teneur en gras polyinsaturés, des chercheurs, par des procédés génétiques, tentent de réduire la teneur en acide alpha-linolénique (fragile à l'oxydation) de 9% à 3%. Dommage...
- Étant un gras, la lécithine apporte beaucoup de calories:

15 mL (1 c. à s.) de lécithine liquide
ou
25 mL (1 c. à s. + 2 c. à thé) de granules
} = 110 calories

48 La lécithine en supplémentation possède-t-elle des propriétés thérapeuthiques?

- Une des propriétés les plus connues serait la réduction du taux de cholestérol. Il semble que cet effet viendrait des gras insaturés de la lécithine. Cependant, on n'a pas encore démontré des effets positifs dans les maladies cardiovasculaires. Des études sont en cours.

- Une étude clinique a démontré que 35 grammes de lécithine par jour, pendant 2 à 3 mois, a significativement abaissé le taux de cholestérol total et le taux de LDL tout en augmentant le taux de HDL, chez 10 patients atteints de la maladie d'Alzheimer.[1]
- Toutefois, il faut retenir que la démarche pour abaisser un taux de cholestérol élevé doit s'inscrire dans un programme plus élaboré que de prendre seulement une supplémentation quelle qu'elle soit.
- On peut aussi attribuer à la lécithine les effets bénéfiques des acides gras essentiels en ce qui concerne la santé de la peau, du système nerveux, du système immunitaire (allergies, arthrite, etc.).

49 *Est-ce avantageux de prendre des suppléments de lécithine?*

- Des quantités moyennes de lécithine (15 à 30 mL) ne causent pas de problème et peuvent même apporter des bienfaits. Cependant, notons que des effets négatifs pourraient survenir si vous consommiez des surdoses à long terme.
- Les personnes atteintes de la maladie de Parkinson doivent éviter de prendre des suppléments de choline, donc de lécithine.

idée À moins de supervision par un professionnel de la santé, pourquoi ne pas se contenter d'apports raisonnables (15 à 30 mL par jour) ou tout simplement de ce que les aliments bien choisis fournissent!

1. Vroulis, G., Smith, R., Schoolar, J., et coll. «Reduction of cholestérol risk factors by lecithin in patients with Alzheimer's disease.» *Am. J. Psychiatry* 1982, 139;1633-1634, 1982.

CHAPITRE

6

Les antioxydants, ces protecteurs indispensables

Depuis quelques années, les antioxydants sont parmi les substances qui ont été le plus testées en laboratoire. Les résultats positifs de ces recherches ont créé un engouement pour certains suppléments comme les vitamines A, C, E et le bêta-carotène.

Pourquoi un tel intérêt? La raison est de taille: les antioxydants combattent le vieillissement, le cancer et les maladies cardiovasculaires!

50 *Qu'est-ce qu'un antioxydant?*

- C'est une substance qui en protège une autre contre l'action de l'oxygène, en étant elle-même oxydée, donc détruite. Les antioxydants peuvent remplir cette fonction aussi bien dans notre corps que dans les aliments.
- Par exemple, dans les aliments, la vitamine C prévient l'oxydation des fruits coupés et exposés à l'air. C'est pourquoi des quartiers d'orange (riche en vitamine C) ne brunissent pas, tandis que des tranches de banane (très peu de vitamine C) s'oxydent rapidement.

51 À quoi servent les antioxydants dans notre corps ?

- Ils assurent la protection des cellules en neutralisant la formation des radicaux libres (expliqués un peu plus loin).
- Ils protègent les acides gras insaturés, les protéines, l'ADN (code génétique) et le cholestérol LDL contre l'action des radicaux libres.
- Ils jouent un rôle dans la prévention de différents cancers (sein, poumon, estomac, côlon) et des maladies cardiovasculaires.
- Les substances antioxydantes possèdent des actions, différentes et complémentaires, qui renforcent le système immunitaire.

À noter Les antioxydants se retrouvent principalement dans le règne végétal.

Un fumeur devrait consommer 200 mg de vitamine C par jour, pour se protéger au même niveau qu'un non-fumeur avec 60 mg par jour. Un fumeur est exposé à un taux élevé d'oxydants, et on observe chez lui des taux de carotènes et de vitamine C plus bas que la normale.[1]

Le taux de bêta-carotène dans le sang est inversement relié au risque d'angine.[2]

1. Sardesai, V. M. « Role of antioxydants in health maintenance », Nutrition in Clinical Practice, 10;19-25.
2. Idem.

52 Les antioxydants sont-ils seulement des vitamines ?

- En plus de certaines vitamines, font partie de ce groupe des enzymes, ainsi qu'un grand nombre d'autres substances. Plusieurs minéraux agissent comme cofacteurs, c'est-à-dire qu'ils permettent l'activité antioxydante des molécules auxquelles ils s'intègrent.
- Voici la liste de certaines substances ayant des propriétés antioxydantes.

Substances antioxydantes

Vitamines	Enzymes	Autres
• Bêta-carotène • Vitamine A • Vitamine C • Vitamine E **Minéraux** • Cuivre • Manganèse • Sélénium • Zinc	• SOD* • Glutathion catalase	• Caroténoïdes (lycopène) • Cœnzyme Q-10 • Flavonoïdes (quercétine, rutine) • Proanthocyanidines (Extrait de pépins de raisin, écorce de pin maritime) • Sulforaphane • Polyphénols • Indoles

*SOD : superoxyde dismutase

- L'activité des enzymes antioxydantes est primordiale, car elle s'avère la première ligne de défense contre l'oxygène. L'efficacité de ces enzymes est reliée à la disponibilité de certains minéraux : manganèse, cuivre, zinc, sélénium.
- Nos cellules fabriquent également des substances antioxydantes. C'est le cas du glutathion, de l'acide urique et de la taurine.

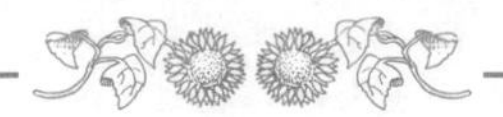

LES RADICAUX LIBRES SOUS SURVEILLANCE

53 *Que sont les radicaux libres?*

- Les radicaux libres sont des substances incomplètes et très instables. Par conséquent, ils tendent à réagir à un rythme très rapide, avec d'autres substances, pour se compléter. Il se produit une réaction en chaîne jusqu'à ce que des antioxydants arrêtent le processus. Les radicaux libres se comportent comme des voleurs et les antioxydants comme des gardiens de sécurité!
- Les radicaux libres peuvent se former dans notre corps, mais aussi dans les aliments.
- **Dans notre corps**, la formation de radicaux libres se produit naturellement, lors des milliers de réactions biochimiques dans nos cellules. Ils sont normalement contrôlés par un système d'antioxydants très efficace. Les problèmes surviennent lorsque les radicaux libres sont trop abondants soit par manque d'antioxydants, soit par une surcharge de facteurs qui favorisent leur production.
- **Dans les aliments** riches en gras, sous l'action de la lumière et de l'oxygène, ces réactions peuvent produire des peroxydes responsables du goût et de l'odeur caractéristiques du rancissement. Ces substances sont toxiques.

Les Antioxydants protègent contre les Radicaux libres

54 Quels sont les effets néfastes connus des radicaux libres?

- Souvent, pour imager les radicaux libres, on les compare à l'action corrosive de la rouille qui se forme sur les surfaces métalliques. Heureusement pour nous, le corps ne peut pas rouiller, par contre, il peut s'oxyder. Les radicaux libres peuvent **dégrader les membranes de nos cellules**, puis nos tissus et nos organes, accélérant ainsi le vieillissement.
- Les radicaux libres sont aussi impliqués dans le développement de nombreuses maladies: l'arthrite, le cancer, l'athérosclérose et les maladies cardiaques, ainsi que dans une foule de désordres associés au vieillissement, comme les cataractes, les taches brunes sur la peau, les douleurs articulaires, les pertes de mémoire, l'affaiblissement du système immunitaire.
- Plusieurs études le confirment: en augmentant notre consommation d'antioxydants, nous combattons les effets néfastes reliés aux radicaux libres.

55 Plusieurs facteurs augmentent la formation des radicaux libres, quels sont-ils?

- L'alimentation déficiente en antioxydants.
- Les nitrites et autres agents de conservation.
- Les pesticides.
- L'alcool.
- La fumée de tabac.
- Les excès de rayons ultraviolets.
- Les stress émotionnels.
- La pollution environnementale.

56 Que pouvons-nous faire pour combattre les radicaux libres dans notre corps?

- Il est primordial que notre **alimentation** soit **riche en antioxydants**. De plus, les aliments renferment une foule de substances bénéfiques qui agissent en synergie.
- Consommons chaque jour:
  - 5 à 10 portions[1] de fruits et légumes, surtout verts et orangés;
  - 5 à 12 portions de grains entiers;
  - des jus frais (carottes, orange, etc.);
  - des germes et des pousses (blé germé et autres);
  - des microalgues (spiruline ou *super blue green*).
- Privilégions les légumes et les fruits entiers aux jus et boissons, c'est beaucoup plus rentable!

VIVE LES BROCOLIS, LES CHOUX, LES CAROTTES!

- **Augmentons la qualité de notre mode de vie:**
  - davantage d'exercice et de détente;
  - le moins possible d'alcool, de cigarette et d'expositions prolongées au soleil.
- Malheureusement, une grande partie de la population ne consomme pas les portions de fruits et de légumes recommandées quotidiennement. Encore plus de campagnes de sensibilisation s'imposent.

---

1. Une portion de fruits ou légumes = 1 fruit ou légume moyen ou 125 mL de jus ou 250 mL de légumes feuilles.

   Une portion de céréales = 125 mL de céréales entières, de pâtes cuites ou 1 tranche de pain ou un demi-pain pita ou demi-bagel.

- Cependant, vous seul connaissez la quantité de légumes que vous mangez dans une journée. Si pour quelque raison que ce soit, vous ne réussissez pas à combler régulièrement vos besoins en antioxydants, les superaliments (spiruline, *super blue green, green magma*, ginseng, etc.) et les suppléments viendront à votre rescousse.
- Dans la revue *Nutrition in Clinical Practice* de février 1995, on affirme: «L'évidence écrasante indique que les antioxydants jouent un rôle critique dans le bien-être, le maintien de la santé et la prévention de maladies chroniques et de dégénérescence.»

LA SANTÉ ET LA NUTRITION SONT LIÉES À TOUT JAMAIS! EN ÊTES-VOUS CONVAINCU?

57 Comment protéger les aliments contre les radicaux libres?

- Les conserver à l'abri de la lumière et de l'air. Conserver les huiles au froid.
- Consommer des aliments entiers et des huiles non raffinées, car ils ont conservé une plus grande partie de leur vitamine E et d'autres substances protectrices.
- Dans la cuisine, utiliser du jus de citron et certaines plantes aromatiques comme le romarin, la sauge, le gingembre et le clou de girofle
- Un aliment oxydé possède un goût rance. Il faut le jeter.

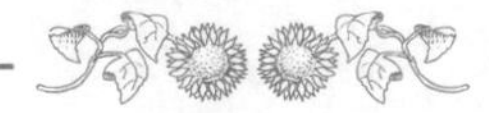

58 Un excès d'antioxydants peut-il être toxique ?

- La quantité optimale d'antioxydants nécessaire à la prévention n'a pas encore été déterminée.
- Les effets toxiques d'une grande quantité d'antioxydants prise sous forme de suppléments n'ont pas encore été déterminés à long terme.
- Il est possible que de **fortes doses** d'un seul antioxydant puissent créer un déséquilibre en rapport avec d'autres éléments nutritifs et causer des dommages aux cellules !
- La toxicité d'un excès vaut pour tous les éléments nutritifs.
- Voici les doses thérapeutiques quotidiennes de vitamines antioxydantes :

  Vitamine C : 500-1 000 mg
  Vitamine E : 300-400 U.I.
  Bêta-carotène : 20 000 U.I.

- De toutes les études menées pour connaître les liens entre l'alimentation et l'état de santé des individus, une constante revient toujours :

*MANGER BEAUCOUP DE FRUITS
ET DE LÉGUMES S'AVÈRE TRÈS BÉNÉFIQUE
POUR LA PRÉVENTION DU CANCER ET
DES MALADIES CARDIOVASCULAIRES !*

À noter : Les vitamines C et E possèdent de multiples autres fonctions dont un rôle important dans l'immunité. La vitamine E contribue aussi à fluidifier le sang et à réduire le risque de thrombose, en inhibant l'adhésion des plaquettes.

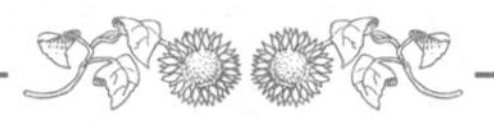

Principales sources alimentaires d'antioxydants

Antioxydants	Principales sources
Bêta-carotène (provitamine A)	Citrouille, patate sucrée, carotte, microalgues (spiruline et *super blue green*), chou frisé (*kale*), épinard, courges orangées, cantaloup
Vitamine C	Papaye, jus d'orange, brocoli, cantaloup, choux de Bruxelles, fraise, poivron vert
Vitamine E	Huile de germe de blé, graine de tournesol, noix, amande, noisette, huile de soya, patate sucrée
Sélénium	Noix du Brésil, céréales entières, thon, fruits de mer, graine de tournesol, abats

Note : Les aliments sont classés par ordre décroissant.

idée Achetons la laitue vert foncé plutôt que la iceberg, des oignons rouges ou jaunes plutôt que blancs, des raisins rouges plutôt que verts, etc.

SE PROTÉGER PAR LA COULEUR !

CHAPITRE

7

L'étiquetage des aliments

Vous avez probablement remarqué que depuis plusieurs années, on peut lire sur les étiquettes des mentions attirantes du genre «sans cholestérol», «faible teneur en gras», «allégé», etc. De plus, nous avons droit à des colonnes de chiffres précisant la valeur nutritive des aliments. En effet, en 1988, la Loi fédérale des aliments et drogues autorisait les fabricants à afficher la valeur nutritive des aliments.

Bien intentionnés, nous achetons ces produits, mais nous ne savons pas exactement ce que toutes ces allégations sous-entendent. En fait, Consommation et Affaires commerciales Canada offre une définition pour les expressions courantes que l'industrie utilise, mais on ne peut pas dire que ce soit toujours très clair pour les consommateurs.

Qui peut faire la différence entre faible teneur en gras et faible teneur en acides gras saturés? Qui sait qu'un produit annoncé sans cholestérol peut fournir une très grande quantité de gras? Nous vous présentons donc un tableau pour vous aider à vous y retrouver ainsi que des commentaires utiles pour établir les nuances.

Certains produits n'affichent rien? Ne soyez pas surpris, car l'étiquetage demeure encore facultatif; par contre, ceux qui l'utilisent doivent suivre les règles établies par le gouvernement.

59 *Quelles informations peut-on lire sur une étiquette?*

- L'industrie donne toujours la liste des ingrédients. De plus elle a la permission, mais non l'obligation, de présenter un tableau d'information nutritionnelle. Ensuite, certaines allégations sont permises et prennent souvent la vedette.

60 *Comment faut-il interpréter la liste des ingrédients?*

- Les ingrédients sont toujours énumérés selon un ordre décroissant, c'est-à-dire que le premier ingrédient se trouve en quantité plus importante et ainsi de suite. Toutefois, cette liste n'indique aucune précision sur les quantités de tel ou tel ingrédient. Prenons l'exemple où le sucre vient en second: on ne peut savoir si le produit en contient 4 ou 40%.
- La liste des ingrédients permet de vérifier si un produit contient des ingrédients de qualité. Sur l'étiquette d'une vinaigrette de qualité, on pourrait lire «huile de première pression à froid, vinaigre de cidre de pommes, sel de mer, herbes», tandis que sur une étiquette de vinaigrette commerciale on retrouverait «huile végétale, sucre, vinaigre, sel, ... (additifs)».
- Cette liste offre la possibilité de déceler les ingrédients auxquels on pourrait être allergique, sauf pour certains additifs qui n'y figurent pas en détail (colorants, etc.).

Lisons les étiquettes... Lisons les étiquettes... Lisons

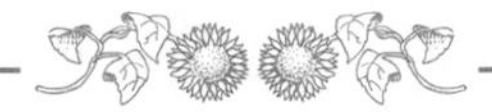

61 Qu'est-ce que le tableau d'information nutritionnelle?

- Comme son nom l'indique, ce tableau donne des précisions sur la valeur nutritive du produit. Généralement, on le retrouve sur les boîtes de céréales.
- Le tableau, dont le titre est « Information nutritionnelle », doit obligatoirement comprendre les données suivantes pour la portion indiquée:
  - la valeur énergétique en kilocalories et en kilojoules[1];
  - la teneur en protéines;
  - la teneur en matières grasses ou lipides;
  - la teneur en glucides.
- À cette liste, on peut ajouter des détails sur les types de gras et de glucides ainsi que la teneur en sodium et en potassium. Ces deux derniers éléments n'apparaissent pas l'un sans l'autre.
- Si l'étiquette comporte une allégation se rapportant au cholestérol, le tableau d'information nutritionnelle doit obligatoirement donner la teneur en gras polyinsaturés, en monoinsaturés, en saturés ainsi qu'en cholestérol.
- La liste des vitamines et minéraux est toujours exprimée en pourcentage de l'apport quotidien recommandé (ou AQR) pour un adulte moyen, ce qui n'inclut pas les femmes enceintes ou qui allaitent.

1. Les kilojoules sont la mesure d'énergie dans le système métrique. Un kilojoule équivaut à 4,1 calories (ou kilocalories).

- Voyons un exemple type de tableau d'information nutritionnelle.

  Il se présente toujours sous cette forme et doit inclure tous ces éléments ou une partie de ceux-ci.

Information nutritionnelle (par portion de X g)

Énergie	Kcal/kJ
Protéines	g
Matières grasses	g
polyinsaturés	g
monoinsaturés	g
saturés	g
cholestérol	mg
Glucides	g
amidon	g
sucres	g
fibres alimentaires	g
Sodium	mg
Potassium	mg

Pourcentage de l'apport quotidien recommandé

Vitamine A	%
Vitamine D	%
Vitamine C	%
Thiamine	%
Riboflavine	%
Niacine	%
Calcium	%
Fer	%
Magnésium	%
Phosphore	%
Zinc	%

Note : Kcal : kilocalories (ou calories) ; kJ : kilojoules (système métrique) ; g : grammes ; mg : milligrammes.

62 Qu'entend-on par allégations nutritionnelles ?

- Ce sont les expressions bien en vue sur l'étiquette et qui ont pour mission de nous séduire... Elles nous parlent de saveur, de texture, de valeur nutritive.

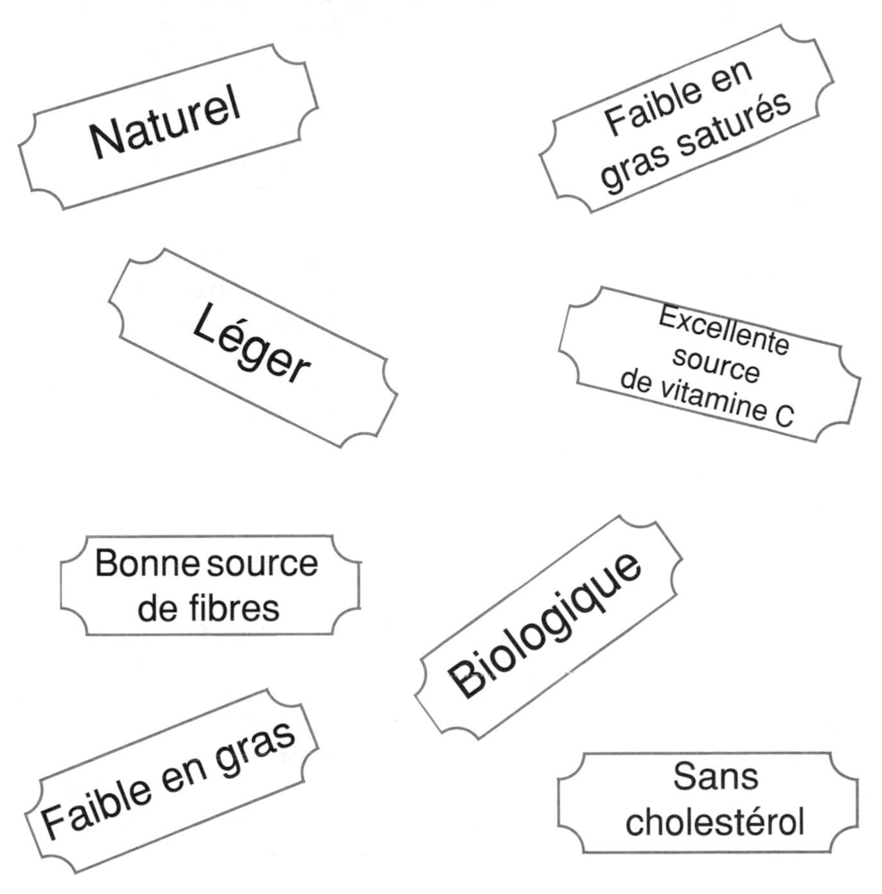

- Le fabricant qui utilise les allégations doit bien sûr se conformer à certaines normes. Le problème, c'est que le consommateur qui lit l'étiquette ne connaît pas la signification de ces allégations ou encore les pièges que certaines représentent.
- Avant de les commenter, voici le tableau des principales allégations concernant les gras.

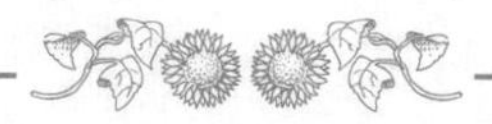

Allégations nutritionnelles

Cholestérol	
Faible teneur	• Pas plus de 20 mg de cholestérol par portion et par 100 g. • Pas plus de 2 g de gras saturés par portion. • Pas plus de 15 % des calories provenant des gras saturés.
Sans cholestérol	• Pas plus de 3 mg de cholestérol par 100 g. • Pas plus de 2 g de gras saturés. • Pas plus de 15 % des calories provenant des gras saturés.
Matières grasses	
Sans gras	• Pas plus de 0,1 g de gras par 100 g.
Faible teneur en gras ou en matières grasses	• Pas plus de 3 g de gras par portion.
Faible teneur en gras saturés	• Pas plus de 2 g de gras par portion. • Pas plus de 15 % des calories provenant des gras saturés.

Note : mg : milligrammes ; g : grammes.

63 *Un produit annoncé «sans cholestérol» est-il automatiquement bon pour la santé?*

- Pas nécessairement. Avec la phobie du cholestérol, cette mention est apparue sur une foule d'étiquettes. Et oui! on la retrouve même sur les produits n'ayant jamais contenu un gramme de cholestérol. Question de marketing!
- Répétons-le, les produits végétaux comme les noix, les graines et leurs huiles ne renferment pas de cholestérol. Le cholestérol est une matière grasse appartenant exclusivement au règne animal. Donc, une huile végétale ne contient pas de cholestérol et n'en a jamais contenu. Par contre, une huile est un corps gras pur (100% matières grasses).
- N'oublions pas qu'il faut diminuer nos apports de gras, de quelque origine que ce soit. Quand on prend trop de gras, il ne s'agit pas de remplacer tout le gras d'origine animale par autant de gras d'origine végétale!
- «Sans cholestérol» implique que l'aliment ne renferme que peu de gras saturés, mais il peut contenir beaucoup de gras polyinsaturés et monoinsaturés. C'est le cas des huiles sur lesquelles on rencontre souvent cette mention.
- Voici une liste de produits sur lesquels se trouvent la mention «sans cholestérol»: céréales à déjeuner, craquelins, croustilles (chips), huiles, margarines, mélanges à gâteaux et à muffins, pains, poudings, riz, sauces à salade, vinaigrettes.
- Est-ce que la margarine ou des céréales raffinées sont des produits de choix? Avez-vous déjà remarqué que plusieurs de ces produits sont bien pourvus en sel, en sucre et en additifs?

Lisons les étiquettes... Lisons les étiquettes... Lisons

64 Que signifie l'allégation «léger» ou «allégé»?

- Voici une expression des plus confondantes!
- Tout d'abord, **cette allégation ne se rapporte pas aux gras seulement**.
- Un produit «allégé» doit offrir au moins 25% moins de calories, ou de matières grasses, ou de sucre ou de sel quand on le compare au produit régulier. L'étiquette doit préciser en quoi le produit est léger. Ce n'est pas nécessairement un produit faible en gras.
- Ensuite, **le terme peut référer à la saveur, à la texture, au goût et même à la couleur**! C'est ainsi que l'huile d'olive au goût extra-léger est l'huile d'olive la plus raffinée. Cette huile renferme 14 g de gras par 15 mL (1 c. à s.) comme toutes les autres.
- Il arrive qu'un produit léger en gras renferme plus de sucre, car rien n'empêche le fabricant de «jouer» avec les autres constituants.
- Vous avez sans doute compris qu'il n'est pas nécessaire d'aller plus loin et que cette allégation n'est pas nécessairement synonyme de QUALITÉ. En général, c'est le contraire, car l'aliment a subi plusieurs transformations pour lui garder une texture agréable (additifs, etc.).

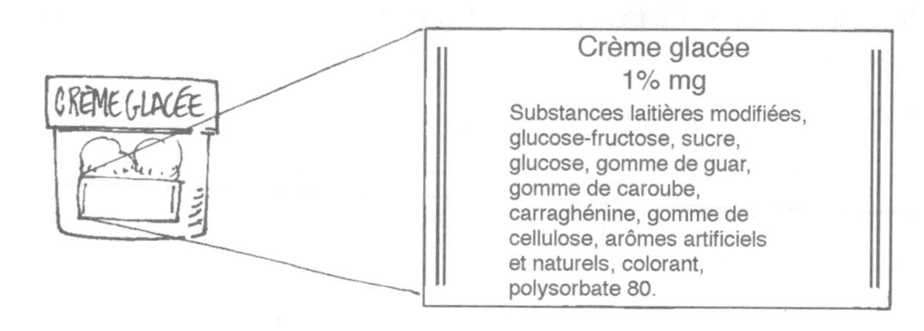

LÉGER OU ALLÉGÉ, UNE ALLÉGATION DONT IL FAUT SE MÉFIER!

65 *Faut-il acheter de préférence des produits «faible en gras»?*

- Vous savez maintenant que ces mots attrayants cachent parfois l'essentiel. En effet, les fabricants troquent souvent le gras contre des additifs. De plus, cela n'indique rien sur la qualité du gras du produit. Ainsi, vous ne pourriez affirmer que la meilleure des vinaigrettes fabriquée avec une bonne huile pressée à froid est un produit «faible en gras»... Pourtant, une telle huile vous apportera bien plus de bénéfices qu'un produit transformé par l'industrie agro-alimentaire.

66 *Peut-on se fier au terme «naturel»?*

- Encore un moyen d'attirer l'attention... Saviez-vous qu'il peut aussi bien s'appliquer à l'ensemble du produit, à un seul des ingrédients ou à la saveur?
- Rappelez-vous qu'il vaut mieux lire la liste des ingrédients. C'est encore le meilleur moyen d'obtenir une information adéquate pour effectuer un bon choix.

UN MOT D'ORDRE: LA VIGILANCE!

idée Privilégions les fruits et légumes, les noix et graines, les légumineuses. Ils n'ont pas d'étiquetage, mais ils représentent d'excellents choix.

CHAPITRE

8

La qualité des aliments

Avant de passer en revue les groupes d'aliments qui renferment des matières grasses, abordons la notion de QUALITÉ. Nous allons voir que cet aspect implique une vision beaucoup plus large que l'apparence d'un aliment ou encore sa teneur en tel ou tel élément nutritif.

Dès l'instant où nous prenons conscience de l'importance de la **qualité** et de la **quantité** de ce que nous mangeons, la vision de l'alimentation prend un nouvel élan.

67 *Pourquoi devons-nous nous intéresser sérieusement à la QUALITÉ des aliments que nous mangeons ?*

- En moyenne dans sa vie, chaque individu consommera 80,000 repas totalisant des milliers de kilos d'aliments et des milliers de litres de boissons ! **Ne sommes-nous pas convaincus de l'influence d'une telle quantité de nourriture sur notre corps pour en rechercher la QUALITÉ ?**

68 *Comment définir la QUALITÉ en alimentation ?*

- La qualité n'est sûrement pas une question exclusive de salubrité ! Cette notion, dans son aspect global, regroupe un ensemble de facteurs tous très importants.

La santé passe par la qualité.

Q **nutritionnelle** : opter pour des aliments frais, complets et variés.

U de l'apport **énergétique** : choisir les bonnes sources de calories, c'est-à-dire prendre soin d'équilibrer le menu entre les glucides, les lipides et les protéines.

A de la **digestion**, de l'**absorption** et de l'**élimination** : bien mastiquer, choisir un menu riche en fibres, boire de l'eau, bouger.

L de l'**agriculture** : choisir BIOlogique, c'est-à-dire sans engrais chimiques et sans pesticides ; production régionale le plus possible.

I de la **mise en marché** : emballage adéquat, fraîcheur, date de péremption.

T de la **préparation** : sans bons ingrédients, mais aussi sans quelqu'un pour préparer les repas avec amour, pas de bons plats au menu !

de la **conservation** : pour éviter les pertes de valeur nutritive.

É de notre **environnement** : demande en eau, en espace cultivable, en énergie, etc.

POUR UNE SANTÉ OPTIMALE,
*LA **QUALITÉ** EST INCONTOURNABLE !*

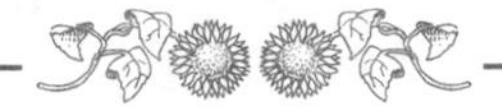

La santé passe par le plaisir.

- L'un et l'autre sont indissociables. Et pourtant, combien d'idées préconçues persistent encore, à savoir que lorsque la santé devient importante dans nos choix de tous les jours, la privation s'installe... Au contraire, un véritable PLAISIR existe à choisir des aliments sains et savoureux ainsi qu'un mode de vie où il y a place pour la détente, l'exercice, les amis, l'humour et l'amour.

QUALITÉ VERSUS SANTÉ DANS LE MONDE

À cause de l'état déplorable de la santé dans la plupart des pays occidentaux, la communauté scientifique s'intéresse de plus en plus aux **régimes traditionnels** des peuples où la **santé** est plus florissante que la nôtre.

Voyons donc les caractéristiques majeures de deux régimes qui ont fait l'objet de plusieurs études, c'est-à-dire le régime japonais et le régime méditerranéen.

LE RÉGIME JAPONAIS

- Les Japonais bénéficient de la plus longue espérance de vie au monde. Leur taux de mortalité par cancer et maladies cardiovasculaires se situe parmi les plus bas au monde, et pour eux, le cancer est moins souvent fatal. Pourtant, au Japon, le niveau de pollution et de stress sont très élevés.
- Toutefois, il n'en est pas de même des Japonais émigrés aux États-Unis et qui ont adopté les habitudes de leur pays d'adoption. Ces derniers voient leur taux de maladies cardiovasculaires et de cancer rattraper celui des Américains. Ceci prouve que l'alimentation est un facteur déterminant dans la protection contre ces maladies.

- Que mangent donc les Japonais ? Beaucoup de riz, de poisson, des algues, du tofu, des légumes frais et locaux et un peu de fruits ; de l'huile de canola, de soya et de sésame pour cuisiner mais... trop de sel.
- Ce qu'ils ne mangent pas ou peu ? Des protéines animales grasses, de la viande rouge, des produits laitiers, du sucre raffiné, des fritures, du pain et des pâtisseries, du beurre et de la margarine.
- À la place du café, des boissons gazeuses et de la bière… ils se délectent de thé, le plus souvent vert.
- Les algues, le soya et le thé vert, qu'ils consomment en grande quantité, sont reconnus pour contenir des éléments protecteurs comme, entre autres, des antioxydants.
- Globalement, leurs aliments fournissent beaucoup de glucides, de fibres, de vitamines et minéraux tout en évitant les protéines animales grasses.
- Leur sens de l'harmonie et de l'équilibre se reflètent aussi dans l'art de présenter les mets. Chaque plat plaît à l'œil autant qu'au palais.
- Finalement, les Japonais étalent leur consommation d'aliments sur tous leurs repas plutôt que de sauter le petit déjeuner et de prendre un gros souper. La variété est impressionnante, plus de 30 aliments différents par jour !

LE RÉGIME MÉDITERRANÉEN

- Ces dernières années, le régime méditerranéen, tel qu'analysé au début des années 1960, suscite de plus en plus d'intérêt chez les chercheurs et les professionnels de la santé.
- Un réel coup de cœur pour ce régime s'est emparé des intervenants dans le domaine de la nutrition, car en plus de multiples bénéfices pour la santé, ce régime regorge de saveurs et de délices. Pour changer des habitudes alimentaires en profondeur et chez l'ensemble de la population, il est très important que le régime proposé soit attrayant, simple et facile à intégrer, et que les bienfaits soient reconnus scientifiquement.

69 *De quoi se compose ce régime ?*

- L'Organisation mondiale de la santé, la FAO (Food and Agriculture Organisation) ainsi qu'une équipe d'experts en nutrition de l'École de santé publique de Harvard ont choisi d'utiliser la pyramide pour représenter le régime méditerranéen.
- La pyramide méditérranéenne se différencie de la plupart des guides alimentaires dans le fait qu'elle ne propose pas de portions de chaque groupe à consommer chaque jour.
- Notons qu'elle fait une place d'honneur aux produits végétaux. L'huile d'olive ainsi que les noix et les graines sont les matières grasses recommandées.
- Les produits animaux à consommer chaque jour sont le yogourt et le fromage. Dans ces pays, on utilise davantage le fromage de chèvre.

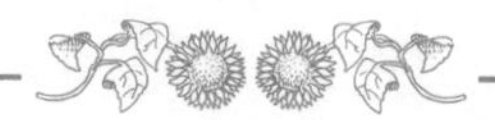

La Pyramide du Régime Méditerranéen Traditionnel

Quelques fois par mois
(ou un peu plus souvent en très petites quantités)
Viandes rouges

Quelques fois par semaine
Sucreries
Œufs
Volaille
Poisson

Chaque jour
Fromage et yogourt
quantité variable — Huile d'olive — quantité variable

Activité physique régulière

Fruits
Haricots, autres légumineuses et noix
Légumes

Vin avec modération

Pains, pâtes, riz, couscous, polenta, boulghour, autres produits céréaliers et pommes de terre

Caractéristiques de la pyramide méditerranéenne

Abondance de produits céréaliers.
Abondance de fruits et légumes.
Consommation quotidienne de légumineuses et de noix et graines.
Utilisation de l'huile d'olive comme corps gras.
Consommation quotidienne de yogourt et de fromage.
Consommation de poisson et de poulet quelques fois par semaine.
Consommation de sucreries quelques fois par semaine.
Consommation de viande rouge quelques fois par mois seulement.

70 Y a-t-il d'autres aspects importants à considérer?

1. Leurs aliments sont cuisinés à la maison, servis le moins transformés possible, de saison et de provenance locale. Ils sont riches en antioxydants, en oligo-éléments et en fibres alimentaires.
2. Les repas se partagent en famille ou avec des amis. Le support de la communauté est encore très fort.
3. Les fruits frais composent le dessert quotidien. Les desserts sucrés se servent à l'occasion de fêtes.
4. On mange du pain à chaque repas, **sans beurre ni margarine**!
5. L'ail, l'oignon et les herbes constituent les assaisonnements de prédilection.
6. Les recettes délicieuses, le temps plus long alloué aux repas et les siestes de l'après-midi diminuent le stress d'autant.
7. Le mode de vie inclut davantage de travail physique, ce qui favorise un taux plus bas d'obésité et de toutes ses conséquences.

N'est-ce pas que toutes ces habitudes ressemblent étrangement aux conseils diffusés depuis plusieurs années par les tenants de l'alimentation naturelle!

Malheureusement, plus ces peuples s'éloignent de leurs régimes traditionnels, plus le taux des maladies dites de civilisation augmente.

CHAPITRE

9

Noix, graines, olive et avocat

Il y a des siècles, les noix et les graines constituaient un aliment de base très apprécié des êtres humains. Les Grecs et les Romains connaissaient les noix de Grenoble et les pistaches, la Bible fait allusion aux amandes, etc.

De nos jours, en Amérique du Nord et en Europe, on cultive les noix et les graines surtout pour la production d'huile. Quant à leur consommation à l'état nature, elle se limite trop souvent à la collation ou à la décoration. De plus, on les mange la plupart du temps rôties et salées! Les végétariens connaissent un peu mieux la grande valeur nutritive des noix.

Dans plusieurs autres parties du monde, les noix et les graines représentent encore un apport nutritif complémentaire aux menus quotidiens.

CHANGEONS NOTRE APPROCHE FACE AUX NOIX ET AUX GRAINES, ET PRENONS PLAISIR À LEUR FAIRE UNE PLACE DANS NOTRE MENU.

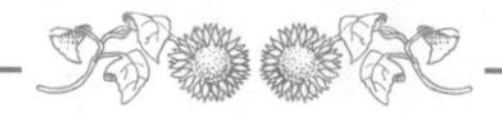

71 *Donnez 10 bonnes raisons d'inclure des noix et des graines dans l'alimentation.*

1. Elles constituent une bonne source de protéines (environ 14%) et d'amidon (15 à 25%).
2. Leurs gras sont surtout monoinsaturés et polyinsaturés. Cependant il faut se rappeler que ces aliments sont **concentrés en matières grasses**.
   LES EXCÈS SONT À ÉVITER.
3. Elles fournissent les acides gras essentiels dont nous avons absolument besoin.
4. Les noix et les graines sont aussi riches en:
   - minéraux: calcium, magnésium, phosphore, potassium;
   - oligo-éléments: fer, cuivre, zinc;
   - vitamines: A, E, K (liposolubles) et groupe B (sauf B_{12});
   - antioxydants;
   - fibres alimentaires (solubles et insolubles).
5. Avec toute cette richesse nutritive, il n'est pas surprenant d'affirmer que manger des noix et des graines s'avère bénéfique pour la santé du cœur.[1]
6. Elles demandent un minimum de transformation et d'énergie de la récolte à l'achat.
7. Elles sont faciles et rapides à apprêter.
8. L'augmentation de la consommation de noix et de graines encouragerait la plantation de noyers, de noisetiers et la culture de lin, de fleurs de tournesol, etc. Un plus pour l'air et la nature!

---

1. Sabaté, Joan et coll., «Effects of walnuts on serum lipid levels and blood pressure in normal men» *N Engl J Med* 1993, 328; 603-7.

9. Elles font partie du règne végétal et se situent au début de la chaîne alimentaire: plus écologiques et moins polluées que les gras animaux.
10. Associées aux légumineuses, elles représentent une alternative à la viande comme source de protéines. Plus écologique et plus économique!

72 *Quels sont les gras les plus importants dans les noix et graines?*

- Elles sont riches en gras monoinsaturés et polyinsaturés. Sauf la noix de coco, ce ne sont pas des sources importantes de gras saturés (tant mieux!).

73 *Les noix et les graines sont-elles riches en acides gras essentiels?*

- **Ce sont les meilleures sources**! Elles affichent toutes une très bonne teneur en **acide linoléique** (oméga-6), tandis que le lin, les noix de Grenoble et les graines de citrouille fournissent l'**acide alpha-linolénique** (oméga-3).
- Une portion d'environ 30 mL (2 c. à s.) de noix et de graines ou 30 mL d'huile pressée à froid comble une grande partie de nos besoins quotidiens en acide linoléique.
- Pour combler tous nos besoins en acide alpha-linolénique, il faut consommer au choix:
  - 10 mL (2 c. à thé) de graines de lin moulues
  - 45 mL (3 c. à s.) de noix de Grenoble
  - 45 mL (3 c. à s.) de graines de citrouille

CONSOMMER DES NOIX ET DES GRAINES COMME SOURCE D'ACIDES GRAS ESSENTIELS S'AVÈRE DONC ESSENTIEL!

Noix et graines principalement polyinsaturées

Aliments	Lip. %	AGS %	AGM %	AGP %	Quelques particularités
Graine de lin	35	9	20	66	• Meilleure source d'oméga-3 • Les consommer moulues
Graine de tournesol	50	10	20	66	• Versatile, nutritive et savoureuse
Noix	62	9	23	63	• En provenance de Californie mais appelée noix de Grenoble • Conserver au froid, rancit facilement
Graine de citrouille	46	9	30	47	• Source d'oméga-3 • Sécher et moudre les graines de courge et de citrouille • Les graines vertes se mangent telles quelles
Noix de pin	51	16	37	42	• Appelée pignon de pin • Utilisée dans le pesto • Rancit facilement

Note : Lip. : lipides; AGS : acides gras saturés; AGM : acides gras monoinsaturés; AGP : acides gras polyinsaturés.

Noix et graines principalement monoinsaturées

Aliments	Lip. %	AGS %	AGM %	AGP %	Quelques particularités
Noisette	63	7	78	10	• L'aveline est la variété cultivée de la noisette, mais elle est un peu plus grosse
Noix de macadam	74	12	71	10	• En provenance d'Hawaï, de Floride ou de Californie. • La plus riche en gras.
Amande	52	8	70	17	• Se vend sous différentes formes. • À consommer avec la peau brune riche en calcium.
Pistache	48	13	68	15	• Couleur naturelle : écale beige et chair verte. • Éviter les pistaches teintes en rouge.
Pacane	68	8	62	25	• Meilleur achat : en écales.
Noix de cajou	46	20	60	17	• Toujours vendues sans écale. • Consommer nature plutôt que rôties et salées.

Aliments	Lip. %	AGS %	AGM %	AGP %	Quelques particularités
Arachide	45	17	47	32	• Consommer nature.
Graines de sésame	49	14	40	42	• Acheter les graines entières, plus riches en calcium. • Les consommer moulues.
Noix du Brésil	66	24	35	36	• Difficiles à écaler.

Note : Lip. : lipides; AGS : acides gras saturés; AGM : acides gras monoinsaturés; AGP : acides gras polyinsaturés.

SAVIEZ-VOUS QUE:

SAVIEZ-VOUS QUE :

Le sésame bat les records comme source de calcium, à la condition de consommer des graines entières. Le décorticage leur fait perdre 75 % de leur calcium ainsi que 50 % de leur fer.

Graines de citrouille, de sésame et de tournesol, pistaches et noix de coco sont de bonnes sources de fer. Les consommer en même temps qu'une bonne source de vitamine C double ou triple l'absorption du fer.

Les graines de citrouille sont riches en zinc : excellent pour la prostate de monsieur !

Noix principalement saturée

Aliments	Lip. %	AGS %	AGM %	AGP %	Quelques particularités
Noix de coco (coprah) desséchée non sucrée	64	87	6	2	• Acheter fraîche ou séchée et non sucrée ou colorée. • La noix de coco fraîche contient 30 % de gras. • La noix de coco séchée en renferme 65 %.

Note : Lip. : lipides; AGS : acides gras saturés; AGM : acides gras monoinsaturés; AGP : acides gras polyinsaturés

74 *Quelle quantité de noix et de graines pouvons-nous manger ?*

- Pour bénéficier des effets positifs de la consommation des noix et des graines, il suffit d'en manger de petites quantités. Se rappeler que ces aliments possèdent une forte **teneur en gras et en kilocalories.**
- Le GUIDE ALIMENTAIRE VÉGÉTARIEN, illustré au chapitre 20, recommande de consommer 2 portions par jour du groupe des noix et graines .

1 portion = au choix

Noix et Graines : 45 mL (3 c. à s.)
Beurres de noix : 30 mL (2 c. à s.)
Huiles : 15 mL (3 c. à thé)

- Dans la dernière version du Guide alimentaire canadien (1992), les noix et les graines ne font partie d'aucun groupe.
- Le beurre d'arachide est mentionné dans le groupe «viandes et substituts». Toutefois, n'oublions pas que l'arachide est une légumineuse et non une noix, même si sa valeur nutritive générale se rapproche de celle des noix.

75 *Comment peut-on déguster les noix et les graines autrement qu'en collation?*

- Crues, natures, trempées ou germées, il suffit de les incorporer à de superbes salades de légumes ou de fruits frais.
- Ajoutées entières aux plats de légumineuses et de céréales.
- Moulues, les ajouter aux céréales du matin, aux salades, aux sauces, aux jus.
- Moulues, les utiliser comme la farine dans les pâtés, les pains, les pâtisseries.
- Sous forme de beurre:
  - tartiné sur du pain;
  - fouetté avec de l'eau (émulsionné) pour en faire d'excellentes sauces à salades et trempettes, ou les rendre plus faciles à tartiner;
  - ajouté dans un jus au mélangeur.

LA SECTION RECETTES VOUS RAVIRA!

À noter — Choisir des noix, des graines et des arachides de première qualité. Ne pas hésiter à les examiner et à jeter celles qui sont décolorées, ratatinées et qui portent des traces de moisissures. Recrachez-les si elles ont mauvais goût. Ces produits sont un milieu de prédilection pour un type de moisissures qui sécrètent des toxines naturelles, les aflatoxines. Découvertes en 1960, on sait qu'elles peuvent causer le cancer du foie chez les animaux de laboratoire, bien que la preuve n'a pas encore été faite chez l'humain.

LE LIN: SES GRAINES ET SON HUILE

76 *Pourquoi donner tant d'importance au lin?*

- Parce que les graines et l'huile de lin représentent la meilleure source d'acide alpha-linolénique (oméga-3). La recherche scientifique commence seulement à reconnaître ses nombreux bienfaits sur la santé.
- À partir de cet acide gras essentiel, **un corps en santé** pourra fabriquer lui-même certains acides gras très importants notamment pour le cerveau. L'acide alpha-linolénique sert également de précurseur à la synthèse de molécules très importantes, les prostaglandines. Celles-ci agissent, entre autres, dans la prévention des maladies cardiovasculaires et dans tout l'équilibre hormonal.
- En plus de contenir l'acide gras essentiel le plus difficile à trouver dans notre alimentation, les **graines** de lin contiennent plusieurs éléments nutritifs, dont une très belle qualité de protéines et des fibres alimentaires très utiles.

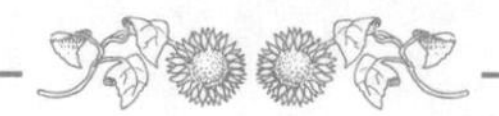

- Les fibres des graines de lin, en plus de faciliter l'élimination, aident aussi à réduire le taux de cholestérol.
- Pour bien absorber tous ces précieux nutriments, il faut **consommer les graines de lin moulues**.

L'AVOCAT ET L'OLIVE

En général, les fruits ne contiennent pas beaucoup de matières grasses. Les avocats et les olives font toutefois exception. Ils font partie des fruits oléagineux. On les appelle ainsi parce qu'ils contiennent de l'huile.

77 *Quelle est la valeur nutritive de l'avocat et de l'olive?*

- L'avocat est plus nutritif que les fruits dans leur ensemble. Bien qu'il soit reconnu pour sa richesse et la valeur de ses gras, il offre plusieurs autres qualités.
- L'avocat représente une bonne source de bêta-carotène, de vitamine B_3, de folacine et de potassium.
- La valeur nutritive générale de l'olive est plus faible que celle de l'avocat. C'est surtout la qualité de ses gras qui lui donne son importance.

78 *Quelle est la teneur et la nature des gras contenus dans ces fruits?*

- Les gras représentent près de 10% du poids d'un avocat. L'olive mûre, marinée, est nettement plus grasse, car elle contient près de 36% de gras. Cependant, ce sont de BONS GRAS!

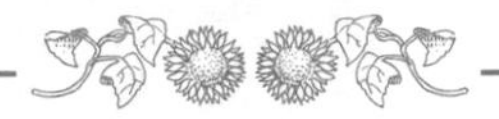

Teneur en gras de l'avocat et de l'olive

Fruits	Lipides g	AGS %	AGM %	AGP %
Avocat, un demi	15,4 g	16%	63%	13%
Olives noires, marinées, 20 moyennes	17 g	11%	77%	7%

Note: AGS: acides gras saturés; AGM: acides gras monoinsaturés AGP: acides gras polyinsaturés.

- Ce tableau montre clairement que les gras monoinsaturés dominent. On a déjà vu que ce type de gras était largement consommé par les peuples méditerranéens. Ces derniers font moins de maladies cardiovasculaires et de cancers que les peuples qui se gavent de gras saturés et de cholestérol.
- L'avocat fournit une quantité intéressante d'acide linoléique (oméga-6), un acide gras essentiel.
- L'avocat et les olives sont classés avec les noix et graines à cause de leur teneur élevée en gras. Une portion d'un demi-avocat ou d'une vingtaine d'olives de grosseur moyenne apportent environ la même quantité de gras qu'une portion de 30 à 45 mL de noix et graines.
- Comme vous le voyez, ce sont des aliments à prendre avec modération. Il ne faut pas oublier qu'un surplus de gras fait vite monter le pèse-personne!

À PROPOS DE L'OLIVE

- L'olive change de couleur pendant sa période de maturation. De vert profond, à plus pâle, elle devient pourpre, puis noire. Sa chair pâle et ferme devient foncée et s'attendrit avec le temps.
- Pour être comestible, l'olive doit subir différents procédés de macération, de lavage et de fermentation. Sa saveur révèle un mélange d'acidité et d'amertume. Les olives font un excellent apéritif.
- Les olives noires (mûres) sont plus nutritives et plus calorifiques que les vertes (immatures).
- On trouve des olives de différentes tailles, textures et saveurs:
  - Les olives grecques sont lacto-fermentées et conservées dans la saumure.
  - Les olives françaises sont plus petites, peu charnues et plus douces.
  - Les grosses olives américaines sont mises en conserve plutôt que fermentées. Elles subissent un traitement chimique pour les noircir. Leur chair, plus ferme que celles mûries sur l'arbre, permet le dénoyautage en usine. Elles sont stérilisées pour une conservation plus longue.
  - L'Espagne produit la majorité des olives de table, dont les 2/3 sont vertes et farcies avec une pâte gélatineuse de poivron rouge broyé.
- Les olives se conservent au frais pendant environ 1 an. Ne nous limitons pas aux hors-d'œuvre! Ajoutons-les aux salades, aux pâtes, etc.

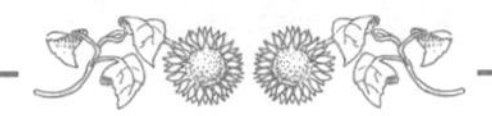

À PROPOS DE L'AVOCAT

- De plus en plus de gens découvrent les qualités nutritionnelles et gastronomiques de l'avocat.
- Il existe différentes variétés de ce fruit à la chair vert tendre et à la saveur si délicate. On en trouve de différentes formes et de différentes tailles. La couleur de leur pelure varie du vert au noir.
- L'avocat est à point lorsqu'il cède à une légère pression des doigts. Une fois coupé, l'arroser de jus de citron, car il noircit facilement à l'air.
- L'avocat ne doit pas être réfrigéré avant son mûrissement complet. Le froid fera noircir sa chair; il en est de même des bananes. Une fois mûr, il se détériore rapidement. À consommer tout de suite, ou sinon le réfrigérer. Une moitié d'avocat, arrosée de jus de citron, peut se conserver au froid un jour ou deux.
- Ce fruit est très facile à apprêter cru. Le servir simplement coupé en deux, le farcir, ou encore le mettre en purée (guacamole). En garnir des pains pita, l'ajouter à la salade, au potage, etc.

Eh oui! Les noix, les graines, les avocats et les olives sont riches en gras. Il ne faut pas croire qu'ils sont à éviter pour autant. En effet, leurs gras font partie de ce qu'on appelle les BONS GRAS. C'est la quantité consommée qui fera la différence! Bon appétit!

CHAPITRE

10

Pleins feux sur les huiles!

Les huiles constituent un sujet brûlant d'actualité! Lesquelles choisir, pourquoi et quelle quantité pouvons-nous nous permettre sans outrepasser nos besoins quotidiens en matières grasses?

LE CHOIX DES HUILES EST TRÈS IMPORTANT, ENCORE FAUT-IL QUE NOUS EN CONNAISSIONS LES CRITÈRES DE QUALITÉ!

Posons-nous quelques questions sur la QUALITÉ de l'huile que nous achetons:

- A-t-on utilisé des grains de bonne qualité?
- L'huile a-t-elle été extraite avec des solvants chimiques?
- L'huile a-t-elle été raffinée après l'extraction?
- Dans quelles conditions et pendant combien de temps a-t-elle été entreposée?
- Comment l'utiliser?
- Comment la conserver à son meilleur?

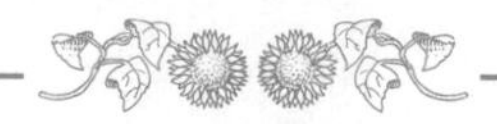

MODE D'EXTRACTION DES HUILES

Quelles sont les différences entre l'extraction d'une huile raffinée et d'une huile «pressée à froid»?

- Il existe deux principaux procédés pour extraire l'huile des grains oléagineux et plusieurs facteurs influencent le résultat final. Voyons cela de plus près à l'aide des figures ci-dessous.
- Souvenons-nous que la chaleur, l'air et la lumière détériorent la qualité initiale du produit.

DIFFÉRENTS MODES D'EXTRACTION

→ pression mécanique *(à froid ou à chaud)*	→ vis sans fin → presse hydraulique
→ chimique	→ solvant chimique
→ mixte	→ mécanique et chimique
Après l'extraction	→ non raffinée → raffinée → partiellement raffinée → partiellement hydrogénée

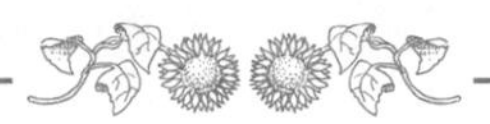

Principales comparaisons entre une huile de qualité et une huile commerciale

	Huile de qualité	Huile commerciale
Qualité des grains	Supérieure, parfois BIOlogique	Inférieure
Extraction	À froid, mécanique	À chaud, avec solvants chimiques
Raffinage	Non	Oui
Gras « trans »	Non	Formés lors de la désodorisation
Éléments nutritifs de trace	Oui	Enlevés lors du raffinage
Couleur, saveur, arôme	Du produit d'origine	Très atténuées par le raffinage
Additifs	Aucun	Parfois BHA et BHT (antioxydants)
Contenants	Foncés	Transparents
Disponibilité	Surtout dans les magasins d'aliments naturels	Toutes les épiceries

OUVRONS NOTRE ŒIL QUALITATIF !

EXTRACTION DES HUILES

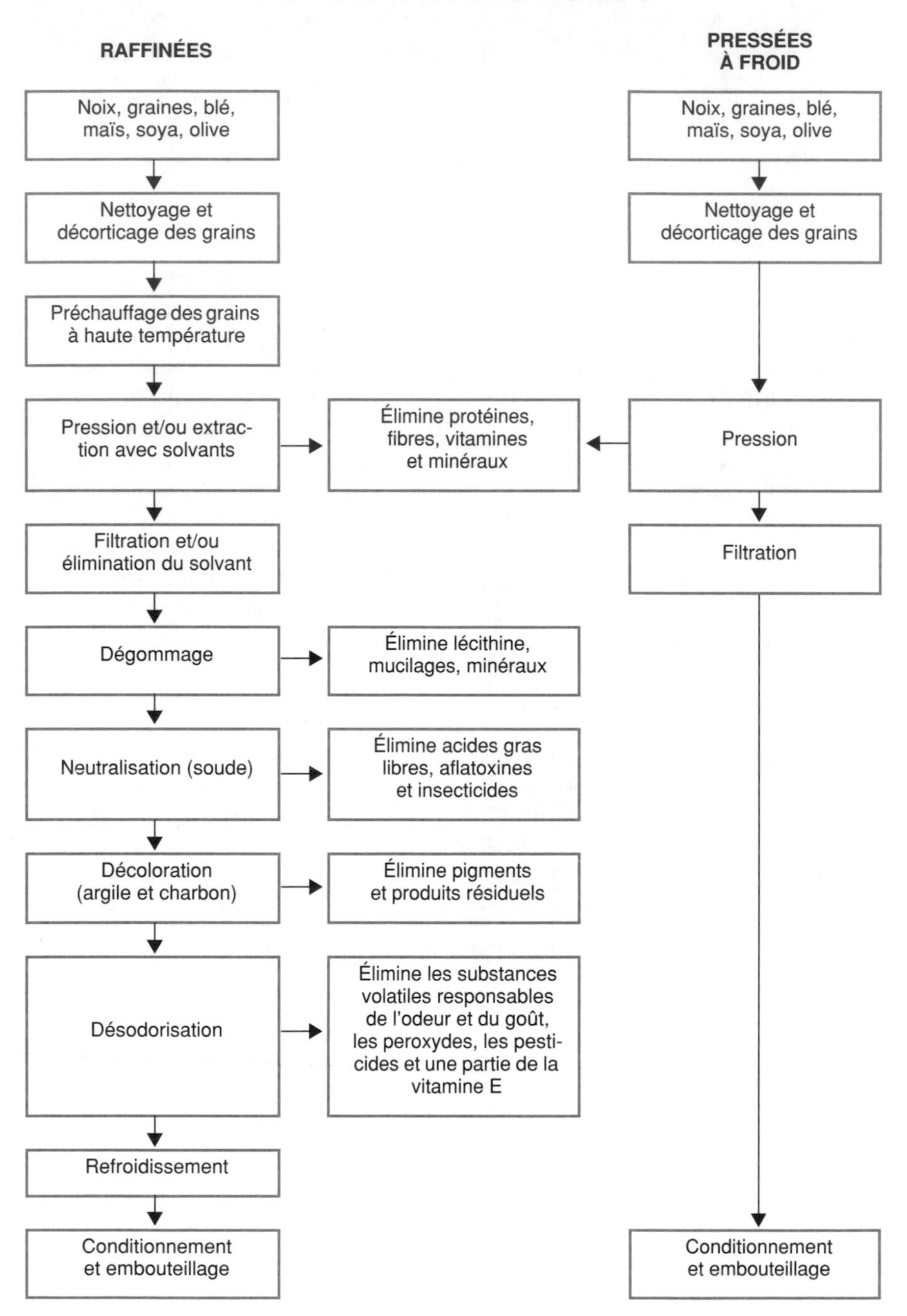

VALEUR NUTRITIVE

80 *Quelle est la teneur en gras d'une huile?*

- Toute huile, quelle qu'elle soit, est un corps gras pur à 100%. Se rappeler que 15 mL (1 c. à s.) apporte 14 g de gras et 126 calories. L'huile est plus grasse que le beurre et la margarine qui renferment environ 16% d'eau.

81 *Outre les matières grasses, y a-t-il d'autres éléments nutritifs présents dans les huiles?*

- Les huiles «**non raffinées**» contiennent des petites quantités de substances très intéressantes pour notre santé:
  - Des phospholipides dont la lécithine, un émulsifiant naturel.
  - Des phytostérols, capables de bloquer l'absorption du cholestérol alimentaire.
  - De la vitamine E, un antioxydant naturel.
  - Des pigments: carotènes et chlorophylle.
  - Des traces de minéraux: calcium, magnésium, fer, cuivre et phosphore.

82 *Pourquoi ces éléments mineurs sont-ils importants?*

- Ces éléments permettent une meilleure digestion, absorption et métabolisme des gras. Ces substances nutritives, même en très petites quantités, agissent en synergie.
- Il ne faut pas oublier que l'huile est déjà, en soi, un produit d'extraction. Il est bon de lui laisser au moins ces quelques éléments mineurs.

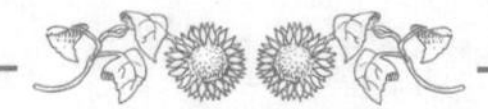

83 ***Pourquoi alors les enlever par le raffinage?***

- Se rappeler que le raffinage est pratiqué pour:
  - augmenter le rendement d'extraction de l'huile;
  - augmenter le temps de conservation du produit.

84 ***Quelle est la teneur et la nature des gras contenus dans les différentes sortes d'huiles?***

- Toutes les huiles contiennent des gras saturés, monoinsaturés ou polyinsaturés, dans des proportions différentes. Les huiles étant liquides à la température de la pièce (sauf les huiles tropicales), cela signifie que les gras y sont surtout mono ou polyinsaturés.
- Les huiles sont donc classées selon le type de gras qui y prédomine. Consultez les tableaux suivants pour mieux les connaître.

Huiles polyinsaturées

Huiles	AGS %	AGM %	AGP %	Remarques
Carthame	9	12	75	• Excellente source d'acide linoléique (acide gras essentiel oméga-6).
Pépins de raisin	10	16	70	• Difficile de la trouver pressée à froid. • Saveur très marquée.
Lin	9	20	66	• À consommer crue et fraîche. • Meilleure source d'acide alpha-linolénique : 54 % (acide gras essentiel oméga-3).
Tournesol	10	20	66	• Saveur douce.
Noix	9	23	63	• Contient 10 % d'oméga-3
Germe de blé	19	15	63	• Contient un peu d'oméga-3 : 7% • Rancit facilement. • Riche en vitamine E.
Maïs	13	24	59	• Difficile de la trouver pressée à froid.
Soya	14	23	58	• Difficile de la trouver pressée à froid. • Contient un peu d'oméga-3 : 7%.

Note : AGS : acides gras saturés; AGM : acides gras monoinsaturés; AGP : acides gras polyinsaturés; oméga-3 : acide alpha-linolénique

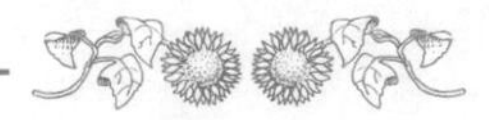

Huiles monoinsaturées

Huiles	AGS %	AGM %	AGP %	Remarques
Noisette	7	78	10	• Saveur exquise.
Olive	14	74	8	• Le taux de gras monoinsaturés peut varier de 53 à 80 % selon les variétés.
Amande	8	70	17	• Utilisée surtout pour les soins de la peau.
Avocat	16	63	13	• Utilisée surtout pour les soins de la peau.
Canola (colza)	**7**	**56**	**33**	• **Contient les 2 acides gras essentiels : oméga-6 = 22 % oméga-3 = 11 % 15 mL couvrent les besoins en oméga-3.**
Arachide	17	47	32	• Supporte le mieux la chaleur de la cuisson.
Sésame	14	40	42	• Contient de la sésamoline qui protège de l'oxydation. • Utilisée dans la cuisine asiatique.

L'IMPORTANCE DE L'ÉTIQUETTE

Pour choisir une huile savoureuse et nutritive, l'information que nous devons retrouver sur l'étiquette constitue un indice très important. Il est donc essentiel que le message soit clair, juste et complet. De plus, il nous faut comprendre la signification des termes employés et savoir également ce que cache le dit message!

Ce qui suit vous aidera à reconnaître les subtilités de l'étiquetage des huiles.

85 *Peut-on se fier à ce qu'on lit sur les étiquettes des bouteilles d'huile?*

- Les étiquettes représentent un atout certain pour le consommateur. Nous y retrouvons la liste des ingrédients et le tableau d'information nutritionnelle.
- On y retrouve également plusieurs allégations.
- Ces courtes affirmations sont là pour attirer le consommateur sur un des aspects qualitatifs du produit, et le promouvoir sans toutefois tout révéler.
- À quand les messages qui diront toute la vérité, comme:

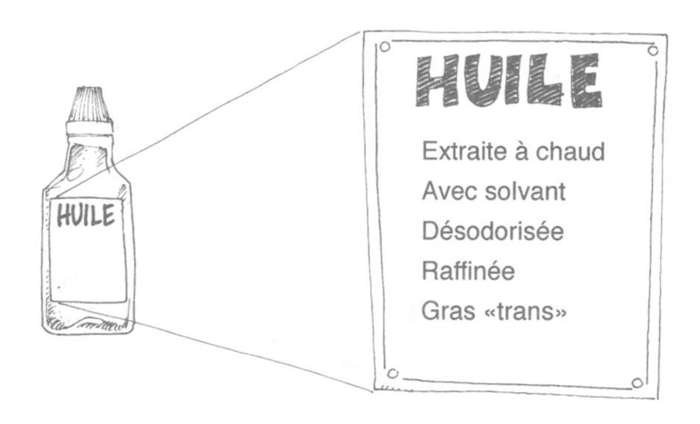

- Sur les étiquettes, on ne retrouve que les qualités. On passe sous silence les aspects douteux de la transformation industrielle.
- Plus nous exigerons de l'information complète, plus nous serons en mesure d'obtenir des messages justes et clairs. Par conséquent, nous pourrons effectuer de meilleurs choix. Nos habitudes d'achat des huiles s'en trouveront transformées !

À noter Les allégations concernant le mode d'extraction des huiles ne sont pas encore réglementées au Canada !

idée Afin de mieux garantir la QUALITÉ de nos achats, l'Office de protection des consommateurs devrait s'empresser de faire des pressions auprès du gouvernement pour que soit définie l'allégation « pressée à froid ». Les compagnies devraient être obligées d'inscrire si l'huile a été extraite avec solvants et si elle a été raffinée.

DEVENONS DE PLUS EN PLUS AVERTI !

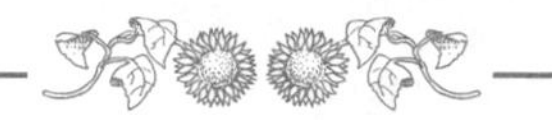

LES MULTIPLES ALLÉGATIONS DES HUILES

NON RAFFINÉE	• Nécessairement pressée mécaniquement. • Aucune opération de raffinage. • Couleur, arôme et goût du produit d'origine. • Pourrait être extraite à partir de graines préchauffées (extraction à chaud). Dans ce cas, pourrait contenir des antioxydants synthétiques sans aucune mention.
PREMIÈRE PRESSION À FROID	• Nécessairement une huile non raffinée. • Extraction mécanique à partir de grains non chauffés. • Extraction lente afin de ne pas trop chauffer les grains. • Degré d'extraction (chaleur inhérente à l'extraction) variable en fonction de la vitesse d'extraction, de la dureté et de la teneur en gras des grains. Peut varier de 30 à 80°C. • Aucune opération de raffinage. • Huile décantée et filtrée avant l'embouteillage. Meilleure qualité.
PREMIÈRE PRESSION	• Signifie seulement que l'huile a été extraite sans l'utilisation de solvant. • Pourrait avoir subi une extraction à chaud ou avoir été raffinée sans mention sur l'étiquette.
PRESSÉE MÉCANIQUEMENT	• Toute huile de qualité est de pression mécanique. • Par contre, toutes les huiles pressées mécaniquement ne sont pas de qualité égale.Certaines huiles pressées mécaniquement pourraient avoir été raffinées par la suite.

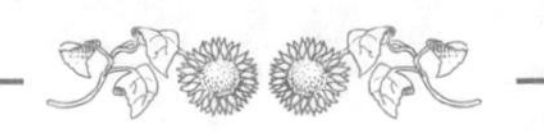

BIOLOGIQUE	• Huile extraite à partir de grains de culture BIOlogique. • Le nom de l'organisme de certification doit apparaître sur l'étiquette ainsi que le numéro du certificat.
EXTRA-VIERGE	• Équivalent de première pression à froid réservé surtout pour l'huile d'olive. • Terme réglementé en Europe. • Les huiles vierges d'olive sont • classées selon le taux d'acidité. • Extra-vierge : acidité maximale de 1 %. • Vierge fine : acidité maximale de 1,5 %. • Vierge (semi-fine) : acidité maximale de 3 %.
EXTRA-LÉGÈRE	• Huile raffinée qui peut contenir une petite quantité d'huile vierge. • Terme se rapportant à la saveur seulement. • Ne contient pas moins de gras ni de calories que les autres.
100% PURE	• Ne contient aucun additif alimentaire. • Provient d'une seule source.
PURE	• Peut contenir un mélange de différent huiles non identifiées. • Peut contenir des additifs alimentaires.
SANS CHOLESTÉROL	• Aucune huile ne contient de cholestérol, que ce soit indiqué sur l'étiquette ou non. • Sans rapport.avec la quantité de gras.
FAIBLE TENEUR EN GRAS SATURÉ	• Toutes les huiles sont faibles en gras saturés. • Signifie qu'une portion n'apporte pas plus de 2 g de gras saturé. • Ne pas confondre avec faible en gras.

HAUTE TENEUR EN MONOINSATURÉ	• Se retrouve sur des huiles de carthame et de tournesol fabriquées à partir de nouvelles variétés de graines riches en gras monoinsaturés. Plusieurs huiles riches en gras monoinsaturés pourraient porter cette mention: olive, amande, arachide, etc.
SANS AGENT DE CONSERVATION	• Ne contient pas d'additif comme le BHA, le BHT, le citrate de monoglycéride et le diméthyl polysiloxane.
RAFFINÉE SANS SOLVANT	• Sans extraction avec solvants chimiques. • Huile pressée mécaniquement et raffinée par la suite.
PARTIELLEMENT RAFFINÉE OU CONDITIONNÉE	• Raffinage effectué avec quelques variantes: sans hydroxyde de sodium ou de soude caustique, désodorisation à plus faible température (130°C).

LES MÉLANGES D'HUILES

Pour maintenir le corps en bonne santé, il faut un apport équilibré des deux acides gras essentiels. De nos jours, il devient de plus en plus difficile de combler nos besoins quotidiens en acide alpha-linolénique (oméga-3), tandis qu'il est plus facile d'obtenir suffisamment d'acide linoléique (oméga-6).

Il n'en fallait pas plus pour que des mélanges d'huiles de qualité soient maintenant disponibles.

86 *Que penser des mélanges d'huiles «pressées à froid»?*

- Depuis quelques années, des compagnies ont conçu des mélanges composés d'huiles «pressées à froid» dans le but premier de fournir à l'organisme une quantité équilibrée des deux acides gras essentiels.
- Certains de ces mélanges sont surtout constitués d'huiles monoinsaturées, d'autres sont faits d'huiles polyinsaturées riches en oméga-3 et en oméga-6.
- Ces mélanges sont très intéressants par la QUALITÉ des huiles utilisées et leur saveur très agréable. Ils apportent de la variété et un intérêt nutritionnel certain. À essayer!
- Demandez-les à votre détaillant d'aliments naturels et consultez les dépliants d'information accompagnant chacun des mélanges, afin d'en connaître toutes les caractéristiques. Une autre découverte!

QUELQUES PARTICULARITÉS: COÛT, SAVEUR ET FRAÎCHEUR

87 *Comment expliquer le coût plus élevé des huiles de qualité?*

- C'est surtout la qualité des grains utilisés qui détermine le coût d'une huile.
- La production commerciale de l'huile utilisant un solvant chimique permet un taux d'extraction maximal, donc un meilleur rendement et un meilleur prix.
- Par contre, même si le prix est plus élevé à l'achat, une huile «pressée à froid» ne coûte pas plus cher en bout de ligne, car nos habitudes d'utilisation changent. La saveur plus accentuée des huiles «pressées à froid» ainsi que nos connaissances nutritionnelles sur les gras font qu'on les utilise en plus petites quantités. La bouteille «dure» plus longtemps. Économique mais d'une autre façon!

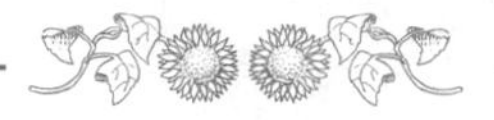

88 Que penser de la saveur prononcée des huiles de « première pression à froid » ?

- Une huile de QUALITÉ a toujours le goût de la graine dont elle est extraite. Ce goût est agréable et fait partie des qualités organoleptiques[1] et gastronomiques des huiles végétales.
- Cependant, le raffinage des huiles dites commerciales fait disparaître non seulement la saveur du produit d'origine, mais peut aussi éliminer le goût âcre résultant de l'utilisation de graines de qualité inférieure achetées à un coût inférieur !
- Depuis toujours, la publicité nous a répété qu'une bonne huile « ne goûte pas, ne sent pas, ne laisse aucun arrière-goût ». Toutes les huiles que nous avions l'habitude de consommer répondaient parfaitement à ces critères. Il est donc tout à fait normal de rééduquer notre palais !
- Les seules huiles que nous devrions consommer sont « de première pression à froid ». Elles ont une couleur ni trop claire ni trop foncée, une saveur et une odeur agréables et une valeur nutritive très intéressante. **Un changement bénéfique de nos habitudes en matière d'huile !**

89 Devrait-on utiliser plus d'une variété d'huile ?

- Oui, car chaque variété d'huile a ses particularités tant au niveau nutritionnel qu'au niveau gustatif. Consommer des huiles variées nous permet de mieux couvrir nos besoins en acides gras essentiels. Cependant, l'huile de canola apparaît comme un excellent choix car 15 à 30 mL suffisent à combler nos besoins avec un rapport oméga 6 / oméga 3 très intéressant.

1. Se dit d'une impression que l'on acquiert directement par les organes des sens et qui détermine le degré d'attirance pour l'aliment.

GRAS TROPICAUX OU HUILES TROPICALES

Qu'ont à voir les gras tropicaux dans notre alimentation de Nord-Américain ? Et bien, même s'ils proviennent de pays chauds et lointains, ils sont ajoutés dans une foule de nos produits manufacturés comme les biscuits, les margarines, etc.

ILS FONT PARTIE DES GRAS CACHÉS.

90 *Quelles sont les particularités des gras tropicaux ?*

- Même si ces gras proviennent du règne végétal, leurs gras sont surtout saturés, et ils restent solides à la température de la pièce. Ils se liquéfient entre 23 et 26°C. Donc, dans les pays nordiques, on les nomme les « gras tropicaux » et dans leurs pays d'origine où poussent le cocotier et le palmier à huile, on les nomme « huiles tropicales ».

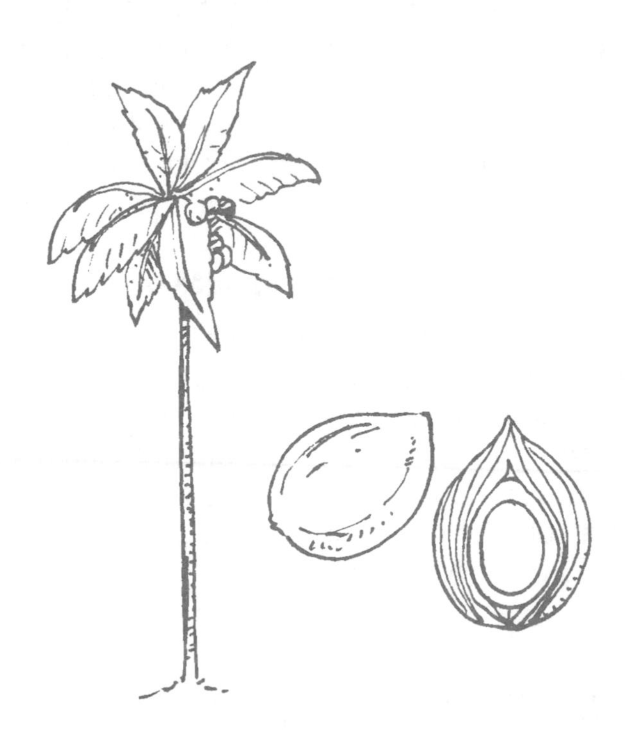

- À cause de leur très grande teneur en gras saturés, ce sont les gras végétaux les plus stables à la chaleur, et ceux qui rancissent le moins vite. Ils sont donc très intéressants pour l'industrie alimentaire.

Teneur en différents gras des huiles tropicales

Huiles	Gras saturés %	Gras monoinsaturés %	Gras polyinsaturés %
Coprah (Noix de coco)	87	6	2
Palmiste	81	11	2
Palme	49	37	9

Note : L'huile de palmiste, plus saturée que l'huile de palme, est extraite de l'amande du fruit du palmier à l'huile tandis que celle de palme provient de la pulpe.

91 *Les gras tropicaux ne jouissent plus d'une bonne réputation. Pourquoi ?*

- Durant des décennies, les gras tropicaux ont été largement utilisés par l'industrie alimentaire. Puis, aux États-Unis, vers la fin des années 1980, s'installa une offensive publicitaire nationale décriant les gras tropicaux.
- À cause de leur richesse en gras saturés, ils sont susceptibles d'augmenter le taux de cholestérol sanguin et, par conséquent, l'incidence des maladies cardiovasculaires.

- La diffusion de telles recherches porta fruit rapidement. Les ventes des gras tropicaux chutèrent et plusieurs grandes compagnies les remplacèrent par des gras hydrogénés!
- Dans la controverse qui subsiste, voyons 3 positions différentes:

1. Les informations en provenance des Associations canadienne et américaine du cœur affirment que les gras tropicaux favorisent l'obstruction des artères et augmentent le taux de cholestérol et le taux de LDL (appelé «mauvais» cholestérol).

- Pour la personne qui consomme déjà sa ration de gras saturés dans la viande et les produits laitiers, les gras tropicaux représentent un «surplus» saturé!

2. Certains chercheurs nous font cependant remarquer que:
   - Les gras saturés contenus dans les huiles de coco et de palme sont particuliers. Ils se digèrent et s'absorbent mieux que les autres. Notre corps les utilise pour produire de l'énergie, plutôt que pour en faire des réserves de graisse. Si cela vous intéresse, ce sont des acides gras saturés à chaîne moyenne!
   - Dans les pays tropicaux, où l'on consomme ces gras depuis des siècles, les cœurs sont en meilleure santé que chez-nous. Il ne faut pas oublier que dans ces pays, comme les Philippines ou toute autre île de la Polynésie, les gens ont une alimentation simple comprenant peu de viande et davantage de poissons qu'en Amérique du Nord. De plus, ils bougent beaucoup.

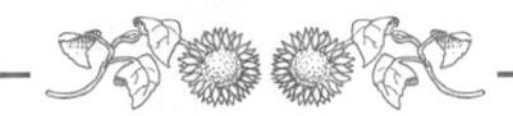

3. Udo Erasmus, auteur de *Fats that Heal, Fats that Kill*, soulève un point fondamental: **la qualité des gras utilisés pour les recherches**. D'après lui, les résultats des recherches américaines sont alarmants, car les tests furent effectués à partir de gras raffinés commerciaux, alors que dans les pays d'origine, les huiles de coco et de palme sont à leur meilleur!

À noter: Peu de recherches scientifiques sont faites à partir d'aliments ou de nutriments naturels et de grande QUALITÉ!

92 *Les gras hydrogénés, qui ont remplacé les huiles tropicales, sont-ils mieux pour la santé?*

- Les gras hydrogénés (margarine et shortening) apportent avec eux les mêmes inconvénients pour la santé que ceux dont on accusait les gras tropicaux, avec de surcroît le problème des gras «trans».

À noter: Observons comment il est possible de faire bouger l'industrie alimentaire: des millions en publicité, un message alarmant à l'échelle nationale, un doute semé dans la population, et le changement s'installe!

Avis de recherche à ceux qui ont des millions en trop, et qui auraient le goût **de changer des choses dans le sens réel de la santé**!!!

93 Devrions-nous consommer des gras tropicaux ?

- Répétons (encore !) que mieux on se nourrit, moins on mange d'aliments préparés avec ce type de gras. On élimine ainsi une grande quantité de gras cachés. Ces gras, qu'ils soient tropicaux ou hydrogénés, font de moins en moins partie de notre menu... et c'est tant mieux !

94 Que penser du beurre de coco ?

- Dans le marché de l'alimentation naturelle, on offre maintenant du beurre de coco naturel. Il n'a subi aucun raffinage ni hydrogénation. Étant un gras végétal qui résiste bien à la chaleur et au rancissement et qui ne contient pas de cholestérol, on le conseille, de préférence aux huiles, pour la friture.
- Toutefois, on devrait privilégier la cuisson à la vapeur, au four ou encore l'utilisation des poêles antiadhésives.

RECHERCHONS LA QUALITÉ DES HUILES
SANS OUBLIER LA QUANTITÉ !

CHAPITRE

11

Suppléments d'huiles d'onagre et de bourrache

Les magasins d'aliments naturels offrent depuis quelques années des suppléments d'huiles dont on dit qu'elles font des merveilles! On vante leurs effets aussi bien sur le syndrome prémenstruel que sur l'arthrite ou l'obstruction des artères.

Les produits les plus connus sont les huiles d'onagre et de bourrache ainsi que les huiles de poisson.

95 *Qu'est-ce que l'onagre?*

- C'est une plante indigène de l'Amérique du Nord. Elle est particulièrement répandue dans l'est du Québec. C'est une plante bisannuelle puisqu'elle ne produit ses fleurs et ses graines que la deuxième année.

Saviez-vous qu'il faut environ 5000 graines pour obtenir 500 mg d'huile, soit une capsule?

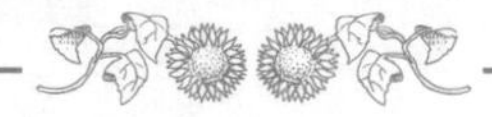

96 Qu'est-ce que la bourrache?

- C'est une jolie plante originaire d'Asie Mineure qu'on retrouve maintenant en Europe centrale et méridionale et en Afrique du Nord. Elle pousse également dans nos jardins. Ses jolies fleurs bleues en forme d'étoile possèdent des propriétés médicinales. Savoureuses, elle donnent beaucoup d'éclat à une salade.
- Son nom vient de l'arabe et signifie «père de la sueur». En plus d'être sudorifique, la plante possède des qualités diurétiques et émollientes.

97 Quel est le secret de l'huile d'onagre et de l'huile de bourrache?

- Ces huiles sont très riches en ACIDE GAMMA-LINOLÉNIQUE. L'onagre en contient de 8 à 10% et la bourrache de 16 à 23%.
- Elles possèdent aussi une teneur très élevée en acide linoléique, un acide gras essentiel. On en trouve de 70 à 74% dans l'onagre.
- L'acide gamma-linolénique est normalement fabriqué par nos cellules à partir de l'acide linoléique (acide gras essentiel). Ces deux acides gras sont à l'origine des prostaglandines.

L'acide linoléique et sa transformation en prostaglandines

Acide linoléique
Noix, graines, céréales,
légumineuses,
légumes,
produits animaux

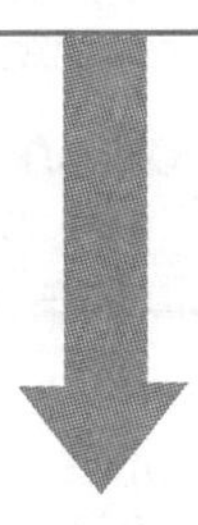

Acide
gamma-linolénique
huiles de bourrache,
d'onagre, spiruline,
lait maternel

PGE1
Prostaglandines
protectrices des artères
et du cœur,
anti-inflammatoires

- Les prostaglandines, substances semblables aux hormones, constituent une vaste famille et remplissent une multitude de fonctions très importantes dans notre corps.

POUR EN SAVOIR PLUS LONG

LES FONCTIONS DES PROSTAGLANDINES

- Ce sont des hormones que toutes les cellules de notre corps produisent, sauf les globules rouges du sang. Elles sont présentes notamment dans les vaisseaux sanguins, l'utérus, le cerveau et les reins. On les a découvertes dans la prostate, d'où leur nom.
- Jusqu'à maintenant, on en a identifié plusieurs, mais le groupe des PGE est particulièrement étudié et important. On les classe en trois familles: PGE1, PGE2, PGE3.
- Chacune de ses familles est produite à partir d'un acide gras polyinsaturé.

  acide linoléique ——→ PGE1

  acide arachidonique ——→ PGE2

  acide alpha-linolénique ——→ PGE3

  huiles de poisson ——→ PGE3

  LA PLUPART DES EFFETS DES ACIDES GRAS PROVIENNENT DE LEUR TRANSFORMATION EN PROSTAGLANDINES.
- Les prostaglandines possèdent des actions complémentaires. Par exemple, certaines provoquent l'inflammation, phénomène utile lors de blessures pour éviter l'infection, tandis que d'autres sont anti-inflammatoires.

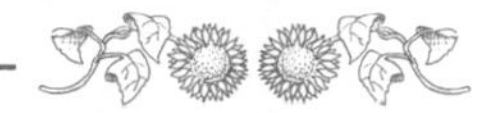

98 Quels sont les facteurs qui entravent la production d'acide gamma-linolénique ?

- Plusieurs conditions négatives peuvent entraver ou empêcher cette production.

Principaux facteurs qui bloquent la production d'acide gamma-linolénique	
Alcool	Infections virales
Carence en zinc,	Certains médicaments
en magnésium,	Manque de certaines enzymes
en vitamines B_3, B_6, C et E	Radicaux libres
Excès de gras	Excès de sucre
Gras «trans»	Diabète et pré-diabète

- Voici comment un mode de vie et une alimentation de mauvaise qualité nous conduisent vers des problèmes de santé.

SANS PRODUCTION D'ACIDE GAMMA-LINOLÉNIQUE, PAS DE PROSTAGLANDINES PGE1 DONT LES EFFETS SONT POSITIFS SUR LA SANTÉ.

99 Dans quels cas les suppléments d'huile d'onagre ou de bourrache sont-ils bénéfiques ?

- Syndrome prémenstruel (SPM) et ménopause.
- Taux de cholestérol sanguin (si trop élevé).
- Problèmes cardiovasculaires : ils préviennent la formation de caillots sanguins, ce qui diminue les risques de thrombose vasculaire, de phlébite, de varices, etc. (À noter que les PGE3 sont encore plus efficaces).
- Arthrite, bursite : ils aident à réduire les inflammations.

- Syndrome de l'intestin irritable.
- Problèmes de peau, de cheveux : ils améliorent la qualité de la peau, des cheveux et des muqueuses, les rendant utiles dans les cas d'eczéma, de psoriasis, d'acné et de sécheresse de la peau.
- Faiblesse immunitaire.
- Cancer : à cause de leur action sur le système immunitaire.
- Alcoolisme : l'alcool entrave la production naturelle d'acide gamma-linolénique. De plus, les alcooliques ont souvent des déficiences nutritionnelles diverses.
- On peut aussi utiliser l'huile d'onagre en traitement externe. Il suffit de percer une capsule et d'appliquer l'huile directement sur la peau, notamment sur les gerçures, les plaques d'eczéma ou de psoriasis.

100 *Y a-t-il des contre-indications à prendre des suppléments d'huile d'onagre et de bourrache?*

- Ils sont à éviter dans les cas d'épilepsie ainsi que dans les cas de cancer du sein relié aux œstrogènes.

101 *À part les huiles d'onagre et de bourrache, y a-t-il d'autres sources d'acide gamma-linolénique ?*

- Les aliments complets les plus riches sont le lait maternel et la spiruline. Cette dernière en contient nettement moins que l'onagre et la bourrache.

POUR ÊTRE EFFICACE, UNE SUPPLÉMENTATION DOIT ÊTRE SUPPORTÉE PAR UNE ALIMENTATION ÉQUILIBRÉE ET DE QUALITÉ.

CHAPITRE

12

La margarine

Voici un dossier très chaud s'il en est un!

Produit très controversé au cours des dernières années, la margarine, inventée pour remplacer le beurre à moindre prix, devrait-elle encore faire partie de nos habitudes? Voyons cela de plus près!

Sacrée margarine, on peut dire qu'elle nous tient! En effet, les statistiques révèlent qu'elle a réussi à déclasser le beurre, et est maintenant, avec les huiles et le shortening, en tête des principales sources de gras des Québécois, devant la viande et les produits laitiers! Est-ce vraiment un bon choix pour notre santé?

102 **Pourquoi la margarine est-elle si populaire auprès des consommateurs nord-américains?**

- La raison principale pour laquelle on choisit la margarine plutôt que le beurre, c'est qu'on la croit meilleure pour la santé du cœur.
- On la préfère également parce qu'elle est plus économique à l'achat ainsi que pour sa consistance tartinable.

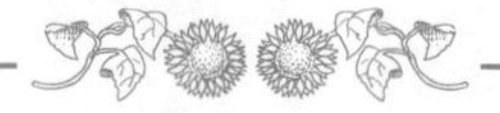

103 Depuis quand fabrique-t-on la margarine ?

- Toute cette histoire de fabrication de margarine n'est pas née d'hier. Elle est vieille de 150 ans.
- En 1852, l'empereur français Napoléon III fait entreprendre des recherches pour trouver un produit capable de remplacer le beurre à un moindre coût. Un mélange de lait écrémé et de suif de bœuf voit le jour.
- Vers 1870, la Hollande et plusieurs autres pays d'Europe fabriquent cette margarine. Puis, le matériel de base, en l'occurrence le suif de bœuf, se fait rare.
- En 1902, la découverte, par un Allemand, du procédé de l'hydrogénation de l'huile, s'avère un point tournant dans la production de la margarine.
- C'est seulement après la première guerre mondiale que la margarine prend vraiment son essor en Amérique. Aujourd'hui, cette industrie est développée mondialement, et plusieurs pays y sont rattachés économiquement par la production des matières premières (huiles tropicales et autres variétés d'huiles).

104 Comment fait-on la margarine ?

- Du grain à la margarine, la route est longue ! Le schéma suivant nous montre que la margarine provient d'une série de manipulations industrielles.
- Il est à remarquer que la margarine est toujours fabriquée à partir d'une huile raffinée.

Graines

Extraction

Perte des protéines, fibres alimentaires, vitamines et minéraux

Raffinage

Perte des éléments mineurs, altération d'une partie des acides gras essentiels

Huile commerciale

HYDROGÉNATION

Perte d'acides gras essentiels, formation de gras «trans», formation de substances toxiques

L'HYDROGÉNATION, POUR LE MEILLEUR ET POUR LE PIRE!

On peut fabriquer de la margarine à partir de différents procédés. Celui qui est le plus utilisé, jusqu'à présent, se nomme l'hydrogénation.

105 *Qu'est-ce que l'hydrogénation?*

- C'est un procédé industriel qui a pour but de faire passer les huiles de l'état liquide à solide. Qui dit **hydrogénation**, dit «**trans**»**formation chimique** de certains acides gras.

- Ce procédé «trans»forme une partie des gras insaturés, liquides à la température de la pièce, en gras saturés, solides à la température de la pièce. En un mot, saturer l'insaturé!
- L'hydrogénation consiste à faire passer sur des gras insaturés de l'hydrogène gazeux sous pression, à des températures variant entre 120 et 210°C, pendant plusieurs heures, selon le degré de saturation recherché.
- Ce procédé met donc en présence des gras insaturés végétaux, de l'hydrogène et un catalyseur, le nickel. Un catalyseur est une substance qui a la propriété d'accélérer une réaction. Par exemple: les enzymes, certaines vitamines et minéraux... l'amour!
- Selon la consistance de margarine recherchée, l'hydrogénation peut être de partielle à totale.

À noter **Les gras hydrogénés n'existent pas à l'état naturel**. Pour quiconque veut se nourrir sainement, les gras hydrogénés sont loin d'être un bon choix!

106 *Pourquoi hydrogène-t-on les huiles?*

- Plusieurs raisons sont en cause:
  - Pour les durcir jusqu'à leur donner une consistance tartinable;
  - Pour les rendre plus stables à la chaleur;
  - Pour augmenter leur temps de conservation.
- La majorité des beurres d'arachide commerciaux renferment de l'huile hydrogénée. Ainsi, l'huile ne remonte pas à la surface.

107 *Quels sont les effets négatifs reconnus du procédé d'hydrogénation ?*

- Vous savez maintenant que les margarines ont une plus forte teneur en gras saturés que les huiles qui ont été utilisées au départ.
- Mais, il y a plus. Lors de l'hydrogénation, des gras insaturés se «trans»forment en **gras «trans»** et **plusieurs autres composés indésirables**.
- Les gras «trans» ont, ces dernières années, fait l'objet de nombreuses recherches scientifiques qui prouvent leurs effets nocifs sur la santé. Quant aux autres substances, qui apparaissent lors de ce procédé, on ne connaît pas encore leurs effets sur la santé. Toutefois, on sait qu'elles n'existent pas naturellement. Rien de bien rassurant, n'est-ce pas?

LES «TRANS» EN TRANSE!

108 *Qu'est-ce qu'un gras «trans»?*

- Un gras «trans» est un gras insaturé dont la forme est modifiée.

POUR EN SAVOIR PLUS LONG

LES GRAS «TRANS»

- Pour mieux comprendre ce qu'est un acide gras «trans», il faut savoir que:
  - Les gras «trans» ne se forment qu'à partir de gras insaturés, c'est-à-dire qui contiennent un ou plusieurs liens doubles.
  - Le terme «trans» se rapporte à la position des hydrogènes autour du lien double.
  - En général, la **forme naturelle** d'un gras insaturé s'appelle **«cis»**.
  - De «cis» à «trans», il n'y a qu'une pirouette: une simple rotation des éléments autour du lien double. Aucun élément n'est ajouté ni enlevé. Rien d'autre ne change... et pourtant, rien ne va plus!

```
     H   H                      H
     |   |                      |
  C– C = C – C               C– C = C – C
                                    |
                                    H

     «CIS»                      «TRANS»
```

Observons que le seul changement entre «cis» et «trans» est une rotation de la molécule, comme un gant de la main droite qu'on voudrait mettre dans la main gauche. Les gants ont beau se ressembler, cela ne suffit pas!

À noter L'étude des acides gras «trans» nous fait réaliser une fois de plus combien notre corps fonctionne de manière précise. Le moindre petit changement dans une molécule et ça y est: le corps ne la reconnaît plus et l'utilise autrement... souvent à notre détriment!

109 *Que reproche-t-on aux gras «trans»?*

- Même s'ils se ressemblent comme deux gouttes de graisse, les acides gras «cis» ou «trans» entraînent dans notre corps des effets différents. Au fil des recherches, la liste des effets négatifs des gras «trans» s'allonge:
- Nos cellules, n'étant pas adaptées à la forme «trans», les utilisent comme des gras saturés pour obtenir de l'énergie, plutôt que de les utiliser comme des gras insaturés.
- Fait très important, les gras «trans» polyinsaturés ne sont plus utilisés comme des acides gras essentiels et, de plus, ils interfèrent avec les fonctions vitales de ces derniers.
- Un gras «trans» se liquéfie à une température plus élevée. Par exemple:
  - L'huile d'olive est habituellement liquide à la température de la pièce.
  - Lorsque ses gras prennent la forme «trans», ceux-ci deviennent solides à une température plus basse et notamment à la température du corps! Un effet non désirable pour la santé des artères!
- Ces gras sont aussi plus «collants», avec les effets qui en découlent sur le système circulatoire. **Les gras «trans»** ont tendance à se déposer dans les artères, le foie et d'autres organes. Autrement dit, **ils favorisent l'obstruction des vaisseaux sanguins**.
- Pris en trop grande quantité, ils peuvent **augmenter, de façon significative, le taux de cholestérol et de triglycérides dans le sang**.

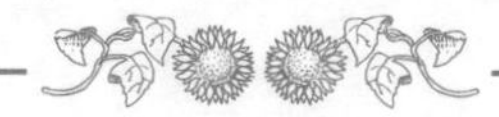

- Depuis 1990, plusieurs recherches, dont celle publiée dans la revue Lancet de mars 1993, démontrent que les gras «trans» augmentent les LDL et diminuent les HDL. Les gras «trans» représentent donc un facteur de risque supplémentaire pour les maladies cardiovasculaires.
- Ils peuvent modifier la perméabilité, l'élasticité et la sélectivité normales des membranes de nos cellules. Introduire des gras «trans» dans les structures des cellules du corps, c'est un peu comme essayer de monter une construction avec des blocs de marque Légo tout en ajoutant ici et là des blocs d'une autre marque mais pas tout à fait identiques!

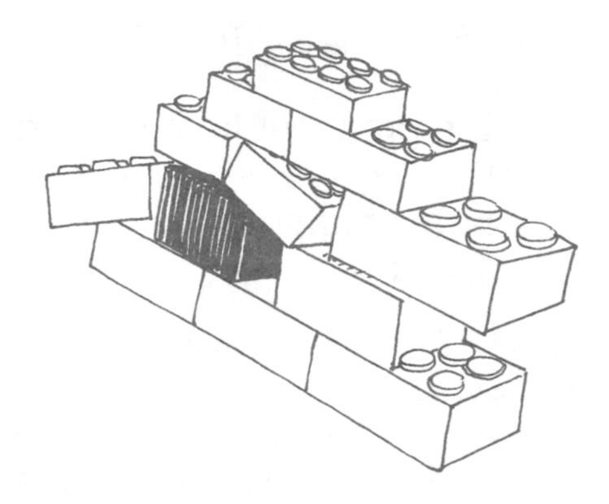

- Les gras «trans» s'accumulent dans nos tissus et nous sommes loin d'en connaître tous les effets à long terme sur notre santé.

À noter Avec un goût développé pour la QUALITÉ, une information adéquate, un peu de logique et un minimum d'instinct, il est possible d'éviter les concoctions de l'industrie alimentaire.

110 *Dans quels aliments retrouve-t-on les gras « trans » ?*

- Plus de 95 % des gras «trans» proviennent de l'hydrogénation des huiles lors de la fabrication de la margarine ou la graisse végétale (shortening).
- La plus grande partie de ces gras se camouffle dans les produits préparés par l'industrie agro-alimentaire : craquelins, biscuits, pâtisseries, gâteaux, frites, croustilles, crèmes glacées, chocolats, poulets et poissons panés, etc.
- Sur les étiquettes d'un grand nombre de produits qui utilisent du shortening, celui-ci est identifié sous le terme de « huile végétale hydrogénée ».
- Attention aux fritures : les gras « trans » de l'huile chaude s'imprègnent dans les aliments.
- Le beurre renferme de petites quantités de gras « trans ». Les ruminants en produisent par l'action des micro-organismes présents dans leur estomac (rumen). Ces gras «trans» n'auraient pas les mêmes effets que ceux des produits hydrogénés. En effet, ces gras de par leurs actions plutôt thrombogènes qu'hypercholestérolémiant, augmentent davantage le risque de maladie cardiaque athéroscéreuse que ceux d'origine végétale.

111 *À quand une étiquette en « trans » ?*

- Malheureusement, la teneur en gras « trans » n'est pas spécifiée sur les étiquettes. Les gras « trans » sont inclus dans le total des gras mono et polyinsaturés. Ainsi, on estime que de 8 à 50 % des acides gras de certaines margarines sont de forme « trans ».

SI POUR LES COMPAGNIES, « CIS » OU « TRANS » C'EST DU PAREIL AU MÊME, NOTRE CORPS, LUI, SAIT FAIRE LA DIFFÉRENCE !

112 La consommation de gras «trans» est-elle importante en Amérique du Nord?

- La quantité d'acides gras «trans» dans notre alimentation est proportionnelle à notre consommation de produits manufacturés, de margarines et de graisses végétales. **Faites votre bilan**!
- La part des gras «trans» représente de 5 à 10% du gras total consommé. En d'autres mots, la majorité des Canadiens en mange un peu plus de 9 grammes par jour.
- Une étude réalisée en Suède entre 1968 et 1980 a comparé la quantité de gras «trans» prise dans 3 régimes différents[1]:
  - omnivore: 5%
  - lactovégétarien: 4%
  - végétalien (sans aucun produit animal): 1,8%

113 Comment peut-on éviter les gras «trans»?

- Éviter de consommer des gras «trans» devient très simple, quand on choisit de se nourrir à base d'aliments naturels.
- **Optons pour les noix, les graines**, leurs beurres et leurs huiles fraîches. Consommons-les crus et rapidement. Conservons-les au froid.
- **Évitons le plus possible les gras hydrogénés** tels la margarine, les graisses végétales (shortenings), le beurre d'arachide hydrogéné et tous les aliments manufacturés qui en contiennent.
- **Évitons les fritures** en huile profonde.

1. *Cahier de nutrition et diététique*, volume XXI, août 1986.

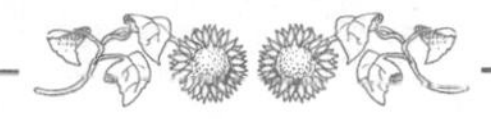

Plus nous nous intéresserons à la QUALITÉ de ce que nous mangeons, plus nous exigerons des aliments **naturels**, remplis de vitalité et de richesse nutritive. Dans cette optique, nous ne saurons que faire de la margarine et des autres gras hydrogénés!

LES MARGARINES NON HYDROGÉNÉES

114 *Peut-on faire de la margarine sans hydrogénation?*

- Oui. Depuis que l'hydrogénation est au banc des accusés, à cause de ses gras «trans», plusieurs compagnies ont opté pour d'autres façons de fabriquer la margarine.
- Pour les mordus des grands mots: il s'agit du « fractionnement » ou de «l'interestérification», aussi appelé « réarrangement » ou «transestérification».
- L'étiquette de ces margarines arbore fièrement leur «non hydrogénée», sans pour autant spécifier la nature du procédé employé. On n'inscrit que le message susceptible de rassurer les consommateurs.
- Plusieurs de ces margarines contiennent des huiles tropicales (palme, palmiste).

115 *Ces margarines sont-elles plus avantageuses pour la santé?*

- Un avantage est certain: avec ces procédés, il n'y a pas de formation de gras «trans».

- Cependant, à ce jour, peu de recherches sont menées sur les effets de tels procédés sur la santé. Pourquoi ne pas choisir tout de suite les **sources de gras les moins transformés possible**? En alimentation saine, le choix n'est pas difficile à faire!

TOUTE MARGARINE, QU'ELLE SOIT HYDROGÉNÉE OU NON, EST TOUJOURS FAITE À PARTIR D'HUILE RAFFINÉE. EST-CE QUE CETTE QUALITÉ NOUS INTÉRESSE ENCORE?

116 *Est-ce que les margarines vendues dans les magasins d'aliments naturels sont meilleures?*

- Non, aucune margarine ne soutient le test de la définition de «produit naturel». Étant un produit «trans»formé, fait à partir d'huile raffinée, la margarine, quelle que soit son lieu de vente, reste de la margarine!

NE LAISSONS PLUS LA RESPONSABILITÉ DE NOS CHOIX ALIMENTAIRES AUX COMPAGNIES QUI FONT LA PROMOTION DE LEURS PRODUITS!

117 *Est-il facile de se passer de margarine dans la cuisine?*

- Il est très facile de cuisiner et de se nourrir sans margarine. Voici quelques idées:
  - Augmentons la qualité du pain.
  - Tartinons-le avec du beurre de noix le matin.
  - Utilisons de la moutarde, du pesto ou une mayonnaise maison pour les sandwiches.
  - Utilisons des poêles antiadhésives.

- Faisons cuire à la vapeur ou au four.
- Choisissons de l'huile non raffinée.
- Faisons des pâtes à tarte à base d'huile ou de céréales cuites comme le riz ou le millet (riz, etc.).
- Utilisons des herbes, du citron, du gomashio (sel de sésame) pour assaisonner les légumes, etc.
- À l'occasion, utilisons le beurre moitié-moitié préparé avec du beurre et une bonne huile pressée à froid.

• Essayez! Vous verrez combien il est facile de se passer de margarine et de shortening!

LE SHORTENING

• Le shortening fait partie, avec la margarine et les huiles, des principales sources de matières grasses des Québécois, des Canadiens et des Américains.

• L'industrie alimentaire l'utilise abondamment pour fabriquer ses produits, et la cuisinière l'emploie pour ses pâtes à tarte et ses pâtisseries.

• Le shortening contient 100% de matières grasses, tandis que la margarine en contient environ 80%.

• C'est un produit fait à partir d'huiles raffinées fortement hydrogénées. Pour cette raison, on n'a pas besoin de le réfrigérer pour le conserver.

• Sa couleur blanc de blanc vient d'un blanchiment!

• Ne vous inquiétez surtout pas, oui, il est possible de faire de délicieuses pâtes à tarte sans shortening.

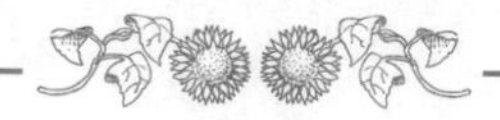

LE SAINDOUX ET LE SUIF

118 *Qu'est-ce que le saindoux et le suif?*

- Ce sont deux graisses animales. Le saindoux vient du porc et le suif vient du bœuf. Ces produits sont constitués de 100% de matières grasses, surtout saturées.
- Le saindoux est extrait à chaud, puis il est raffiné, blanchi, réarrangé et cristallisé (au lieu d'hydrogéné)!
- Les huiles végétales hydrogénées (margarines et shortenings) ont remplacé les graisses animales (surtout le suif) dans la cuisine. Par contre, on les emploie encore dans les savonneries, les biscuiteries, et plusieurs autres produits transformés.

CHAPITRE

13

Mayonnaises et vinaigrettes

Il y a belle lurette qu'on mange des salades! On les connaît depuis l'Antiquité, mais au XVIIe siècle, on en disait ceci:

> «Les salades humectent, rafraîchissent,
> rendent le ventre libre,
> concilient le dormir,
> ouvrent l'appétit,
> tempèrent les ardeurs de Vénus
> et apaisent la soif.»

Plus tard, au XVIIIe siècle, le célèbre gastronome français Brillat-Savarin affirmait:

> «La salade rafraîchit sans affaiblir
> et conforte sans irriter;
> j'ai coutume de dire qu'elle rajeunit.»

On ne nous indique pas les assaisonnements, mais il y a fort à parier que nous avons perdu de la qualité en ce siècle de productivité.

Des dizaines de nouveaux produits pour garnir nos verdures apparaissent sur le marché à chaque année, que ce soit dans les magasins d'aliments naturels ou les supermarchés. Quand on sait reconnaître la valeur des ingrédients de base, on peut faire un choix de qualité.

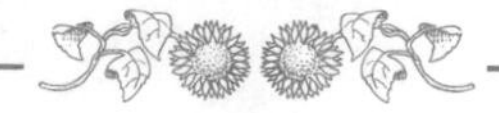

MAYONNAISE

119 Qu'est-ce qu'une mayonnaise ?

- Une mayonnaise est une sauce froide où on a réussi un mélange stable de deux liquides qui normalement se séparent. Comme vous le savez, l'huile et l'eau n'ont pas d'affinité. Afin que l'huile reste divisée en fines gouttelettes dans l'eau (vinaigre), il faut ajouter un agent qui a autant d'attraction pour l'un que pour l'autre. C'est ce qu'on appelle un agent émulsifiant. Dans le cas d'une mayonnaise (naturelle !), l'émulsifiant est le jaune d'œuf à cause de sa richesse en lécithine.

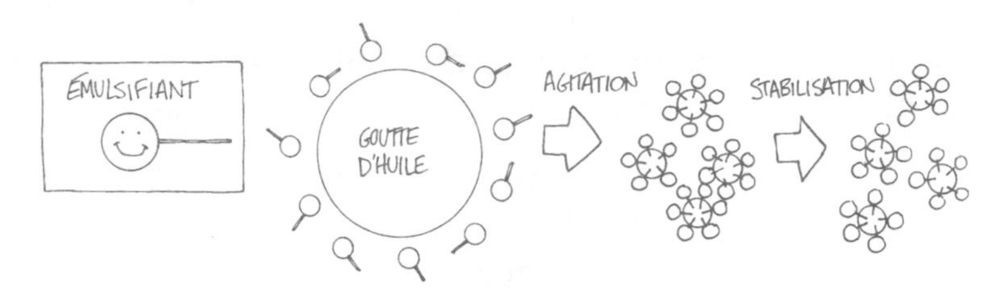

120 Quels ingrédients trouve-t-on dans une mayonnaise maison ?

- La recette comprend de l'huile, des jaunes d'œufs, du vinaigre ou du jus de citron, du sel et du poivre. À partir de cette base, on peut créer une infinité de variétés en ajoutant des assaisonnements. Ce classique de la cuisine française se réussit en un tour de main (ou de mélangeur).

121 Trouve-t-on de la mayonnaise de première qualité sur le marché ?

- Les mayonnaises commerciales qui renferment de l'huile pressée à froid sont plutôt rares. Il faut bien lire les étiquettes et ne pas se fier à des expressions comme « huile sans additif ». En effet, plusieurs huiles raffinées n'en contiennent pas.

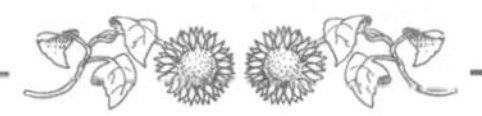

- Certaines mayonnaises présentent une liste d'ingrédients tous plus naturels les uns que les autres, mais malheureusement, leur huile est raffinée.

Mayonnaise maison	Mayonnaise commerciale
Huile, œuf, jus de citron, moutarde, sel, herbes	Eau, huile de canola, amidon de maïs modifié, solides de sirop de maïs, jaune d'œuf, sucre, vinaigre, sel, acide lactique, sorbate de potassium, blanc d'œuf, farine de moutarde, colorant, gomme xanthane, caséinate de sodium, arôme, ail déshydraté, oignon déshydraté, épices et assaisonnements, EDTA de calcium disodique

122 *Pourquoi retrouve-t-on des additifs dans les mayonnaises commerciales ?*

- L'industrie agro-alimentaire utilise abondamment des émulsifiants afin de donner de la consistance et de l'homogénéité aux mayonnaises et vinaigrettes. Ces additifs sont aussi employés dans les préparations à gâteaux, les biscuits, les crèmes glacées, etc. On les repère sur les étiquettes sous les noms de lécithine, mono et diglycérides, alginate de propylène glycol et autres alginates, polysorbates, etc. On retrouve aussi des agents de texture comme les gommes (ex. : gomme de xanthane), l'agar-agar, les carraghénines, les pectines, etc.

123 *Ces additifs sont-ils sûrs ?*

- Plutôt que de se demander cette question, il faudrait se questionner globalement sur nos choix alimentaires. Si l'industrie a présentement la permission d'utiliser plus de 2500 additifs, c'est pour que les aliments nous apparaissent attrayants avec leur fausse couleur, pour qu'ils se conservent presque indéfiniment grâce aux agents de conservation, etc. Cela n'a pas grand chose à voir avec la QUALITÉ ET LA FRAÎCHEUR !

- De plus, il faut savoir que **les additifs sont testés séparément et qu'en fait, on ne connaît pas vraiment les interactions qui peuvent se produire dans le corps entre tous ces produits dont plusieurs sont synthétiques**. Bien sûr, plusieurs additifs sont de source naturelle, par exemple la lécithine, mais souvent un produit alimentaire renferme des additifs un peu moins sûrs en même temps que d'autres qu'on croit inoffensifs.
- Une décision à prendre dans le cas des additifs:
LE MOINS C'EST LE MIEUX!

124 *Qu'est-ce qu'une sauce à salade?*

- Une sauce à salade ressemble beaucoup à une mayonnaise. La différence réside dans la quantité de gras utilisé. Une mayonnaise renferme plus de 65% d'huile tandis qu'une sauce à salade en contient au moins 35%.

125 *Comment fait-on de la mayonnaise légère?*

- Généralement en ajoutant de l'eau et des additifs pour améliorer la texture. C'est ainsi que produit allégé ne rime pas nécessairement avec qualité.

VINAIGRETTE

126 *Qu'est-ce qu'une vinaigrette?*

- C'est un mélange d'huile, de vinaigre et d'assaisonnements. En plus du sel et du poivre, on peut varier les goûts avec de l'oignon, des fines herbes, des câpres, de l'ail, de la moutarde, du tamari, etc. Certaines vinaigrettes naturelles renferment du tofu, du miso, etc.

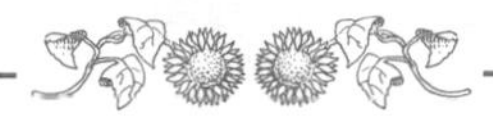

- Grâce à une grande variété d'huiles et de vinaigres, on peut marier subtilement et agréablement vinaigrette et salades ou divers mets froids.
- La cuisine française, d'où est originaire la vinaigrette (*french dressing*), regorge de recettes savoureuses où on substitue à loisir le jus de citron, d'orange ou de pamplemousse au vinaigre. La crème légère remplace parfois l'huile.
- On dit que c'est un Français émigré à Londres, le chevalier d'Albignac, qui lança la mode de la salade arrosée de vinaigrette.
- La majorité des vinaigrettes du commerce renferment des additifs, entre autres, des agents de texture, pour que le produit reste stable, et parfois passablement de sel et de sucre.
- Dans une vinaigrette maison, l'émulsion est instable et l'huile remonte toujours sur le dessus. Brassons-la en chantant VIVE LA VINAIGRETTE MAISON!

127 *Qu'est-ce qu'une vinaigrette sans huile?*

- Une telle vinaigrette se fabrique à partir de jus de légumes ou de fruits. On ajoute au choix une variété de vinaigre, des assaisonnements et souvent un agent de texture naturel comme la gomme xanthane ou la gomme de guar.
- Contrairement à une vinaigrette à l'huile qui renferme environ 6 g de gras par portion de 15 mL, une telle vinaigrette ne fournit aucun gras et peu de calories.
- On retrouve quelques bonnes marques de vinaigrettes sans huile et naturelles, mais encore là, il est très facile d'en préparer soi-même. Consulter la section Recettes.

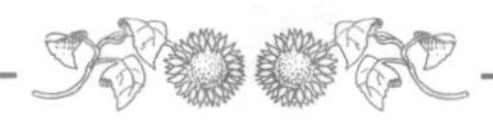

128 *Est-il préférable de consommer des vinaigrettes sans huile?*

- Cette alternative s'avère intéressante pour les personnes qui doivent restreindre leur consommation de gras.
- Ces vinaigrettes ne renferment que peu de calories. Ainsi, elles n'offrent environ que 6 calories par 15 mL au lieu de 40 à 65 calories pour une vinaigrette régulière.
- Par contre, il n'y a aucune contre-indication à déguster les vinaigrettes à l'huile quand cette dernière est de première QUALITÉ. Elles apportent des acides gras essentiels, de la vitamine E. De plus, un peu de lipides aide à absorber les vitamines A, D, E et K.

D'OÙ VIENT LE VINAIGRE?

Le terme vient de la fermentation du vin: le «vin aigre». Même si on le fabriquait déjà chez les Romains, ce n'est qu'en 1862 que Pasteur découvrit que des microorganismes étaient la cause de la fermentation. Pendant le processus, on voit apparaître la «mère du vinaigre»: c'est un voile régulier, gris velouté, qui s'enfonce graduellement dans le liquide en une masse plissée et gluante. Le vinaigre contient au moins 6% d'acide acétique. Sa couleur peut varier selon le produit de départ.

On retrouve sur le marché une grande variété de vinaigres qui ne proviennent pas du vin. On sait en tirer de la pomme (de cidre), du riz, du miel (hydromel), du jus d'orge germé (de malt) etc. Certains sont aromatisés par exemple avec des herbes, du citron, de la framboise, des pétales de rose. La qualité d'un vinaigre dépend de la qualité de la matière première.

Et le vinaigre industriel? Il est fabriqué en 24 heures avec du vin rouge ou blanc brassé avec des copeaux de hêtre trempés de vinaigre. Il ne faut pas s'attendre à ce qu'il dégage quelque bouquet...

On peut remplacer le vinaigre totalement ou en partie par du jus de citron frais.

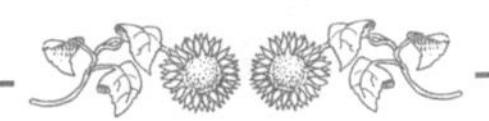

Pour terminer ce chapitre, retenons cette réflexion de l'historienne Maguelonne Toussaint-Samat:

> « La préparation de la salade, quoiqu'il en paraisse,
> est de la haute gastronomie.
> Elle mérite autant de respect que la personne
> royale car elle tient de la liturgie.
> Surtout lorsqu'elle est simple.
> Elle doit alors se présenter parfaite.
> Les mots qui en parlent le disent.
> On ne fait pas une salade, on la « dresse ».
> Comme on dresse un autel pour y rendre un culte.
> Littré rapproche le terme du sens anglais « *to dress* »,
> habiller: un habit qui tombe droit est élégant et parfait.[1] »

---

1. Maguelonne TOUSSAINT-SAMAT, Histoire naturelle et morale de la nourriture, Bordas, Paris, 1987, p. 508.

CHAPITRE

14

Produits laitiers et substituts

Voici un grand sujet de controverse ! Certains affirment qu'on ne peut se passer de produits laitiers sous peine de se décalcifier, tandis que d'autres accusent le lait des pires méfaits sur la santé, que ce soit à cause de ses gras ou de certains autres constituants.

D'une part, puisque les gras laitiers ont plutôt mauvaise presse, le Guide alimentaire canadien nous conseille de les choisir faibles en gras et d'en prendre de 2 à 4 portions (adultes) par jour. Cette directive rassurante incite certaines personnes à consommer beaucoup de lait. Ce point nous amène à sortir du sujet des matières grasses pour discuter des effets que peut avoir l'excès de produits laitiers.

D'autre part, plusieurs personnes ne prennent plus de lait de vache et le remplacent par des boissons végétales comme la boisson de soya ou autres, croyant ces produits de valeur nutritive équivalente.

Nous verrons qu'elles sont les forces et les faiblesses des laits de vache et de chèvre, de leurs dérivés ainsi que de leurs substituts.

LA PRODUCTION DE LAIT

- Le cycle de production du lait commence dès la naissance du veau. Le nouveau-né est retiré de sa mère après la prise de colostrum, mais le plus souvent, il le reçoit de façon artificielle sans avoir tété sa mère. La quantité de lait produite au cours d'une période de lactation, qui peut durer de 8 à 10 mois, atteint un pic quelques semaines après le vêlage.
- Les vaches reçoivent une alimentation contrôlée composée de céréales, de foin et de moulée. Elles sont supplémentées en vitamines et minéraux. La moulée pour production laitière n'est pas médicamentée. En cas de maladie, les vaches sont traitées individuellement selon le diagnostic et le lait est jeté pour une période déterminée afin qu'il n'y ait aucun résidu médicamenteux dans le lait.
- Les rations alimentaires sont calculées de façon très précise selon la production de chaque vache. Dans les fermes d'avant-garde, tout est informatisé.
- Les vaches sont vaccinées contre les principales maladies présentes dans leur région.
- Suivant le rythme intensif de production laitière, les vaches produisent du lait pendant environ 4 à 5 ans, puis sont envoyées à l'abattage. On dit qu'elles sont réformées. Par contre, si elles s'avèrent des productrices exceptionnelles, on les choisit pour la reproduction par transfert d'embryons.
- La production moyenne par vache québécoise est d'environ 7000 kg de lait par année. Il y a 25 ans, les vaches en donnaient autour de 3000 kg.
- La Direction de la qualité des aliments teste le lait chaque mois afin de vérifier s'il renferme des résidus de pénicilline ou autres antibiotiques. Le producteur pris en faute est pénalisé au volume de lait pour un temps donné.

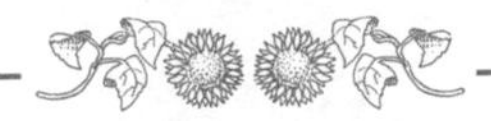

- Occasionnellement, on effectue des tests pour déceler la présence de résidus de pesticides.
- Au Québec, on retrouve un petit nombre de fermes laitières écologiques. Les vaches sont nourries avec du foin et des grains issus de l'agriculture BIOlogique.
- La vente de lait cru est strictement interdite au Canada sous peine d'amendes très sévères. Par contre, les producteurs et leur famille utilisent ce lait, apparemment sans problèmes de santé.
- Le lait cru sert généralement à la fabrication de fromages. On les connaît sous le nom de fromages de lait cru. Ces fromages subissent une fermentation d'au moins deux mois afin d'éliminer tout risque d'intoxication par des microorganismes pathogènes qui auraient pu être présents dans le lait cru. Au Québec, on les trouve dans les magasins d'aliments naturels et dans certaines épiceries spécialisées.

LE LAIT DE VACHE

129 *Le lait est-il vraiment un aliment complet?*

- Nous devons retenir qu'aucun aliment ne fournit tous les éléments nutritifs dont nous avons besoin.
- Bien que le lait maternel (pas de vache!) soit un aliment complet pour le nourrisson jusque vers l'âge de 6 mois, il n'en est rien par la suite. En effet, le lait maternel ne contient pas suffisamment de vitamines A, C et E, de fer et de plusieurs autres éléments nutritifs pour satisfaire les besoins de l'enfant en croissance, ni même ceux d'un adulte. Il en est de même du lait de vache.

LA VARIÉTÉ DES ALIMENTS EST ESSENTIELLE!

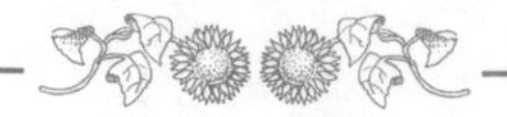

130 *Quelle est la valeur nutritive du lait?*

- C'est un aliment très nutritif. Il fournit un grand nombre d'éléments nutritifs en grande concentration.
- Il renferme beaucoup de protéines de bonne qualité, plus ou moins de matières grasses selon qu'il est écrémé ou non, du sucre (lactose), plusieurs vitamines et minéraux, et pas seulement du calcium!
- Le lait fournit un grand nombre de vitamines, mais les plus importantes sont la B_1 (thiamine), la B_2 (riboflavine), la B_6 (pyridoxine), la B_{12} (cyanocobalamine), les vitamines A (rétinol) et D.
- Après analyse du lait, on l'enrichit en vitamines A et D. La vitamine A est synthétique tandis que 70% de la vitamine D provient de la graisse de laine de mouton.

À noter Le lait au chocolat est assez sucré. En plus du sucre naturel du lait (le lactose), il renferme environ 15 g (1 c. à s.) de sucre raffiné par 250 mL (1 t.).

131 *Qu'en est-il des gras du lait?*

- Certains acides gras du lait font particulièrement augmenter le taux de cholestérol. C'est le cas de l'acide myristique dont l'effet est 4 fois plus marqué que celui des autres gras saturés. Les graisses laitières constituent la principale source de cet acide gras dans notre alimentation.[1]
- Le lait contient aussi du cholestérol: 7 fois plus dans le lait complet que dans le lait écrémé.

---

1. Institut National de la Nutrition, le Point INN, vol 8, nº1, Hiver 1993.

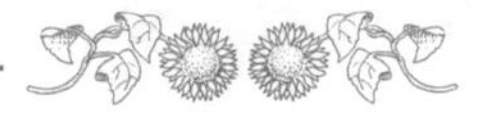

- Environ 50 % des calories du lait complet proviennent des lipides. Aussi, il se boit maintenant plus de lait partiellement écrémé et écrémé que de lait complet.

Pourcentage des calories provenant des gras du lait

Lait	% des calories fournies par les gras
Lait complet 3,25 % m.g.	**50 %**
Lait 2 % m.g.	**34 %**
Lait 1 % m.g.	**5 %**

- Le lait est pauvre en acides gras essentiels, c'est-à-dire ceux que nous avons absolument besoin de prendre dans nos aliments, car nos cellules ne les fabriquent pas. Les acides gras essentiels se retrouvent surtout dans les noix et les graines ainsi que dans leurs beurres et leurs huiles.

132 *Devrait-on boire de grandes quantités de lait écrémé ?*

- Privé de gras, le lait devient un peu plus concentré en protéines.
- Boire de 3 à 4 tasses de lait par jour peut favoriser l'excès de protéines, car une telle quantité en fournit environ 26 à 35 g. C'est plus de la moitié des besoins quotidiens d'une femme. Si on ajoute une seule portion de viande, ce qui fournit de 25 à 30 g de protéines, les besoins sont déjà comblés...
- L'excès de protéines fatigue le foie et les reins qui doivent les transformer et éliminer les surplus.
- De plus, les protéines animales sont trop riches en méthionine, un acide aminé qui favorise la formation de la plaque athéroscléreuse, le spasme artériel et la thrombose, ces trois ingrédients essentiels de la MCV athéroscléreuse.

- L'excès de protéines est un des facteurs qui favorise l'ostéoporose. Les sous-produits des protéines sont acidifiants et notre corps tamponne l'excès d'acidité à l'aide de substances alcalines, dont le calcium qu'il prend dans les os. Ce calcium est éliminé dans l'urine avec les substances acides.
- Le taux d'ostéoporose des végétariens est nettement moins élevé que celui de la population en général. En 1983, *The Journal of Clinical Nutrition* rapportait qu'à l'âge de 65 ans, leur perte osseuse s'établissait comme suit:

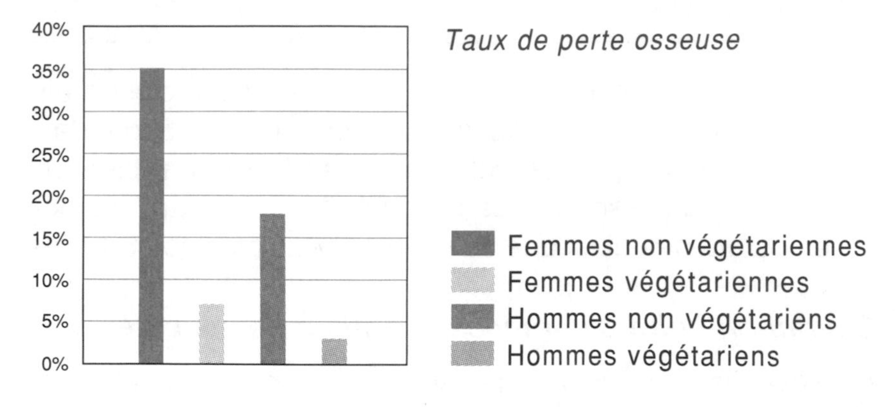

- Ces bas taux d'ostéoporose sont attribués au fait que les végétariens ne consomment pas d'excès de protéines et de phosphore. La viande et le poisson sont riches en ces deux éléments nutritifs.
- Contrairement aux végétaliens qui ne prennent aucun produit d'origine animale, les végétariens consomment des produits laitiers et des œufs.
- Une consommation excessive de lait peut favoriser l'anémie. En effet, un **excès de calcium bloque l'absorption du fer**. De plus, les personnes qui consomment beaucoup de produits laitiers réduisent la prise d'autres aliments riches en fer comme les grains entiers et certains légumes.

- Les mordus du lait et de ses dérivés doivent rechercher des produits de qualité. Pensons aux fromages de lait cru ou aux fromages de chèvre.

LA MODÉRATION A BIEN MEILLEUR GOÛT!

LE CALCIUM DU LAIT

La population nord-américaine tient surtout à son lait à cause de sa forte teneur en calcium. Essayons d'avoir une vision plus globale.

133 *Le calcium du lait est-il assimilable?*

- Ce qu'on appelle la «biodisponibilité»[1] du calcium varie d'un aliment à l'autre. Le lait renferme des facteurs qui favorisent l'absorption du calcium, tels la présence de lactose, de vitamine D, de phosphore. La pasteurisation réduit la biodisponibilité du calcium.
- Il est intéressant de retenir que le calcium des légumes de la famille des *Brassica* comme le chou frisé (*kale*), le brocoli et le chou chinois (*bok choy*), s'absorbe comme le calcium laitier sinon légèrement mieux.[2]
- L'alimentation et le mode de vie de l'Occidental nuisent beaucoup à l'absorption et à la rétention du calcium. En consultant le tableau suivant, on note facilement combien nous savons nuire à ce précieux élément nutritif...

1. C'est la proportion d'un élément nutritif qui est absorbée et utilisée par l'organisme.
2. Nutrition Actualité, Vol. 18, nº 3, 1994. Les hauts et les bas de la biodisponibilité du calcium.

- Il est temps que nous comprenions que rien ne sert de se gaver de lait ou de suppléments pour s'écraser devant la télévision avec son café, ses chips ou ses sucreries!!!

Principaux facteurs associés à l'absorption ou à la perte de calcium

Favorisent l'absorption	Nuisent à l'absorption ou favorisent la perte
• Besoin en calcium	• Caféine (café, thé, chocolat, cola)
• Vitamine D	• Excès de phosphore*
• Vitamine C	• Excès de protéines
• Rapport adéquat de calcium et phosphore (1:1)	• Excès de gras
• Acidité de l'estomac	• Excès de sel
• Œstrogènes (hormones féminines)	• Excès de sucre raffiné
• Activité physique	• Acide oxalique **
	• Excès d'alcool
	• Stress
	• Certains médicaments
	• Fortes doses de vitamines A et D
	• Problèmes gastro-intestinaux

* Les boissons gazeuses sont très riches en phosphore. La consommation annuelle se situe entre 500 et 700 bouteilles par personne...
Une dose excessive de phosphore par rapport au calcium entraîne la perte de calcium dans l'urine et par conséquent la décalcification.

** L'acide oxalique se retrouve dans les épinards, les feuilles de betteraves, la rhubarbe, la bette à carde, le cacao (chocolat) et le thé. Bien que ces légumes soient riches en calcium, ce dernier n'y est que très peu absorbé. La consommation occasionnelle de ces produits ne doit pas causer d'inquiétude.

Le **tabagisme** est un facteur lié à la perte osseuse. Malheureusement, à l'âge où l'on doit capitaliser sur ses os, on commence à fumer...

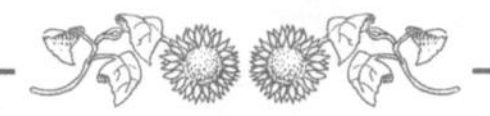

134 Comment les produits végétaux se comparent-ils au lait quant à leur teneur en calcium?

- On voit souvent des comparaisons de ce type: pour obtenir tout le calcium contenu dans un verre de lait (300 mg), il faudrait consommer un gros brocoli, un kilo d'oranges ou 180 mL d'amandes non blanchies. C'est évident que le lait représente une excellente source de calcium, mais faut-il prendre tout notre calcium quotidien dans un ou deux aliments?
- Regardons le tableau des pages 197-198. Il est très intéressant de noter qu'un très grand éventail d'aliments nous apporte le précieux calcium.
- Si vous prenez régulièrement des aliments riches en calcium comme les graines de sésame entières, les légumineuses et les légumes de la famille du chou, il n'est pas nécessaire de boire trois grands verres de lait par jour.

- La majorité des gens prennent environ 75% de leur calcium dans le lait et les produits laitiers. **Il serait préférable de consommer d'autres bonnes sources de calcium chaque jour.**

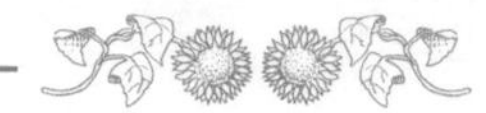

135 *Quel est notre besoin quotidien en calcium ?*

- Pour les femmes adultes, les recommandations sont de 700 à 800 mg de calcium. Pour les hommes, on suggère 800 mg. Certains spécialistes proposent des apports nettement plus élevés, notamment autour de la ménopause : de 1000 à 1500 mg par jour.

136 *Si je ne bois pas de lait, est-ce que je vais faire de l'ostéoporose ?*

- Il est très important de se rappeler que la perte de calcium des os est due à plusieurs facteurs. Si, dans un premier temps, il faut combler ses besoins en calcium, dans un deuxième temps, il faut pouvoir fixer le calcium dans les os et conserver ses réserves.
- L'exercice physique s'avère primordial. Quand les muscles travaillent, ils tirent sur les os et les stimulent à renforcer leur structure.
- L'exercice d'intensité moyenne suffit et le corps doit supporter son poids comme c'est le cas dans la marche, la danse ou le jogging. Pour être efficace, l'activité doit inclure un réchauffement d'au moins 10 minutes et une période aérobique de 30 à 60 minutes. L'exercice doit être pratiqué au moins 3 fois par semaine.
- La majorité des humains sur la terre ne boivent pas de lait ou très peu. Les peuples de l'Europe et de l'Amérique du Nord sont les plus grands consommateurs et pourtant c'est là que l'on retrouve la décalcification la plus grande. Actuellement, une femme sur quatre, de plus de 65 ans, est atteinte d'ostéoporose en Amérique du Nord !
- Rappelons que les produits laitiers, la viande, la volaille et le poisson apportent beaucoup de protéines et que la surconsommation de protéines augmente la perte de calcium dans l'urine (calciurie).

Teneur en calcium par portion[1]

Aliments	Portions	Calcium (mg)
Produits laitiers		
Kéfir	250 mL	350
Ricotta	125 mL	337
Lait de chèvre	250 mL	326
Lait 2% m.g.	250 mL	315
Yogourt maigre	250 mL	302
Fromage suisse	30 g	272
Fromage cheddar	30 g	204
Fromage cottage, 2% m.g.	250 mL	155
Fromage féta	30 g	140
Légumineuses		
Boisson de soya enrichie	250 mL	243
Pois chiches cuits	250 mL	150
Fèves noires, fèves soya, cuites	250 mL	140
Fèves pinto cuites	250 mL	130
Tofu	100 g	108
Haricots blancs cuits	250 mL	98
Fèves rognons, cuites	250 mL	74
Lentilles cuites	250 mL	49
Boisson de soya non enrichie	250 mL	10
Noix et graines		
Sésame, graines entières	60 mL	356-436
Beurre de sésame	30 mL	126
Amandes entières	45 mL	75
Légumes		
Épinards cuits*	250 mL	244
Chou frisé (*kale*), cuit	250 mL	180
Brocoli	250 mL	178
Chou *bok choy* cuit	250 mL	158
Feuilles de pissenlit cuites*	250 mL	147
Chou cavalier cuit (*collard*)*	250 mL	113-220
Rutabaga cuit	250 mL	100
Persil frais haché	250 mL	78
Haricots verts cuits	250 mL	58
Courge d'été cuite	250 mL	48
Chou cru, haché	250 mL	32

1. Équivalences : 250 mL = 1 tasse ; 125 mL = ½ tasse ; 60 mL = ¼ tasse ; 100 g = 3 ½ onces.

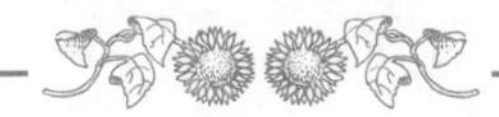

Aliments	Portions	Calcium (mg)
Poissons et fruits de mer		
Saumon en conserve (+os)	100	167
Huîtres (moyennes)	5-8	94
Sardines + os	7	367
Algues (séchées)		
Algue hijiki	10 g (1/4 t.)	140
Algue wakamé	10 g	130
Kelp	10 g	109
Aramé	10 g	87
Algue kombu	10 g	80
Algue goémon	10 g	57
Dulse	10 g	29
Algue nori	10 g	26
Fruits		
Figues, séchées	5 (95 g)	135
Orange fraîche	1 moyenne	52
Raisins secs	125 mL	43
Cantaloup	1 demi	29
Viande		
Steak de surlonge	100 g	16
Divers		
Farine de caroube	60 mL	124
Thé kukicha	10 g	72
Pain de blé entier	1 tranche	20

*Les épinards, la bette à carde, les feuilles de betterave sont riches en acide oxalique, ce qui empêche l'assimilation d'une grande partie de leur calcium.

idée **Même si le lait est un aliment très nutritif, il ne devrait pas dominer l'alimentation.** Les produits de source végétale doivent former la plus grande part de notre assiette. Au cours des siècles passés, le lait était consommé comme un condiment et non un aliment de base.

PRENONS NOTRE CALCIUM
DANS UNE ALIMENTATION VARIÉE.

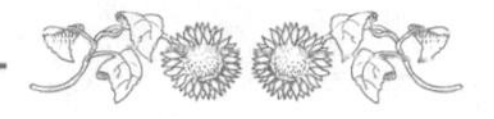

PASTEURISATION ET HOMOGÉNÉISATION

137 *Pourquoi le lait est-il pasteurisé ?*

- La pasteurisation prolonge la durée de conservation des produits laitiers.
- Elle vise à détruire les bactéries pathogènes qui pourraient être présentes. Elle n'élimine pas tous les autres microorganismes, mais en réduit le nombre.
- Elle consiste à chauffer le lait à 73 °C pendant 16 secondes puis à le refroidir rapidement.
- Les températures atteintes lors de la pasteurisation diminuent la valeur nutritive du lait : elles modifient la structure des protéines, altèrent les enzymes, détruisent une certaine quantité des vitamines et rendent le calcium moins assimilable.
- Dans certains états américains, on vend du lait cru certifié.

À noter

Les boissons de soya, de riz et d'amande sont stérilisées. La stérilisation se fait à des températures plus élevées que la pasteurisation et détruit une plus grande quantité de vitamines. Elle permet la conservation sans réfrigération pendant des mois.

138 *Pourquoi le lait est-il homogénéisé ?*

- L'homogénéisation consiste à fractionner les globules de gras et à les disperser uniformément dans le lait. La crème étant moins dense que l'eau, elle se retrouve donc naturellement sur le dessus du lait.
- L'homogénéisation n'est pas obligatoire. On peut trouver du lait non homogénéisé dans certaines régions.

LE LAIT DE CHÈVRE

139 ***Le lait de chèvre est-il très différent du lait de vache?***

- Sa composition ressemble au lait de vache mais avec quelques différences importantes. Il convient bien à l'alimentation humaine.
- Le lait de chèvre fournit environ 4% de gras. La composition de ses gras diffère de celle du lait de vache. Ils sont plus faciles à digérer.
- Il est pasteurisé, mais il ne nécessite pas d'homogénéisation puisque la crème est naturellement dispersée dans ce lait.
- Tout comme dans le lait de vache, la teneur en gras saturés est élevée et celle des acides gras essentiels est faible.
- La nature des protéines du lait de chèvre est différente. Les personnes allergiques au lait de vache tolèrent généralement bien le lait de chèvre. Ses protéines sont faciles à digérer.
- Le lait de chèvre contient presque autant de lactose que le lait de vache.
- Il possède un bon équilibre minéral en calcium, phosphore et magnésium.
- Le lait de chèvre contient autant de calcium que le lait de vache:

  250 mL de lait de vache = 315 mg de calcium et
  250 mL de lait de chèvre = 324 mg de calcium!
- On trouve sur le marché du lait de chèvre frais ou en poudre ainsi que du yogourt de chèvre. À essayer!

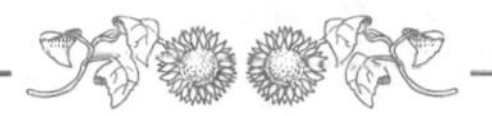

140 *Qu'est-ce que le concentré de lactosérum de chèvre?*

- Le lactosérum ou petit-lait est la partie liquide qui s'échappe du fromage lors de sa fabrication. Il est déshydraté à froid et on ne lui rajoute rien. Il s'avère d'une grande richesse en éléments nutritifs. Ce concentré en poudre est actuellement connu sur le marché sous le nom de CALCIMIL[1].
- Son grand intérêt réside dans sa teneur en minéraux et particulièrement en calcium assimilable. Il possède un bon équilibre entre le calcium, le phosphore et le magnésium. De plus, il apporte de la vitamine D. Ces éléments nutritifs sont tous très importants pour la santé des os et des dents. Il est également très riche en protéines et en vitamine B_{12}.

LES SUBSTITUTS DU LAIT

141 *La boisson de soya est-elle aussi nutritive que le lait de vache?*

- Elle est très nutritive mais d'une autre façon. Le lait est un produit animal tandis que le soya est une légumineuse.
- À partir des données du tableau suivant, on peut noter les différences.

---

1. Le CALCIMIL est un produit québécois fabriqué par la Fromagerie Tournevent Inc. et disponible dans les magasins d'aliments naturels. Jusqu'à maintenant, c'est le seul produit de ce type.

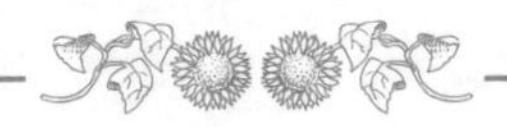

Caractéristiques nutritives du lait de vache et de la boisson de soya

Lait de vache 2% m.g.	Boisson de soya
• 128 calories par 250 mL	• 84 calories par 250 mL
• Bonne source de protéines	• Bonne source de protéines
• Source de lactose (sucre)	• Pas de lactose
• Un peu plus riche en gras	• 11 fois plus de gras polyinsaturés
• 6 fois plus de gras saturés	• Sans cholestérol
• Source de cholestérol	• Bonne source d'acides gras essentiels
• Peu d'acides gras essentiels	• Peu de vitamine A
• Bonne source de vitamine A	• Source de B_2
• Bonne source de vitamine B_2	• Pas de vitamine D
• Bonne source de vitamine D	• Bonne source de fer
• Pauvre en fer	• Pauvre en calcium
• Très riche en calcium	• Riche en calcium, si enrichie

Valeur nutritive de la boisson de soya et du lait de vache par portion de 250 mL (1 t.)

Éléments nutritifs	Boisson de soya	Lait de vache 2% m.g.
Calories	84	128
Protéines (g)	7,0	8,6
Glucides (g)	4,6	12,4
Lipides (g)	4,8	5,0
Gras saturés (g)	0,5	3
Gras monoinsaturés (g)	0,8	1,4
Gras polyinsaturés (g)	2,1	0,18
Cholestérol (g)	0	19
Acide linoléique (g)	1,8	0,11
Vitamine A (UI)	81	529
Vitamine B_2 (mg)	0,18	0,4
Calcium (mg)	10	314
Calcium (mg)	243 (enrichie)	314
Fer (mg)	1,47	0,13

- Les personnes intolérantes au lactose apprécient les boissons de soya, car elles ne contiennent pas de lactose, ce sucre étant strictement d'origine animale.

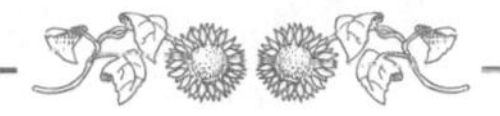

- La valeur nutritive peut varier selon les marques et les essences. Par exemple, la boisson à la caroube est deux fois plus sucrée, donc plus calorifique, que la boisson originale d'une même marque. Bien lire le tableau d'information nutritionnelle.
- Plusieurs marques vendent des boissons allégées en gras. Si vous surveillez vos apports en gras, ce sont des choix avisés.
- Il est facile de trouver des boissons fabriquées à partir de fèves soya BIOlogique.
- Se rappeler que la boisson de soya n'apporte que très peu de calcium: 10 mg par 250 mL comparativement au lait qui fournit plus de 300 mg pour la même portion.

idée On peut fabriquer soi-même sa boisson de soya. La recette se trouve dans le *Guide de l'alimentation saine et naturelle*, de Renée Frappier. C'est très simple et très économique.

142 Combien de portions de boisson de soya pourrait-on boire par jour?

- L'Association diététique américaine classe la boisson de soya dans le groupe des légumineuses ou les substituts de la viande. Elle recommande de prendre 2 à 3 portions de ce groupe qui comprend également les fèves, les pois, les lentilles, le tofu et le tempeh. Une portion par jour, c'est-à-dire 250 mL (1 t.) de boisson de soya, semble raisonnable.
- Il est préférable de varier les légumineuses plutôt que de ne prendre que du soya sous forme de boisson.

143 *Quelle est la valeur nutritive des boissons de riz et d'amande?*

- Ces boissons sont généralement fabriquées avec des grains de culture BIOlogique, elles ne renferment pas de lactose, de cholestérol et conviennent aux personnes allergiques aux produits laitiers. Bien lire l'information nutritionnelle, car certaines de ces boissons sont peu concentrées en éléments nutritifs.
- Ce sont des aliments de bonne qualité, mais ce ne sont **pas de bonnes sources de calcium**. Quand on s'est toujours fié sur le lait de vache pour obtenir du calcium, on peut avoir le réflexe de penser que tout ce qui lui ressemble en est riche, mais ce n'est pas le cas. Par contre, les aliments contenant du calcium ne manquent pas!

LA CRÈME

144 *Quelle est la composition de la crème?*

- La crème fait partie du lait à l'état nature. Le lait de vache complet renferme environ 4% de gras. Le gras ne se mélangeant pas à l'eau, il est facile d'écrémer le lait.
- La crème qu'on retrouve à l'épicerie n'est pas un corps gras pur comme l'huile par exemple. Elle renferme des protéines, des glucides et surtout beaucoup de gras, dont plus de 60% sont saturés.
- Les crèmes ne sont plus naturelles. Elles renferment toutes des additifs pour leur conserver une texture épaisse.

Valeur nutritive de la crème à café et de la crème à fouetter par portion de 15 mL

Éléments nutritifs	Crème 15%	Crème 35%
Protéines (g)	0,4	0,3
Glucides (g)	0,6	0,4
Lipides (g)	2,3	5,3
Gras saturés (g)	1,4	3,3
Gras monoinsaturés (g)	0,6	1,5
Gras polyinsaturés (g)	0,1	0,2
Cholestérol (mg)	8,0	19,0
Calories	24	49

LA CRÈME GLACÉE ET SES SUBSTITUTS

145 *La crème glacée a-t-elle un intérêt nutritionnel?*

- Les principaux ingrédients de la crème glacée sont le lait ou la crème, le sucre et des essences. La composition varie selon les marques.
- Le plus souvent, on retrouve d'abord les solides du lait (lait transformé ou non), de la crème dans certaines marques, du sucre sous différentes formes (sucre blanc, lactose, glucose, sirop de maïs, etc.) puis la liste s'allonge d'une bonne gamme d'additifs.
- Les crèmes glacées régulières renferment entre 12 et 17% de matières grasses. Les produits légers en contiennent beaucoup moins.
- Règle générale, les étiquettes n'affichent pas de tableau d'information nutritionnelle. Il est impossible de savoir la teneur en éléments nutritifs et en sucre ajouté.

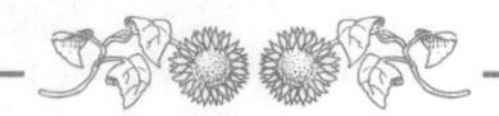

- Les magasins de produits naturels offrent des substituts de crème glacée à base de soya ou de riz, sans sucre ajouté. Mieux vaut lire les étiquettes, car tous les produits n'ont pas la même qualité. Ils sont parfois sucrés, mais ils ne renferment pas d'additifs chimiques.

LISONS LES ÉTIQUETTES!

LE BEURRE

146 *Qu'est-ce que le beurre?*

- Le beurre est composé de 80% de gras, surtout saturés, de 18% d'eau et de 2% de solides du lait. Comme on le sait, il est riche en cholestérol. Il représente une bonne source de vitamines A et D.
- Le beurre est obtenu à partir de la crème du lait. La fabrication industrielle du beurre comporte les opérations suivantes: l'écrémage du lait, la pasteurisation de la crème, la maturation avec ensemencement de ferments lactiques, le barattage de la crème pour en extraire le petit-lait ou babeurre, le lavage, le malaxage pour éliminer l'excédent d'eau et le conditionnement, c'est-à-dire la mise en forme, la pesée et l'emballage.
- Le beurre est plus ou moins salé pour en prolonger la conservation. Le beurre régulier (2% de sel) ne porte pas de mention spéciale, tandis que le demi-sel en contient 1%.

147 *Qu'est-ce que le beurre léger?*

- C'est du beurre auquel on a ajouté de l'eau et des additifs (texturisants). C'est un produit dilué et par le fait même, beaucoup moins gras.

148 Quelle est la durée de conservation du beurre?

- C'est un aliment délicat qui se conserve de 2 à 3 mois au réfrigérateur et jusqu'à un an au congélateur.
- Le beurre se conserve toujours au réfrigérateur, sinon il rancira. Le garder dans un contenant hermétique, car il capte toutes les odeurs. Un bon beurre possède un goût de « noisette », sa saveur est délicate et son odeur légèrement aromatique. Il ne doit laisser aucun arrière-goût.

149 Combien de beurre peut-on manger?

- Le beurre n'est pas un aliment essentiel, mais la personne dont l'alimentation ne comporte pas beaucoup de gras saturés (viande, fromage, œufs) peut en consommer environ 15 g (1 c. à s.) par jour.
- N'oublions pas que pour la plupart des Nord-Américains, il faut **réduire la consommation totale de gras et non remplacer toute la margarine qu'on prenait par du beurre!!!**
- Une des façons de réduire sa consommation de gras est d'éviter le beurre (ou la margarine) sur les légumes, dans les pommes de terre pilées et même sur le pain!

150 Vaut-il mieux manger du beurre ou de la margarine?

- Pour certains, la question se formule ainsi: lequel est le moins pire???
- Quand il s'agit de faire un choix, pensons QUALITÉ!
- La margarine est issue d'une série d'opérations de raffinage. Elle n'est pas un produit naturel, qu'elle soit hydrogénée ou non.

Caractéristiques du beurre et de la margarine

Beurre	Margarine molle
• 81 % de lipides	• 81 % de lipides
• 50 % de gras saturés	• 12 à 20 % de gras saturés
• 23 % de gras monoinsaturés	• 25 à 67 % de gras monoinsaturés
• 3 % de gras polyinsaturés	• 12 à 44 % de gras polyinsaturés
• Source de cholestérol	• Pas de cholestérol
• Pas de gras hydrogénés	• Peut contenir des gras hydrogénés
• Source de vitamines A et D	• Source de vitamines A et D
• Peut contenir un colorant naturel	• Renferme divers additifs
• Peut contenir des résidus de pesticides	• Peut contenir des résidus de pesticides
• Produit peu transformé	• Produit de transformation de l'industrie agro-alimentaire

- Certains magasins d'aliments naturels vendent du beurre BIOlogique, ce qui représente un meilleur choix, car on sait que les résidus de pesticides se concentrent dans la crème du lait, donc dans le beurre. Ne pas perdre de vue qu'il fournit autant de gras et de cholestérol que le beurre régulier...

151 *Qu'est-ce que le beurre clarifié ?*

- C'est du beurre dont les solides du lait et l'eau ont été retirés. Par conséquent, c'est un corps gras pur. Il se conserve plus longtemps que le beurre, c'est pourquoi il est de tradition d'en fabriquer dans les pays chauds comme l'Inde où on le nomme «ghee». En France, on l'appelle aussi beurre fondu.

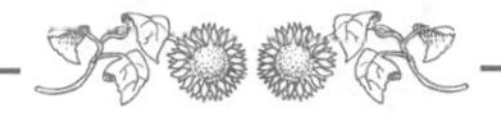

152 *Qu'est-ce que le beurre moitié-moitié ?*

- C'est un mélange à parts égales de beurre et d'une huile. On peut utiliser de l'huile d'olive, de tournesol ou toute autre huile non raffinée au goût. Le produit obtenu est facilement tartinable et se conserve au froid.
- L'avantage d'un tel produit est de diminuer la consommation de gras saturés au profit de gras insaturés.

153 *Par quoi peut-on remplacer le beurre sur le pain ?*

- Par des beurres de noix ! Sur les rôties, une belle gamme de beurres de noix nous offre la possibilité de varier les saveurs.
- Les beurres de noix sont riches en gras, donc en prendre avec modération. Ils nous procurent aussi des protéines, de l'amidon, des fibres alimentaires, plusieurs vitamines et minéraux. Leur valeur nutritive s'avère supérieure au beurre ordinaire.

MEILLEUR EST LE PAIN,
PLUS ON L'APPRÉCIE NATURE !

LES FROMAGES

154 *Qu'est-ce qu'un fromage ?*

- C'est un produit obtenu après la coagulation et l'égouttage du lait. Certains fromages subissent ensuite une maturation (affinage), tels les fromages à pâte ferme (gruyère, emmenthal, parmesan, romano, etc.), les fromages à pâte demi-ferme (cheddar, gouda, tilsit, saint-paulin, édam, reblochon, etc.) et les fromages à pâte molle (camembert, brie, neufchâtel, Pont l'évêque,etc.)

Le pourcentage de matières grasses est toujours indiqué sur l'étiquette sous l'abréviation M.G.

Lisez bien les étiquettes : un fromage à la crème peut être plus gras qu'un fromage ferme de type cheddar. Par contre, les fromages à pâtes molles ne sont pas nécessairement plus gras.

Les fromages apportent facilement de 12 à 15 grammes de gras par 50 grammes, ce qui représente une portion selon le Guide alimentaire canadien.

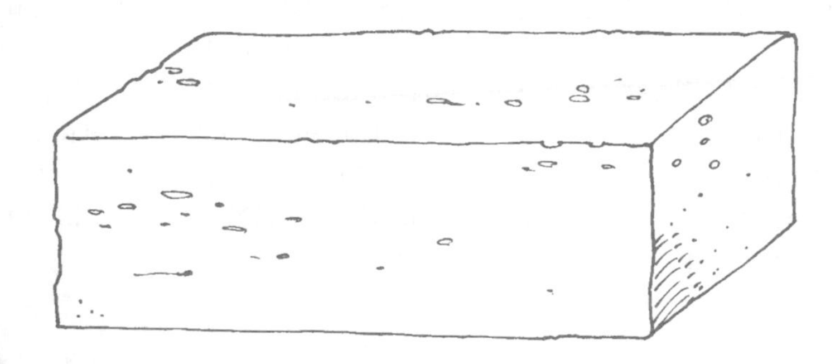

EXEMPLE D'UNE PORTION GRANDEUR NATURE!!!

- Les fromages forts sont plus faciles à digérer du fait des transformations effectuées par les microorganismes.
- Les fromages frais ou fromages blancs passent seulement par une fermentation lactique avant d'être égouttés. Ils sont faits à partir de lait, de crème ou encore de lactosérum (petit-lait). Pendant l'égouttage, ils perdent une bonne partie du calcium, du phosphore et des vitamines. On connaît le cottage, le ricotta, le quark, etc. Ils peuvent contenir plusieurs additifs, notamment des épaississants, des colorants et des agents de conservation ainsi que beaucoup de sel.

155 *Les fromages fondus ont-il un intérêt nutritionnel ?*

- Ces fromages sont fabriqués à partir de fromages (cheddar, gruyère, emmenthal, etc.) qui sont fondus puis pasteurisés à haute température. On ajoute généralement plusieurs additifs (stabilisateurs, émulsifiants, colorants, édulcorants, etc), et parfois des assaisonnements pour donner une saveur caractéristique. On est loin d'un produit de grande QUALITÉ !

156 *Les fromages de chèvre ont-ils une place de choix ?*

- La valeur nutritive, la digestibilité, le type de coagulation, le temps de maturation, et la saveur des fromages de chèvre confèrent une place de choix aux produits caprins.
- Nous retrouvons maintenant une grande variété de ces fromages : pâte molle/frais, pâte molle/affiné, pâte molle/sèche, cheddar, fêta... Un régal sans égal !

LES PRINCIPAUX PROBLÈMES DE SANTÉ LIÉS AUX PRODUITS LAITIERS

Les deux problèmes majeurs reliés au lait sont l'intolérance au lactose et les allergies aux protéines.

157 *Pourquoi le sucre du lait (lactose) n'est pas bien digéré par certains individus?*

- La digestion du lactose exige une enzyme spéciale. Les personnes dont l'intestin ne produit pas cette enzyme (lactase) éprouvent des difficultés digestives lorsqu'elles prennent du lait. Les bactéries intestinales se nourrissent de ce sucre et produisent des gaz. Le ballonnement, la flatulence, la migraine et même la diarrhée sont les symptômes de l'intolérance au lactose.
- Environ 6 à 20% des gens de race blanche, 90 à 95% des Orientaux et 70 à 75% des personnes de race noire sont intolérants au lactose. On attribue la production naturelle de lactase chez les Blancs au fait qu'ils descendent des peuples de l'Europe où l'on a depuis longtemps consommé régulièrement des produits laitiers après le sevrage de lait maternel.
- Les produits laitiers fermentés comme le yogourt et les fromages fermentés (pas le cottage et le ricotta) renferment moins de lactose. En effet, les bactéries se sont chargées de le digérer.
- Le marché offre maintenant du lait sans lactose.

158 *Comment les protéines du lait causent-elles des problèmes d'allergies ?*

- Si la digestion des protéines est incomplète, celles-ci peuvent passer intactes à travers la paroi intestinale et se retrouver dans le sang. Elles déclenchent alors une sensibilisation allergique. Les enfants aussi bien que les adultes peuvent être allergiques aux protéines du lait.
- Le lait est un des aliments qui causent le plus d'allergies. Les symptômes sont diversifiés et ne sont pas tous présents chez un même individu. Les réactions vont du gonflement des lèvres à la diarrhée en passant par les picotements dans la bouche et la gorge, les vomissements, le ballonnement et même l'eczéma et l'asthme.
- Une personne allergique ne doit consommer aucun produit laitier (de vache). La plupart du temps, cette personne peut prendre les produits de la chèvre sans problèmes.
- Le lait et ses dérivés se cachent dans une foule d'aliments préparés. Lisez les étiquettes des biscuits, des sauces à salades, des sauces en sachet ou en conserve, des soupes, du chocolat, des pâtisseries, nouilles, charcuteries et même des «fromages» de soya. Les mots mystères sont «caséinate de calcium, caséine, hydrolysate de caséine, caséinate, solides du lait, lactalbumine, lactosérum». Ce sont des sous-produits du lait et toute personne allergique doit s'abstenir d'en consommer.

idée Apprenons à varier les meilleures sources de calcium. Si nous sommes végétariens, bâtissons des menus davantage sur la combinaison céréales-légumineuses-noix et graines plutôt que sur le lait et les fromages.

CHAPITRE

15

Veux-tu des œufs mon coco?

Les œufs sont pondus par les femelles (il va sans dire!) de nombreuses espèces animales (crocodiles, tortues, reptiles, insectes, poissons, crustacés, et bien sûr, les oiseaux). Les œufs commercialisés viennent surtout de la poule, et d'ailleurs, le mot «œuf», sans autre mention, désigne toujours l'œuf de poule.

De l'œuf trouvé dans un nid à l'œuf vendu au supermarché, l'homme a, de tout temps et de tout lieu, apprécié ses qualités nutritives et culinaires. L'œuf, c'est le cas de le dire, s'emploie à toutes les sauces. Énormément employé par l'industrie alimentaire, ses utilisations sont multiples: agent liant, panure, mayonnaise, quiche, soufflé, mousse et toutes autres façons de servir ces chers petits cocos!

Cependant, depuis quelques décennies, l'œuf a perdu un peu de plumes!!! Provenant de poules gardées dans de véritables usines, sa qualité initiale a diminué. La teneur élevée de son jaune en cholestérol a créé une certaine prudence chez le consommateur. De plus, les traitements que subissent les malheureuses poules pondeuses, lorsque connus du public, font sursauter et se questionner plusieurs consommateurs.

159 Quelle est la valeur nutritive de l'œuf?

- Servant à reproduire la vie, l'œuf est, par conséquent, un aliment très nutritif. Il est surtout consommé comme source de protéines. Celles-ci contiennent tous les acides aminés pour répondre aux besoins de l'humain. Étant de qualité très élevée, les protéines de l'œuf servent de référence pour calculer la valeur biologique des autres aliments protéinés. Le jaune renferme un peu plus de protéines que le blanc.
- L'œuf est un aliment relativement peu calorifique. Un œuf contient environ 76 calories provenant surtout du jaune.

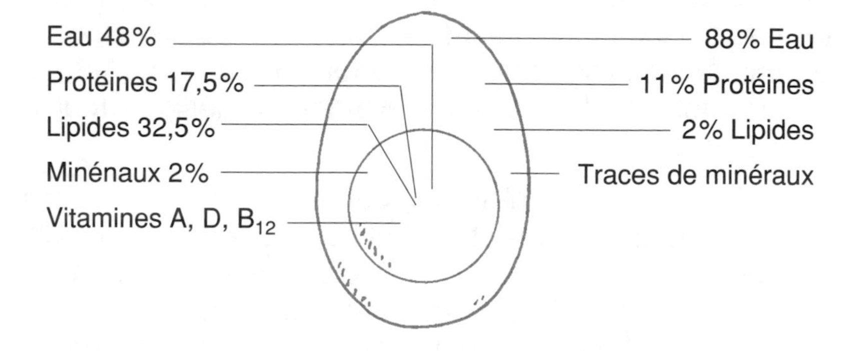

- La coquille se compose principalement de carbonate de calcium.

À noter On ne peut qualifier l'œuf d'aliment complet. Il ne contient pratiquement pas de glucides et n'offre pas toutes les vitamines et minéraux.

Il n'y a pas de vitamine C dans l'œuf.

Le blanc de l'œuf peut causer des allergies alimentaires particulièrement chez les enfants de moins d'un an.

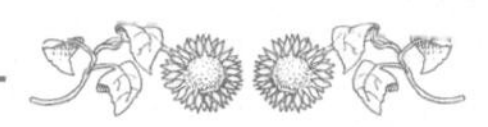

160 Quelle est la teneur et la nature des gras de l'œuf ?

- Retenons que le gras se trouve uniquement dans le jaune. Un gros jaune fournit 5 grammes de gras, soit l'équivalent d'un peu plus de 5 mL (1 c. à thé). Cet aliment représente une des plus grandes sources de cholestérol, soit environ 215 mg.
- Certains œufs se vendent sous l'appellation « œufs santé » Plusieurs personnes croient que ces œufs n'ont pas de cholestérol. En fait, leur teneur en est seulement un peu plus basse : environ 190 mg par œuf.
- Les différents gras se répartissent comme suit :

Gras saturés :	31 %
Gras monoinsaturés :	38 %
Gras polyinsaturés :	13,5 %

- Le jaune d'œuf renferme de la lécithine, une substance qui aide à solubiliser le cholestérol.

- Le traditionnel petit déjeuner nord-américain « œufs, bacon avec pain blanc, beurre ou margarine et confiture » fournit :

  32 grammes de gras et 600 mg de cholestérol !

DE QUOI BIEN FAIRE VIVRE LES CARDIOLOGUES !

161 Le cholestérol du jaune de l'œuf est-il bon ou mauvais ?

- Si vous avez bien compris la notion de cholestérol vous savez déjà qu'un aliment, quel qu'il soit, contient simplement du cholestérol, ni bon ni mauvais.
- Rappelons-nous que ce sont les transporteurs du cholestérol **dans le sang** qu'on nomme «bon» (HDL) ou «mauvais» (LDL).

162 Le jaune d'œuf apporte-t-il des acides gras essentiels ?

- Un gros jaune contient peu d'acide linoléique (oméga-6) et seulement des traces d'acide alpha-linolénique (oméga-3). Cependant, la nature des gras de l'œuf peut être modifiée par la nourriture que reçoit la poule. Certains producteurs avicoles, conscients de l'importance des acides gras essentiels pour la santé, ajoutent des sources d'oméga-3 à l'alimentation des poules .
- Les producteurs leur donnent, soit des graines de lin, soit du pourpier, soit du poisson séché. Au Québec, on emploie la graine de lin, excellente source d'oméga-3.

idée Nous aussi, nous pouvons consommer directement ces fameuses graines de lin (moulues) comme source d'oméga-3 !

163 Les œufs bruns sont-ils plus nutritifs que les œufs blancs ?

- Non, car la couleur de la coquille dépend uniquement de la race de poule. Les poules d'une de nos amies pondent même des œufs turquoises !
- Un œuf brun n'est ni plus nutritif ni plus naturel qu'un œuf blanc. C'est sa coquille colorée et un peu plus dure qui lui confère une image santé.

164 *La couleur du jaune influence-t-elle sa valeur nutritive?*

- La couleur plus ou moins intense du jaune de l'œuf dépend de la présence d'un pigment (caroténoïde) dans l'alimentation des poules. Si la poule reçoit beaucoup de maïs, le jaune est plus intense.

À noter Les taches de sang, occasionnellement retrouvées dans le blanc ou le jaune, sont inoffensives. Par contre, les œufs avec une coquille fissurée ne se consomment pas crus. Il faut absolument les cuire afin de détruire les microorganismes qu'ils pourraient contenir.

165 *Comment doit-on conserver les œufs?*

- Les œufs frais se conservent dans leur emballage ou un contenant approprié et fermé, la partie pointue vers le bas.
- Se rappeler que l'œuf est un des aliments les plus périssables. Ne jamais laisser les œufs à la température ambiante.
- Les œufs laissés à la température ambiante pendant une journée vieillissent autant que des œufs réfrigérés pendant une semaine! Soyons vigilants et achetons selon nos besoins. Surveillons la date «meilleur avant».
- **Conservation**:
  - œuf cuit dur, non écalé: 4 jours
  - œuf cuit dur, écalé: 2 jours
  - jaune cru: 24 heures
  - blanc cru: 6 à 12 heures
  - blanc cru monté en neige: 24 heures

- Ne pas laver les coquilles, ce qui aurait pour effet de rendre l'œuf perméable aux odeurs et aux microorganismes. Si nécessaire, les essuyer avec un linge sec. Comme les œufs peuvent être porteurs de bactéries appelées salmonelles, leur coquille est désinfectée avant qu'ils soient mis sur le marché.
- La majorité des cas d'intoxication se produit dans les restaurants. Éviter les préparations où les œufs ne sont pas parfaitement cuits : omelettes baveuses, sauces hollandaise et béarnaise crues, etc. La cuisson complète des œufs détruit les microorganismes. Et surtout, éviter la contamination des autres aliments en se lavant les mains immédiatement après avoir touché les œufs crus. Laver les ustensiles à l'eau chaude savonneuse.
- Les œufs crus se congèlent légèrement battus. Le jaune et le blanc se congèlent aussi séparément. Utiliser aussitôt décongelés.

166 *Combien d'œufs puis-je manger par semaine ?*

- On conseille de 0 à 4 par semaine.
- Pour abaisser la teneur en gras et en cholestérol d'une recette, on peut facilement remplacer un œuf entier par deux blancs d'œufs.

167 *Quelle est la façon la plus saine de servir les œufs ?*

- Servir les œufs cuits dans la coquille ou encore pochés. Les bonnes techniques sont expliquées dans la section recettes. On peut aussi les faire cuire au miroir dans une poêle antiadhésive.

168 Pourquoi existe-t-il une polémique autour de la consommation de l'œuf?

- Bien que l'utilisation des œufs comporte certains avantages, notre conscience nous pousse vers une réflexion plus approfondie.

Avantages	Matière à réflexion
• Qualité biologique de la protéine • Qualité nutritive globale • Préparation rapide • Coût très accessible • Conservation facile	• Richesse du jaune en cholestérol • Teneur élevée en gras saturés • Aliment allergène* • Production intensive et polluante • Traitements inacceptables infligés aux poules • Risque d'intoxication alimentaire

*Près de 75% des allergies sont causées par quelques aliments de base, comme les œufs, les arachides, le lait et le blé.

169 Quelles sont les conditions de vie de la poule pondeuse moderne?

- À la naissance, les coqs sont détruits et les poulettes tout de suite nourries en fonction d'une ponte précoce. Une poule pond environ 300 œufs durant son année de production. Déjà considérée vieille, elle prend la route, non pas des vacances, mais celle d'un abattoir.
- Sa vie se passe à l'intérieur d'un poulailler sans fenêtre, à la lumière artificielle tamisée, dans un espace plus que restreint (3 à 4 dans une même cage).

- Elle mange une nourriture qui favorise la ponte continuelle. Sa moulée est médicamentée afin de combattre différentes maladies. Le motif ultime : maximiser les profits !
- Les poulaillers du Québec contiennent environ 20 000 pondeuses. Aux États-Unis, c'est beaucoup plus ! Le Québec, en 1993, a produit 19 % de la production canadienne.
- Nous sommes ici très loin du poulailler avec son coq fringuant, chantant aux petites heures du matin !

170 *Existe-t-il une alternative ?*

- Oui, il existe des aviculteurs plus respectueux qui veulent améliorer la qualité de vie et de nourriture de leurs poules.
- Certains gardent leurs poules en cage tout en améliorant leurs conditions : espace, lumière, etc.
- Sur d'autres petites fermes, on élève les poules librement et on les nourrit même de grains BIOlogiques. Ces œufs ont bien meilleur goût, possèdent un jaune bien brillant et leur coquille est plus dure.
- Ils sont disponibles dans certains magasins d'aliments naturels. Posez des questions, notez le nom du producteur et vérifiez la différence par vous-mêmes !

171 *La valeur nutritive des œufs de caille diffère-t-elle de celle des œufs de poule ?*

- Très peu. Cependant, dans l'ensemble, l'œuf de caille est légèrement plus riche en vitamines et minéraux : sa teneur en fer est deux fois et demie plus élevée.
- La proportion du jaune par rapport au blanc est plus élevée dans l'œuf de caille.
- Cinq œufs de caille, dont le poids égalent un gros œuf de poule, apportent environ deux fois plus de cholestérol.

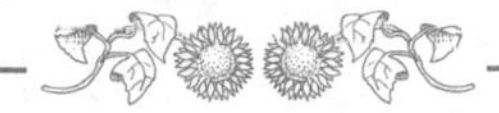

- Les personnes allergiques aux œufs de poule ne le sont pas nécessairement aux œufs de caille.

172 *Que penser des substituts de l'œuf?*

- L'industrie alimentaire a concocté plusieurs substituts faibles en gras (ou sans gras), et bien sûr, sans cholestérol. Que contiennent donc ces substituts?
- Outre des blancs d'œufs, ils renferment des colorants ainsi que des vitamines et minéraux, dans des proportions semblables à celles des œufs. La plupart ne contiennent pas de gras, mais quelques produits renferment un peu d'huile. Pour donner de la texture, on ajoute des additifs émulsifiants, tels les gommes. En plus de saveurs naturelles ou artificielles, on retrouve parfois du lait écrémé en poudre.
- La qualité et la saveur de ces substituts ne sont pas renversantes... Rien à voir avec l'original!

VEUX-TU UN ŒUF MON COCO?

CHAPITRE

16

Poissons et fruits de mer

Depuis une dizaine d'années, nous pouvons fréquemment lire ou entendre parler des bienfaits de la consommation de **poissons qui vivent en eau froide**. Pourquoi? À cause de la richesse de leurs huiles en **acides gras oméga-3**.

Tout a commencé au début des années 70 par des études faites auprès des Inuit du Grœnland, grands consommateurs de poissons de mer. Malgré leur forte consommation de gras, ces peuples jouissaient d'une protection exceptionnelle contre les maladies cardiovasculaires.

LES POISSONS ET LES HUILES DE POISSONS

173 *Quelle est la valeur nutritive du poisson?*

- Le poisson nous fournit d'abord et avant tout des protéines complètes. Elles sont particulièrement digestibles. Contrairement à la viande, la chair du poisson ne renferme que très peu de collagène, par conséquent elle est beaucoup plus tendre.
- Les principales vitamines sont la B_3, la biotine, la B_6 et la B_{12}. On retrouve également les vitamines D et E dans les poissons les plus gras.

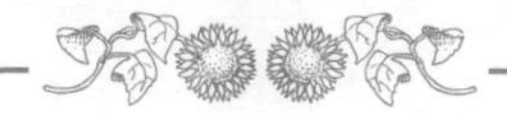

- Les principaux minéraux sont l'iode, le fluor, le sélénium, le zinc, le potassium, le phosphore et le fer.
- On classe les poissons selon le taux de gras:

  Poissons maigres: -2% m.g.
  morue, aiglefin, goberge, plie (sole), doré, brochet.

  Poissons mi-gras: 2 à 10% m.g.
  sébaste, flétan, éperlan, thon.

  Poisson gras: +10% m.g.
  anguille, esturgeon, hareng, maquereau, sardine, saumon, truite de mer.

À noter Les poissons gras sont encore moins gras que la viande hachée maigre (!!!) qui renferme de 10 à 17% de gras. La viande hachée mi-maigre contient 23% de gras et la viande hachée ordinaire, environ 30% de matières grasses.

- Les gras des poissons sont surtout polyinsaturés. Certains d'entre eux sont appelés superinsaturés, car ils possèdent encore plus de liens doubles. Ils font partie de la famille des oméga-3, et se nomment EPA[1] et DHA[2].
- Il est certain que les poissons, même s'ils sont peu gras, peuvent le devenir très facilement selon le mode de préparation ou de cuisson utilisé, que ce soit à la maison ou au restaurant.
- Rappelons que la famille des oméga-3 comprend:

  EPA: huiles de poisson
  DHA: huiles de poisson
  Acide alpha-linolénique: lin, canola, soya, etc.

1. EPA: acide éicosapentaénoïque
2. DHA: acide docosahexaénoïque

174 *Notre corps peut-il fabriquer les mêmes gras superinsaturés que les poissons ?*

- Si vous ne voulez pas manger de poissons, ne vous en faites pas : les gras qu'on retrouve dans les huiles de poisson (EPA et DHA) peuvent être fabriqués dans notre organisme à partir de l'acide gras essentiel alpha-linolénique, bien que ce soit un processus lent.

175 *Pourquoi les acides gras oméga-3 sont-ils importants ?*

- Les effets des oméga-3, qu'ils proviennent des végétaux ou des poissons, tiennent au fait qu'ils sont à l'origine de certaines prostaglandines (PGE3), substances bénéfiques très importantes.
- Le type de prostaglandines produites à partir des huiles de poisson donne des effets semblables à celles provenant de l'acide linoléique et de l'acide gamma-linolénique (huiles d'onagre et de bourrache).
- Cependant, il faut savoir qu'un apport excessif en acide linoléique (oméga-6) peut être nocif car il favorise son oxydation et peut ainsi contribuer à la formation de la plaque athéroscléreuse. Il peut aussi se transformer en acide arachidonique et donc en PGE2. Enfin, il diminue la synthèse des PGE3 en compétitionnant pour le même système enzymatique (celui qui permet la transformation des oméga-3 en PGE3)

  Pour mieux comprendre, observez le schéma de la page suivante.

À noter : Les Inuit ont toujours consommé les poissons crus. Par conséquent, la qualité et la quantité des oméga-3 y sont optimales.

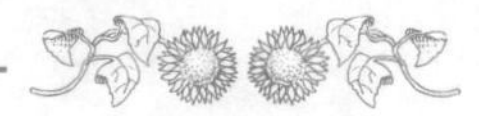

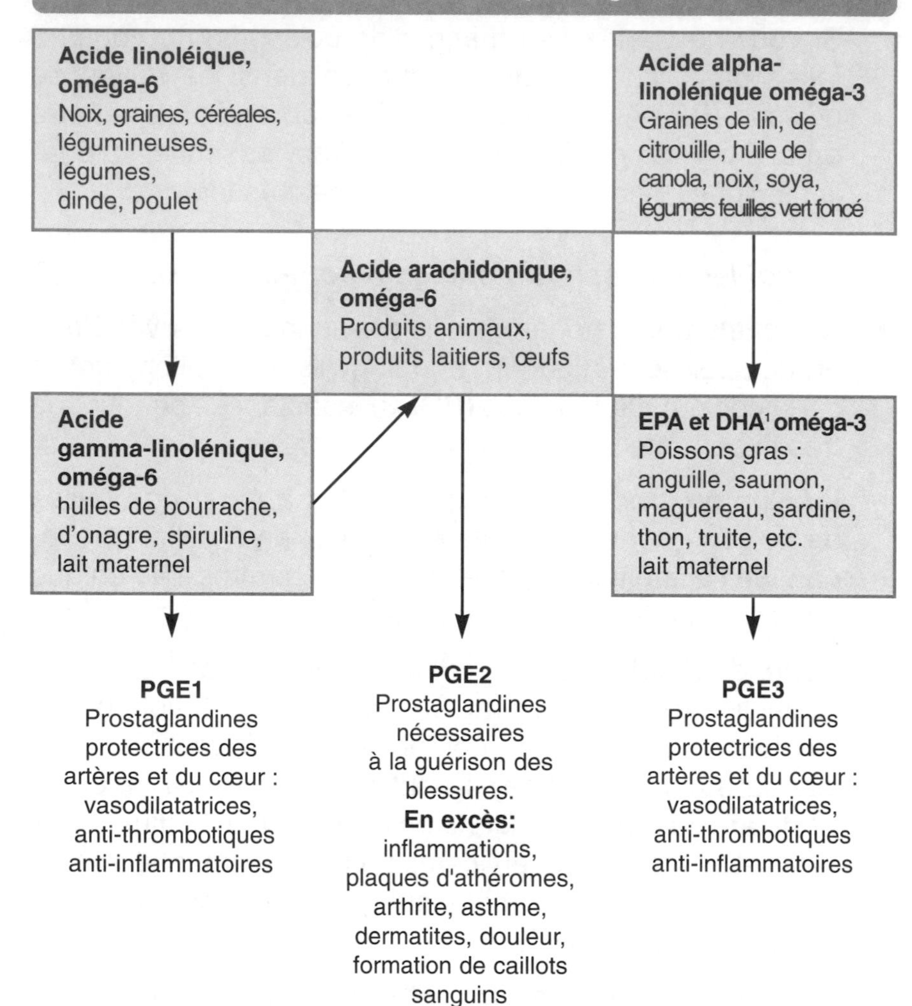

idée Les grands mangeurs de viande devraient troquer une partie des gras animaux contre de bonnes sources d'acides gras essentiels : les noix et graines et leurs huiles. Les végétariens font moins d'arthrite.

1. L'EPA et le DHA sont les huiles des poissons gras.

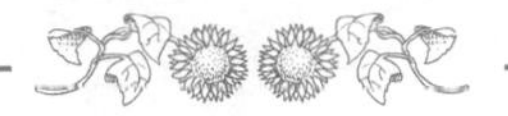

176 Quels sont les effets bénéfiques des huiles de poisson ?

- Empêcher la formation de caillots sanguins.
- Prévenir les complications cardiovasculaires associées au diabète telles que la cécité et la gangrène.
- Empêcher le cholestérol et les plaquettes sanguines de coller aux artères.
- Faire diminuer surtout le taux de triglycérides et possiblement de LDL (transporteur du cholestérol vers les cellules) tout en élevant légèrement le taux de HDL (bon transporteur du cholestérol des cellules et des artères vers le foie, d'où il sera éliminé via la bile).[1]
- Favoriser une baisse de la tension artérielle et de l'athérosclérose.
- Améliorer toutes les formes d'arthrite, le psoriasis et les migraines.[2]

177 Quels sont les poissons les plus riches en EPA et DHA ?

- Évidemment, les poissons gras sont les meilleures sources : maquereau, thon, saumon, anguille, etc.
- Il faut les consommer provenant de leur milieu naturel. Le poisson de pisciculture contient de 30 à 50 % moins d'oméga-3 !
- Les poissons doivent avoir été parfaitement conservés, car leurs gras polyinsaturés s'altèrent rapidement.
- La plus grande quantité des huiles de poissons se trouve juste sous leur peau. Ces gras représentent pour eux un véritable antigel, empêchant leur chair de geler dans les eaux très froides.

1. Bonaak et coll. «Habitual fish consumption, plasmaphospholipid fatty acids and serum lipids. » Am J Clin Nutr, 1992, 55; 1126-34.
2. Deuron, C.,« Marine oils and their effects ». Nutrition Reviews, 1992, 50; 38-45.

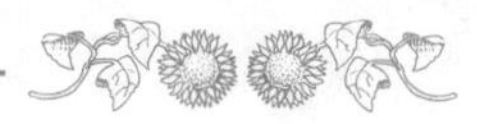

DU POISSON POUR LE CŒUR ?

178 *Pour la santé du cœur, devrions-nous absolument consommer du poisson ?*

- Les articles sur les bienfaits associés aux poissons gras abondent, quasiment plus que les poissons dans notre beau fleuve Saint-Laurent !
- En général, on recommande 2 à 3 repas de ces poissons par semaine comme mesure préventive pour les maladies cardiovasculaires.
- Tout étant relatif, demandons-nous premièrement si nous sommes une personne à risque ou une personne en pleine santé. Il faut remarquer que les Nord-Américains, grands consommateurs de viande et autres gras saturés, s'intéressent beaucoup aux effets des oméga-3 des poissons sur les maladies cardiovasculaires. Les peuples à tendance végétarienne s'en préoccupent beaucoup moins, n'étant pas aux prises avec des artères encrassées !

PERSONNE À RISQUE

- Si mon menu quotidien se compose de viande, de produits laitiers, d'œufs, si je mange des céréales raffinées, très peu de légumes et que le fast-food et les desserts font mon bonheur et qu'en prime je ne fais pratiquement pas d'exercice, alors dans ce cas, manger du poisson 3 fois par semaine serait une très bonne idée et... marcher pour aller l'acheter serait encore mieux !
- Il est vrai que plus vous mangerez de poissons, sans panure, sans friture et sans sauce grasse, moins vous consommerez de gras et mieux ce sera pour vous ! De plus, vous diminuerez les gras saturés de votre menu au profit des oméga-3, donc vous diminuerez votre taux de cholestérol sanguin et de triglycérides.

PERSONNE EN SANTÉ

- Si mon régime est déjà axé sur les céréales entières, les légumineuses, les noix, les graines, leurs beurres et leurs huiles, spécialement le lin (meilleure source végétale d'oméga-3), la citrouille et le soya, si j'aime les légumes verts et que je fais de l'exercice régulièrement, les huiles de poisson n'apparaissent pas indispensables.

POISSONS À RISQUE

- MALHEUREUSEMENT, dans l'eau des fleuves, des lacs, et des océans, on retrouve des taux élevés de polluants issus de nos activités terrestres! Métaux lourds, résidus de pesticides et industriels, etc. passent en quantités variables dans les huiles de poissons.
- D'après le *Canadian Medical Association Journal* de juillet 1993, le plus haut taux de biphényls polychlorés (BPC) se retrouve chez les femmes ayant consommé des poissons frais et d'autres animaux marins.
- La revue *L'Actualité* du 1er septembre 1995 rapporte que selon le *Boston Globe*, le plus grand désastre écologique des temps modernes serait l'épuisement presque total de toutes les espèces commerciales de poissons dans les mers et les océans.

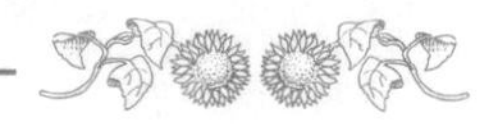

LES SUPPLÉMENTS D'HUILES DE POISSON

179 *De quels poissons sont tirées les huiles de poisson ?*

- Elles sont extraites des poissons gras, tels le saumon, le thon, le hareng.
- Certains suppléments contiennent de l'huile de foie de poisson, tandis que d'autres renferment de l'huile extraite de la chair des poissons. Le taux de vitamines A et D de ces derniers est plus bas.

180 *Les suppléments d'huile de poisson sont-ils efficaces ?*

- Il existe de la controverse à ce sujet. Ainsi, on se demande si l'absence d'obstruction des artères des Inuit du Grœnland est due à la teneur en EPA et DHA des poissons ou à d'autres facteurs présents dans les poissons ou simplement à leur faible consommation de gras saturés.
- Actuellement, il n'y a pas d'uniformité dans le contenu des suppléments ou dans le dosage proposé. De plus, certains huiles extraites de foie de poissons, comme l'huile de foie de morue, sont très riches en vitamines A et D. Ces vitamines s'accumulent dans notre organisme et peuvent devenir toxiques si on les prend en grandes quantités.
- Les huiles de poisson peuvent contenir des substances toxiques à cause de la pollution des eaux : BPC, métaux lourds, résidus de pesticides, etc.
- L'Association Américaine du Cœur ne recommande pas les suppléments, mais plutôt de consommer du poisson gras trois fois par semaine sur une base régulière : saumon, sardine, thon, truite de lac, etc.
- Les personnes sujettes aux hémorragies ou qui souffrent du diabète devraient consulter un médecin avant de prendre ces suppléments.

- Rappelons que l'huile de lin représente la meilleure source d'oméga-3. Elle en apporte dix fois plus que les poissons, sans être reliée à des problèmes de pollution des eaux ou de pénurie.

PLUSIEURS EXPERTS CONSIDÈRENT QUE LES SOURCES VÉGÉTALES D'ACIDE ALPHA-LINOLÉNIQUE (OMÉGA-3) SONT PRÉFÉRABLES AUX HUILES DE POISSON. ELLES NE RENFERMENT PAS DE CHOLESTÉROL ET CERTAINES SONT BIO.

LES FRUITS DE MER

Les fruits de mer comprennent une variété de petits animaux qu'on classe dans les mollusques et les crustacés.

Les mollusques rencontrés le plus fréquemment sur les tables sont les moules, les huîtres, les pétoncles et les coquilles Saint-Jacques. Leur nom vient de *Mollis* qui signifie « noix à écorce molle ». Certains possèdent une valve (ex. : escargot, bigorneau), d'autres sont bivalves (ex. : moule, pétoncle) et un certain nombre n'ont pas de coquille. On connaît leur capacité à filtrer l'eau.

Les crustacés, baptisés ainsi à cause de leur coquille plus ou moins dure, rassemblent les crabes, homards, écrevisses, crevettes, langoustes et langoustines. Ils vivent plus en profondeur que les mollusques et ne filtrent pas l'eau.

181 Quelle est la valeur nutritive des fruits de mer?

- Ce sont des produits très riches en protéines. Ils offrent une bonne teneur en niacine (B_3) et en B_{12}.
- Leur intérêt réside dans leur richesse en minéraux et en oligo-éléments. Par exemple, les huîtres et les moules constituent une source exceptionnelle de fer et de zinc. Ils fournissent aussi du phosphore, du sélénium (un antioxydant), du fluor et de l'iode.
- Le goût légèrement sucré des mollusques leur vient des glucides qu'ils renferment.

182 Les fruits de mer sont-ils riches en gras?

- Non. En fait, ce sont des aliments qu'on peut qualifier de maigres, mais leur teneur en cholestérol est semblable à celle de la viande en général. Rappelons que le cholestérol pose des problèmes s'il est associé à un excès de gras saturés (viande et produits laitiers).
- Les fruits de mer ne sont pas des sources aussi importantes d'oméga-3 que les poissons gras.
- Le tableau suivant montre que les fruits de mer fournissent plus de gras insaturés que de gras saturés.

Teneur en gras et en cholestérol des fruits de mer par portion

Aliments	Lip. (g)	AGS (g)	AGM (g	AGP (g)	Chol. (mg)
Crabe cuit, 250 mL (1t.)	1,3	0,2	0,2	0,4	125
Crevettes bouillies, 8	0,8	1,6	0,8	1,6	88
Écrevisses bouillies, 100 mL	0,8	0,1	0,2	0,2	105
Escargots crus, 100 g (3 oz)	1,4	0,4	0,4	0,3	50
Homard, 200 mL	0,6	0,1	0,2	0,1	72
Huîtres bouillies, 12	3,6	1,1	0,5	1,2	96
Moules bouillies, 12	2,4	0,4	0,5	0,5	24
Palourdes bouillies, 12	2,4	0,2	0,2	0,8	96
Pétoncles crus, 12	1,2	0,1	0,1	0,5	60

Note : Lip. : lipides ; AGS : acides gras saturés ; AGM : acides gras monoinsaturés ; AGP : acides gras polyinsaturés ; chol. : cholestérol.

183 Les fruits de mer sont-ils essentiels dans une alimentation saine ?

- Les végétariens n'ont pas à s'en faire : ils n'apportent rien que les aliments de source végétale ne nous offrent déjà.

184 Les mollusques sont-ils très touchés par la pollution de l'eau ?

- On les appelle des vidangeurs... par exemple, les huîtres peuvent filtrer jusqu'à 3 litres d'eau à l'heure. De plus, ils ont la facilité de concentrer dans leur intestin les bactéries, virus, métaux toxiques et polluants. Par conséquent, si l'eau est polluée, le risque qu'ils soient contaminés est d'autant plus élevé.
- Actuellement, ils sont de plus en plus victimes de la pollution par les égouts industriels et domestiques, par les matières fécales, par certains produits chimiques issus du drainage des terres de culture et d'élevage, par l'épandage d'insecticides, etc.

- Même si la culture des moules et des huîtres se fait dans des bassins où l'on analyse l'eau, on peut assumer que la qualité globale de l'eau n'est plus ce qu'elle était!
- Le *New England Journal of Medicine*[1] rapporte qu'aux États-Unis, les microbes et les toxines contenus dans les mollusques, notamment les huîtres, les moules et les palourdes, sont responsables de 31% des cas d'intoxication alimentaire associés aux fruits de mer et 66% de tous les cas d'intoxication alimentaire.
- La consommation de mollusques crus représente un grand risque pour la santé. Les toxines ne sont pas nécessairement détruites par la cuisson.
- Les auteurs du livre *À table sans risque*[2] demandent aux citoyens de presser le gouvernement d'agir contre la pollution. À propos des mollusques, ils donnent ces conseils:

  «Jusqu'à ce que les mollusques soient certifiés, demandez au gouvernement que la mise en garde suivante apparaisse sur les emballages de mollusques dans les marchés et les restaurants qui vendent des mollusques crus: Manger des huîtres, des moules ou des palourdes crues peut causer de sérieuses maladies et même la mort, notamment chez les personnes qui souffrent de troubles hépatiques, de cancer ou d'autres maladies chroniques qui affaiblissent le système immunitaire. Si vous tombez malade après l'ingestion de mollusques crus, consultez immédiatement un médecin.»

- Si vous tenez à consommer ces produits, assurez-vous qu'ils soient très frais et informez-vous de la provenance. De plus, évitez de les faire frire ou de les noyer dans le beurre à l'ail!!!

1. *New England Journal of Medicine,* 319: 1228, 1988.
2. Dr Michael F. Jacobson, Lisa Y. Lefferts et Anne Witte Garland, *À table sans risque*, Stanké, 1993.

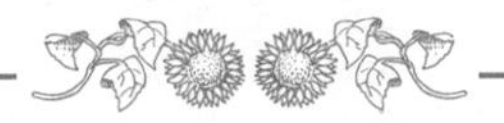

185 Quels sont les symptômes d'une intoxication ?

- Généralement des malaises digestifs : nausées, vomissements, crampes abdominales, diarrhée. Les symptômes apparaissent environ 48 heures après l'ingestion.

186 Qu'est-ce que l'intoxication paralysante aux mollusques ?

- Au Québec, il y a quelques années, des personnes ont été gravement intoxiquées par des moules. Ces dernières étaient devenues toxiques suite à l'ingestion d'une certaine algue microscopique (Gonyaulax). Cette algue ne donne aux moules aucun signe distinctif. Elles n'ont ni odeur ni goût particuliers et ne souffrent d'aucune intoxication elles-mêmes.
- Cette intoxication, qui a surtout atteint des personnes affaiblies, provoque des picotements et de l'engourdissement dans le visage, les doigts, les orteils, les bras et les jambes. Dans les cas plus graves, elle entraîne des troubles de l'équilibre, des vomissements et même la paralysie respiratoire et la mort.

Rappelez-vous qu'il n'y a pas un aliment miracle capable de nourrir parfaitement et de tout guérir. Il ne faut jamais perdre de vue **l'ensemble** de ce que nous mangeons, en diminuant la quantité totale de gras et en choisissant LA QUALITÉ. Mettre l'emphase sur un seul type de gras (par exemple les oméga-3) au détriment des autres peut conduire à d'autres problèmes.

Les poissons et les fruits de mer ne sont pas indispensables dans une alimentation saine et naturelle. D'autres aliments peuvent fournir tous les éléments nutritifs nécessaires sans présenter l'inconvénient des risques d'intoxication.

CHAPITRE

17

Viande et volaille

Mange ta viande, si tu veux être grand et fort, avons-nous souvent entendu dans notre jeunesse. Est-ce vrai? Doit-on absolument manger de la viande pour être en santé? Nous croyons plutôt le contraire. Tout semble démontrer qu'il en est de la viande comme de la cigarette: le danger croît avec l'usage!

De nos jours, de plus en plus de gens veulent diminuer leur consommation de viande. Plus il y aura d'information juste sur les répercussions d'un régime axé sur les produits animaux, plus les changements d'habitudes alimentaires s'imposeront d'eux-mêmes.

Plusieurs personnes commencent par diminuer progressivement la viande rouge, et augmentent leur consommation de volaille et de poisson. À mesure qu'elles découvrent les céréales entières, les légumineuses, les noix et les graines, les changements s'installent naturellement.

Les sources de protéines végétales sont adéquates pour maintenir l'homme en bonne santé. Malheureusement, au lieu de les choisir directement pour nous nourrir, on préfère en nourrir les animaux qui sont à leur tour destinés à notre alimentation! Ceci constitue une conversion inutile, très énergivore et aux conséquences désastreuses pour les animaux, pour nous, pour les autres peuples et pour toute la planète!

Regardons la viande avec un œil nouveau. L'« industrie » du bœuf dépense des sommes énormes pour se faire une image positive. Elle engage des athlètes pour nous convaincre que nous risquons des carences en protéines et en fer si nous nous abstenons de viande. Pourtant, de grands champions internationaux et olympiques sont végétariens et battent des records.

VALEUR NUTRITIVE

187 *Quelle est la valeur nutritive des viandes ?*

- Toutes les viandes sont très riches en protéines. Par contre, la teneur en gras varie selon l'animal et les coupes. La viande ne contient pas de glucides et de fibres alimentaires. Une viande dite fibreuse renferme beaucoup de collagène, protéine très dure.
- Une alimentation très carnée est généralement cause de constipation, d'hernies et de diverticulose, problèmes de santé fort incommodants.
- Les principales vitamines sont la B_2, la B_3, la B_6 et la B_{12}. Toutes ces vitamines sont disponibles en abondance dans les végétaux, sauf la B_{12}.
- Les principaux minéraux sont le phosphore, le fer et le zinc. Une portion de bœuf fournit entre 2 et 3 mg de fer. Le fer de la viande s'assimile bien. Une portion de 250 mL (1 t.) de haricots rouges cuits en contient plus de 4 mg, mais il faut lui associer de la vitamine C pour en augmenter l'absorption.
- Le ratio calcium/phosphore n'est pas équilibré. Une alimentation riche en protéines animales et en phosphore est décalcifiante.

- Le foie renferme beaucoup de protéines, peu de gras, beaucoup de cholestérol. Il est riche en vitamines du groupe B et en fer. Toutefois, on peut être concerné par sa teneur en résidus chimiques (médicaments, etc.), car c'est un organe de détoxication.

Quelle est la teneur en gras de la viande ?

- Les viandes renferment surtout des gras saturés et monoinsaturés mais peu de gras polyinsaturés (essentiels).

Pourcentage des différents gras dans les viandes et volailles

Viandes et volailles	AGS %	AGM %	AGP %
Agneau américain	43	41	8
Agneau de Nouvelle-Zélande	50	38	5
Boeuf	40	43	3
Veau	40	37	8
Porc	36	47	11
Poulet	28	37	30
Dinde	34	22	30
Canard	38	33	13
Oie	36	34	12

Note : AGS : acides gras saturés; AGM : acides gras monoinsaturés; AGP : acides gras polyinsaturés

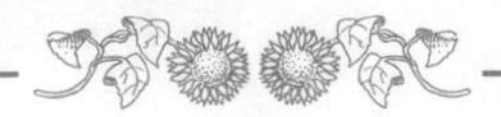

CONSÉQUENCES DE LA CONSOMMATION DE VIANDE

189 ***Pourquoi de plus en plus de gens veulent-ils diminuer leur consommation de viande?***

- En Amérique du Nord et dans les autres pays industrialisés, un très grand nombre de personnes, une sur six, souhaitent manger d'autres sources de protéines que la viande.
- De plus en plus de raisons majeures ébranlent les habitudes d'achat du consommateur.

NATURE DES GRAS DE LA VIANDE ET MALADIES

- Les produits animaux contiennent surtout des gras saturés et du cholestérol. Le niveau de consommation actuelle est relié à l'escalade des maladies dégénératives: obésité, maladies cardiovasculaires, athérosclérose, certains cancers, arthrite, etc.

UNE PORTION DE VIANDE CONTIENT
LA MÊME QUANTITÉ DE CHOLESTÉROL,
QU'ELLE SOIT MAIGRE OU GRASSE.

TOXICITÉ

- La viande pourrait contenir des résidus d'hormones et d'antibiotiques administrés aux animaux, pour leur faire gagner du poids plus rapidement, pour augmenter leur rendement, pour diminuer les coûts de production et pour les protéger des infections.
- Aux États-Unis, la moitié de la production annuelle des antibiotiques (16 millions de kg) est destinée au bétail. Conséquences: certaines bactéries pathogènes deviennent résistantes aux antibiotiques chez l'animal et chez les individus. En cas d'urgence, nous devenons donc difficiles à soigner. Une sonnette d'alarme en ce sens vient d'être tirée au congrès mondial de chimiothérapie tenu à Montréal, au cours de l'été 1995.
- La viande pourrait renfermer des **résidus de pesticides et de médicaments**. Les pesticides et autres substances chimiques étrangères s'emmagasinent dans les tissus gras de l'animal. Plus nous consommons de viande et de produits laitiers, plus nous mangeons également de cette potion chimique indésirable et nocive pour notre santé. Il est très simple d'éviter le plus possible toutes ces substances cancérigènes. Il suffit de diminuer de plus en plus notre consommation de produits animaux!
- Parce qu'ils se situent à la fin de la chaîne alimentaire, la viande et le lait concentrent les résidus de pesticides.

COÛT ÉLEVÉ

- La viande coûte cher, non seulement à l'achat, mais à la production et à la conservation.

CONDITIONS D'ÉLEVAGE ET D'ABATTAGE

- Les traitements inhumains infligés aux animaux de boucherie sont contraires à l'éthique. Plus nous pourrons être informés des conditions de vie (est-ce vraiment une vie?) de ces «êtres vivants», plus nos habitudes de consommation se transformeront.

CONSÉQUENCES ÉCOLOGIQUES

- Les répercussions écologiques sont désastreuses et le gaspillage énergétique est inacceptable: demande en eau potable et en sols cultivables, déforestation pour les pâturages, désertification, pollution inhérente aux élevages intensifs, production de 25% des gaz à effet de serre, sans compter les CFC nécessaires à la réfrigération conduisant au réchauffement de la terre et à des perturbations climatiques qui menacent notre survie.

LA FAIM DANS LE MONDE

- La consommation excessive de produits animaux crée un grand déséquilibre dans la répartition des denrées alimentaires mondiales.
- Des peuples crèvent de faim, alors que d'énormes quantités de nourriture et d'eau potable servent à nourrir le bétail des sociétés mieux nanties.
- Dans un même pays, la pénurie et l'exportation de denrées alimentaires vers les pays riches se côtoient souvent. Le Brésil, où un individu sur deux souffre de malnutrition, est le 2e producteur de soya au monde (en voie de devenir le premier). Il exporte ses fèves vers les États-Unis pour nourrir le bétail.

- La FAO (Organisation des Nations Unies pour l'alimentation et l'agriculture) estime la production mondiale de nourriture à 3000 calories par personne et par jour, soit bien assez pour couvrir les besoins individuels moyens. Pourquoi alors tant de sous-nutrition? Il faut savoir qu'une immense part est destinée au bétail et que 20% de la production est gaspillée. Incroyable mais vrai!

LAISSONS PARLER LES CHIFFRES

- Le Canadien moyen consommera dans sa vie environ 12 bœufs, 20 cochons, 11 moutons, 1438 poulets, 30 dindes, 11275 œufs, 398 kg de poissons et fruits de mer, 530 kg de margarine/beurre! C'est beaucoup de vies, d'énergie et de gras pour un seul homme, et dire qu'on peut être en meilleure santé sans rien consommer de tout cela!
- Que de frais médicaux on pourrait épargner à l'heure où nos gouvernements croulent sous leurs dettes!
- Une réduction de seulement 10% de la consommation de viande dans les pays industrialisés fournirait suffisamment de produits végétaux pour nourrir 60 millions d'êtres humains qui meurent de faim chaque année.
- Un acre de terre cultivée en légumineuses fournit 10 fois plus de protéines utilisables que la même surface utilisée pour produire 500 grammes (1 livre) de bœuf.

ADIEU VEAU, VACHE, COCHON!

190 *Pour quelles raisons mange-t-on de la viande?*

- Comme source de protéines et d'énergie.
- Elle fait partie de nos traditions culinaires.
- Elle est simple à préparer.
- On ne sait pas par quoi la remplacer.
- Elle est omniprésente: restaurant, marché, publicité...
- Par goût.

191 *Peut-on se passer de viande facilement?*

- Il est prouvé que plus on mange VARIÉ, VÉGÉTAL ET VIVANT, plus on est en santé! Commencez à diminuer progressivement la viande en préparant certains repas sans viande. Au lieu d'en manger chaque jour, en manger chaque semaine, puis chaque mois, puis à l'occasion...
- Apprendre à reconnaître les bonnes sources de protéines et des autres éléments nutritifs, pour se sentir confiant de ses choix. Et que de belles découvertes en perspective!
- La section Recettes de ce livre vous inspirera!

VOLAILLE

La consommation de volaille, notamment de poulet, n'a cessé d'augmenter depuis une trentaine d'années. C'est aujourd'hui la viande la plus populaire. Le poulet figure dans les menus du monde entier.

En 1993, le Québec a fourni près de 30% de la production canadienne de poulet et 23% de la production de dinde.

Maintenant, la plupart des gens croient qu'il est préférable de manger des viandes blanches plutôt que des viandes rouges. Par contre, on ne choisit pas toujours le meilleur mode de cuisson : le poulet frit se vend encore très bien !

Le terme volaille désigne également d'autres oiseaux de basse-cour : dinde, canard, oie, pintade.

192 *Quelle est la valeur nutritive générale de la volaille ?*

- Elle ressemble à celle des autres viandes : des protéines, plus ou moins de gras mais autant de cholestérol.
- On y retrouve surtout certaines vitamines du complexe B : B_2, B_3, B_6 et B_{12}. Les céréales à grains entiers et les légumineuses sont de meilleurs pourvoyeurs, sauf en B_{12}, cette vitamine étant presque absente du règne végétal.

193 *Le poulet est-il riche en fer ?*

- Il est moins riche en fer que le bœuf et les légumineuses : de 1 à 1,5 mg par 100 g. La chair brune de la viande en renferme un peu plus. La caille est la volaille qui en fournit le plus : 4,5 mg par 100 g.

194 *Est-ce que les volailles sont des viandes maigres ?*

- La teneur en gras varie non seulement selon l'espèce, mais aussi selon la partie de l'oiseau.
- Les parties les plus grasses sont les pattes et le dos.

- La chair blanche du poulet est plutôt maigre tandis que la chair brune et la peau sont nettement plus grasses. Le poulet sans peau fournit environ 5 % de gras, mais avec la peau, la quantité grimpe à 11 %.
- Le canard et l'oie apportent plus de gras que le poulet et la dinde.

195 Quelles sortes de gras renferme la volaille ?

- On y trouve des gras insaturés en plus grande quantité que dans la viande en général. Consulter le tableau p. 241.

196 Est-ce que la volaille apporte des éléments nutritifs qu'on ne retrouve pas dans les végétaux ?

- Excepté la vitamine B_{12}, spécialement fournie par le règne animal, les produits végétaux dans leur ensemble (céréales, légumineuses, noix et graines, fruits et légumes) apportent tous les éléments nutritifs pour nourrir parfaitement l'être humain.

197 Quels sont les risques d'intoxication alimentaire ?

- La volaille est très souvent porteuse de bactéries (salmonelle et campylobacter) qui causent des intoxications plus ou moins graves. Les salmonelles peuvent aussi être présentes dans divers produits à base de viande et dans les œufs.
- Il faut prendre toutes les mesures d'hygiène, de l'achat à la cuisson. Ces microorganismes se développent très rapidement à la température ambiante. La cuisson doit être complète et la température interne du poulet atteindre 85 °C.

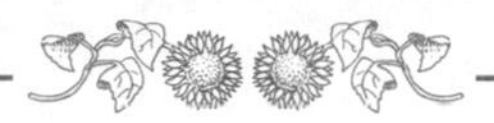

- Les intoxications sont fréquentes, avec des conséquences plus ou moins graves selon la santé de la personne affectée. Chez les jeunes enfants et les personnes âgées, une telle affection peut être mortelle.
- Les symptômes apparaissent de 8 à 24 heures après l'ingestion, et durent de 2 à 3 jours, mais certains individus en souffrent pendant plusieurs semaines. Ils se caractérisent par des crampes, vomissements, frissons, diarrhée et fièvre.

idée Mangeons plus souvent des protéines végétales. Les aliments végétaux sont rarement incriminés dans les intoxications alimentaires.

CHAPITRE

18

La qualité dans la cuisine

Maintenant que nous savons quels gras choisir, il ne faut surtout pas en gaspiller la QUALITÉ par une mauvaise conservation ou certaines méthodes de cuisson. Nous pouvons certainement nous demander si ce n'est pas, en partie, la consommation de tant de gras surchauffés qui serait en cause dans les maladies cardiovasculaires, certains cancers et maladies dégénératives.

LA QUALITÉ DE LA CONSERVATION

198 *Quelle est la meilleure façon de conserver les corps gras?*

- Les ennemis de tous les corps gras sont la lumière, l'air et la chaleur. Ils provoquent leur détérioration à plus ou moins long terme.

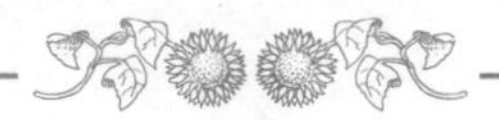

199 Comment acheter des noix et graines de qualité ?

- En faire provision à l'automne pour un maximum de fraîcheur et un meilleur prix.
- En écales : choisir des noix lourdes, aux écales brillantes et intactes. Achetées non écalées, elles sont plus économiques et résistent mieux au rancissement.
- Écalées : toujours choisir des noix et des graines intactes et croquantes.
- Éviter les noix et graines déjà rôties ou salées ainsi que les pistaches colorées en rouges. Leur couleur naturelle est beige !
- Choisir du beurre d'arachide naturel. À l'épicerie, le beurre d'arachide contenant de l'huile hydrogénée, du sucre et du sel règne le plus souvent en maître ! Un non-sens pour la santé et pour le goût ! Achetons-le nature, sans additif, le plus frais possible. Lisons les étiquettes.
- Les beurres d'amande, de sésame, de tournesol ou de citrouille se trouvent dans les magasins d'aliments naturels.
- Pour un maximum de saveur et de fraîcheur, il est possible de faire soi-même des beurres de noix ou de graines à l'aide d'un robot ou d'un bon mélangeur. Certaines épiceries possèdent un appareil spécifique à cet usage.

200 Où conserver les noix, les graines et leurs beurres?

- Les noix et graines en écales se conservent à l'abri de la lumière, de la chaleur et de l'humidité dans des contenants hermétiques. Il n'est pas nécessaire de les mettre au réfrigérateur si on les consomme rapidement.
- Les produits écalés de bonne qualité (non rôtis, non salés) se gardent au réfrigérateur dans un contenant hermétique pour les isoler des odeurs que les gras peuvent capter.
- Pour une longue conservation, on peut les congeler. Cependant, la congélation détruit une partie de la vitamine E.
- Les beurres de noix ou de graines doivent être réfrigérés dès que le pot est ouvert. N'oublions pas que les bons produits ne sont pas farcis de gras hydrogénés et d'additifs....

Rangeons les noix et graines dans des contenants en verre. On les voit et on les utilise davantage.

201 Comment et pendant combien de temps doit-on conserver les huiles?

- Avant d'acheter l'huile, vérifiez la date de pressage ou encore la date de péremption (meilleur avant) selon les marques. Quelques bonnes marques l'indiquent sur la bouteille. Sinon, faisons part de notre exigence auprès des détaillants, ou mieux des fournisseurs.

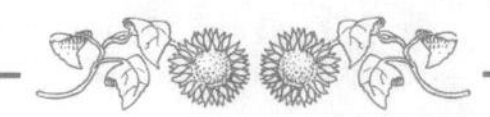

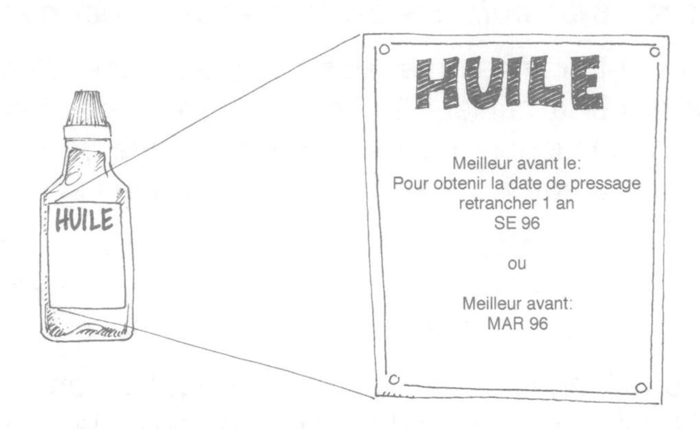

- Toujours conserver les huiles à l'abri de l'air, de la chaleur et de la lumière. Une bouteille d'huile non ouverte se garde environ un an.
- L'huile de lin fait exception. Elle se conserve seulement de 4 à 6 mois, toujours au réfrigérateur, même avant l'ouverture de la bouteille. Les formats sont d'ailleurs plus petits et comportent une date de péremption. Une fois ouverte, l'huile de lin devrait être consommée dans les trente jours.
- Il est préférable de **conserver toutes les huiles au réfrigérateur** et de les consommer dans un laps de temps raisonnable.
- **Temps de conservation d'une bouteille d'huile ouverte**

  Huile polyinsaturée: 3 mois
  Huile monoinsaturée: 6 mois
  Huile de lin: 1 mois
- Prendre l'habitude de refermer la bouteille aussitôt après l'usage et la ranger au froid sans tarder.

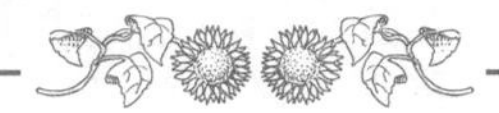

À noter — Les huiles raffinées sont vendues dans le commerce dans des bouteilles transparentes. Il vaut mieux être plus attentif à la conservation de produits de qualité que de choisir des produits raffinés nocifs pour la santé.

202 Comment reconnaître un produit rance?

- Les premières fois qu'une personne utilise une huile pressée à froid, elle peut être surprise par la saveur et l'odeur plus prononcées et penser que l'huile est rance. Il ne faut pas se méprendre!
- Une huile ou tout autre corps gras rance laisse un goût très amer, très désagréable et piquant **dans l'arrière-gorge**. De plus, votre odorat peut aussi être un bon indicateur. L'odeur dégagée sera alors très forte et agressante. Ne pas confondre avec le parfum du produit d'origine!

203 Comment se produit le rancissement ou l'oxydation des gras?

- Le contact avec la lumière (photons), l'air (oxygène) et la chaleur sont des facteurs primordiaux de la dégradation des corps gras.
- Lorsque les noix, les graines, les beurres de noix ou leurs huiles rancissent, c'est l'oxygène de l'air qui attaque les gras. Il se forme alors progressivement des peroxydes au goût et à l'odeur désagréables qui deviennent de plus en plus faciles à détecter à mesure que le temps avance. Un produit rance est toxique. À ne pas consommer!

- Rappelons-nous que plus un aliment contient de gras polyinsaturés (plusieurs liens doubles), plus il est fragile au rancissement.
- Une huile non raffinée est un peu plus sensible au rancissement qu'une huile raffinée, car elle possède encore des substances telles des acides gras libres et des pigments susceptibles de faire rancir. D'autre part, elle contient de la vitamine E qui la protège. Il faut absolument la conserver dans de bonnes conditions.

204 *Est-il normal que l'huile d'olive fige au réfrigérateur?*

- Oui. L'huile d'olive et toutes les huiles riches en gras monoinsaturés se solidifient au froid (canola, noisette). C'est un phénomène comparable à l'eau qui devient de la glace au congélateur. Cela n'entraîne aucune altération du produit. Toutes les huiles riches en monoinsaturés subissent facilement le même phénomène.
- L'huile solidifiée redevient liquide assez rapidement après l'avoir sortie du réfrigérateur. Si vous utilisez ces huiles pour faire revenir des légumes, voici un truc: verser le contenu de la bouteille dans un contenant en verre à large ouverture, ainsi vous pourrez prendre l'huile à la cuiller.

LA QUALITÉ DE LA CUISSON

Le mode de cuisson joue un rôle important dans les erreurs alimentaires. C'est même un problème majeur. Voyons comment il faut traiter les gras pour qu'ils nous rendent les meilleurs services possibles.

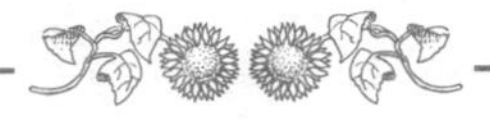

205 *Qu'arrive-t-il à un corps gras quand on le chauffe?*

- Un corps gras qu'on chauffe est soumis à la fois à un excès de chaleur, à la lumière et à l'air, donc il se détériore d'autant plus rapidement que la température monte.
- Les gras polyinsaturés sont les plus touchés, notamment les acides gras essentiels qui ne peuvent plus ainsi accomplir leur rôle si important.
- À des températures dépassant 50 °C, les enzymes sont détruites. Plus la température monte, plus il se produit de nouvelles molécules dont on ne connaît pas nécessairement les impacts sur la santé.
- Selon sa composition, chaque corps gras possède un **point de fumée**, c'est-à-dire une température à laquelle les gras se décomposent et dégagent une fumée irritante pour les yeux et le nez. Tout corps gras qui a fumé renferme des substances toxiques et cancérigènes: il doit être jeté.
- Remarquez dans le tableau suivant que le beurre et la margarine résistent moins bien à la chaleur. Ils possèdent les points de fumée les plus bas.

Point de fumée des corps gras

Corps gras	Point de fumée
Beurre	130 °C
Margarine	140 °C
Suif	200 °C
Saindoux	210 °C
La plupart des huiles	220 °C

206 *Peut-on faire des fritures avec de l'huile pressée à froid?*

- Dommage pour les mordus de la friture, mais vaut-il vraiment la peine de se payer la meilleure huile pour la chauffer et la rendre néfaste pour la santé??? Quel gaspillage!
- La friture se fait à environ 180°C (350°F). L'huile ne fume peut-être pas, mais elle subit des changements. Avez-vous déjà remarqué le recouvrement gommeux des bassins de friture? Ce sont des gras qui ont adhéré entre eux (on les appelle des polymères). De plus, une partie des gras sont oxydés. Ils ne font pas partie des éléments nutritifs naturels et sains...

DANS UN MENU SANTÉ, IL RESTE TRÈS PEU DE PLACE POUR LA FRITURE!

207 *Dans les restaurants de type fast-food, avec quelle sorte de gras fait-on la friture?*

- Généralement, on utilise une graisse raffinée et hydrogénée apte à mieux supporter les hautes températures. Toutefois, les bains de friture chauffent sans arrêt pendant des jours entiers. L'huile absorbée par les aliments est remplacée par de la nouvelle graisse. De temps en temps, on filtre l'huile, mais on ne la remplace pas totalement par une nouvelle graisse. Peut-on parler de QUALITÉ?

À noter: Le gras absorbé pendant la friture représente de 12 à 14% du poids des pommes de terre frites et de 30 à 40% de celui des croustilles (chips)!

À QUAND LES FRITES SANS GRAS?

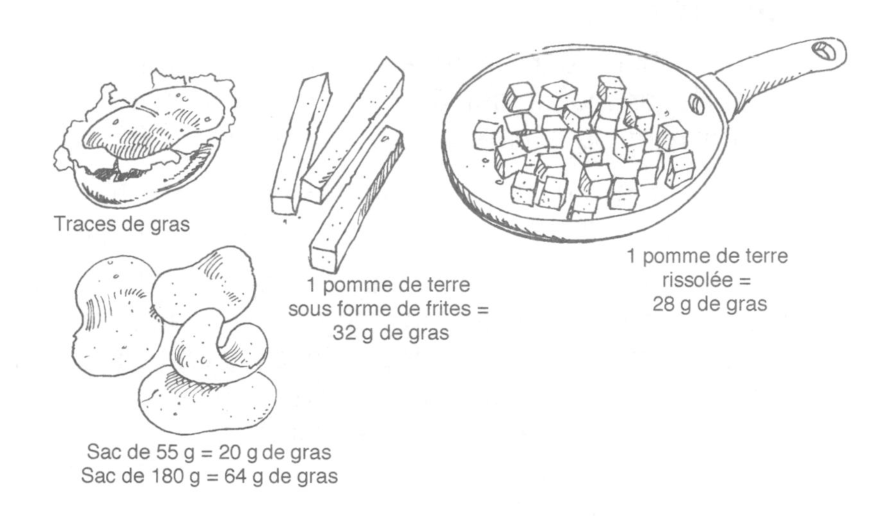

208 *Quelle serait le meilleur corps gras pour faire revenir (sauter) les légumes ?*

- Une huile monoinsaturée comme l'huile d'olive, de canola ou de sésame. Il faut éviter d'utiliser les huiles polyinsaturées plus sensibles à la détérioration par la chaleur.
- Le beurre clarifié, ou *ghee* en Inde, résiste mieux à la chaleur que le beurre régulier, car il ne contient pas d'eau et de solides du lait.
- Les graisses de palme, de palmiste ou de coco peuvent aussi s'utiliser. Ces produits tropicaux sont riches en gras saturés résistants à la chaleur, mais ils n'offrent pas les effets bénéfiques des huiles monoinsaturés (olive, canola, sésame).

Quelque soit le corps gras utilisé, il ne doit jamais fumer.

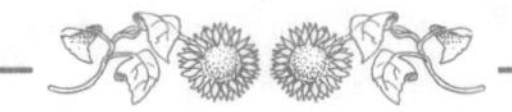

209 *Quelle est la meilleure méthode pour faire sauter les légumes?*

- La cuisine chinoise traditionnelle utilise un moyen qui protège l'huile : on met un peu d'eau dans le wok avant l'huile. L'eau maintient la température au-dessous de 100 °C.
- Autre méthode : on met les légumes quelques secondes avant l'huile, ce qui évite le risque de surchauffer l'huile.
- Une bonne poêle en téflon (il faut la choisir lourde) est un bon investissement. Si on la protège contre les températures fortes et qu'on utilise des ustensiles en bois ou en plastique, elle dure longtemps. Dès qu'on s'aperçoit qu'elle est égratignée, il vaut mieux la changer, même si on dit que le téflon est un produit inerte. Ce n'est sûrement pas ce que nous avons besoin d'ingurgiter.

À noter Ne pas faire chauffer d'huile dans une poêle en fonte, car le fer est un oxydant. Il cause la détérioration des gras insaturés.

- Les corps gras ajoutent beaucoup de saveur aux aliments, c'est pourquoi la friture est si populaire. Toutefois, ils ajoutent énormément de calories et souvent beaucoup de molécules produites artificiellement par la chaleur et probablement toxiques.

idée Évitons la friture dans l'huile en faisant cuire à la vapeur ou encore dans un minimum d'eau (à l'étuvée). On assaisonne ensuite avec notre bonne huile. Ça vaut la peine d'essayer !

MOINS ON CHAUFFE LES HUILES, MIEUX C'EST !

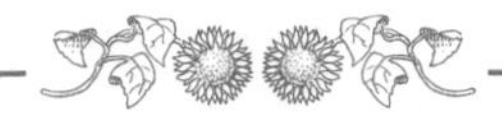

210 *Quelles est la bonne méthode pour faire cuire les légumes sans corps gras?*

- Il existe deux excellentes techniques: à la vapeur ou à l'étuvée.
- Avant de passer aux détails, voici un point très important: ne pas peler si possible et couper les légumes à la toute dernière minute. En effet, au contact de l'air, les vitamines s'oxydent rapidement. Ainsi altérées, elles ne peuvent plus accomplir leurs fonctions vitales dans nos cellules.
- **À la vapeur:**
  - Faire d'abord **bouillir l'eau** dans la casserole sous l'étuveuse **avant d'ajouter les légumes.**
  - De cette façon, la cuisson se produit plus rapidement et les pertes de vitamines y sont limitées.
  - La chaleur détruit les enzymes responsables de l'oxydation rapide des vitamines des légumes.
  - Ajouter les légumes, couvrir hermétiquement et surtout, ne pas trop cuire. Idéalement, les légumes devraient être légèrement croquants.
- **À l'étuvée:**
  - Porter à ébullition une **petite quantité d'eau**. Par exemple, pour 500 mL (2 t.) de carottes, il suffit d'environ 125 mL (1/2 t.) d'eau. À la fin de la cuisson, presque toute l'eau sera évaporée.
  - Une fois l'eau à ébullition, ajouter le légume, couvrir et porter de nouveau à ébullition.
  - Réduire la chaleur et maintenir une faible ébullition.
  - Cuire jusqu'au stade de cuisson désiré. Surveiller la cuisson pour que le légume ne colle pas au fond. Ajouter de l'eau bouillante si nécessaire.

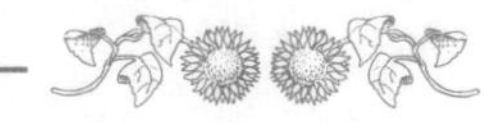

211 ***Puis-je utiliser de l'huile de première pression à froid dans une recette de muffins ou dans un gâteau ?***

- La température interne d'un pain ou d'une pâtisserie ne dépasse pas 100 °C. Les acides gras essentiels ne sont pas détériorés. Par contre, la surface brunie est formée par des protéines, des sucres et des gras qui sont altérés. Les enfants qui n'aiment pas manger les croûtes ont probablement un bon instinct!

212 ***Avec quoi graisser un moule ?***

- La méthode la plus saine consiste à graisser ou à huiler le moule, puis à le saupoudrer de farine comme le faisaient très souvent nos mères.
- Le beurre clarifié et les graisses tropicales font bien l'affaire.

213 ***Que penser des huiles en aérosol ?***

- Les aérosols présentent l'avantage de limiter facilement l'enduit de gras dand une casserole. Par contre, nous ne recommandons pas leur usage du fait que les aérosols finissent par encombrer davantage nos dépotoirs. Une bombe sur une étiquette devrait nous faire réfléchir...
- Il existe maintenant des bouteilles pour vaporiser l'huile. À remplir soi-même avec de l'huile de qualité.

JE CUISINE SANS GRAS

- au four
- à la vapeur
- à l'étuvée
- dans une poêle antiadhésive

DANS MA CUISINE, J'UTILISE:

LES BONS GRAS

J'ÉVITE LES GRAS TRANSFORMÉS

CHAPITRE

19

Couper dans le gras

Prévention n'est pas privation, mais perspicacité.

Jean-Marie Bourre, spécialiste français des lipides

Les recommandations des experts en nutrition sont claires: nous devons limiter les gras à 30% des calories consommées, et même jusqu'à 10 ou 15% si on souffre de maladies cardiovasculaires ou d'obésité. Actuellement, les gras contribuent à environ 34% de nos apports en énergie.

En terme concret, de combien de gras faut-il réduire notre ration? De 15 à 25 grammes. Si on considère qu'un carré de beurre équivaut à environ 5 grammes de gras, cela signifie qu'il faut couper l'équivalent de 3 à 5 carrés de beurre... ou margarine... par jour.

En définitive, retenons qu'il est préférable de diminuer les gras saturés et le cholestérol dans notre alimentation et que les gras insaturés provenant des noix, des graines, des bonnes huiles et même des poissons contribuent à notre santé, ce sont les BONS GRAS!

Limiter la quantité de gras, c'est très bien, mais choisir la QUALITÉ, c'est essentiel. L'exemple nous est donné par les peuples de la Méditerranée qui consomment autant de gras que nous, mais préparent une cuisine maison sans gras transformés par l'industrie. Leur principal corps gras est l'huile d'olive produite localement. Leur taux de maladies vasculaires et de cancer se situe parmi les plus bas au monde.

FAVORISONS NOS PRODUITS LOCAUX,
ILS SONT BONS ET BEAUX!

Les recommandations pour diminuer le gras ont stimulé l'industrie alimentaire à fabriquer des produits moins gras, mais nous verrons d'autres stratégies que celles de s'en remettre aux produits allégés.

Manger moins gras n'équivaut surtout pas à adopter un régime strict de légumes à la vapeur et de riz! Même avec une alimentation peu grasse, il est tout à fait possible de savourer des repas regorgeant de variété et de couleurs.

Couper dans le gras exige qu'on sache où ils se cachent. En effet, environ 60% du gras consommé se trouve sous forme invisible. Ce gras est saturé à près de 65%.

COURT RAPPEL SUR LES BESOINS EN GRAS

Diminuer le gras ne signifie surtout pas tout couper. Nous avons absolument besoin de certains acides gras que notre corps ne peut fabriquer (les acides gras essentiels). Si nous éliminions tous les gras, nous prendrions trop de protéines ou de glucides. Il faut donc trouver l'équilibre.

Besoin d'un homme en santé: 65 à 90 g de gras par jour.

Besoin d'une femme en santé: 50 et 70 g de gras par jour.

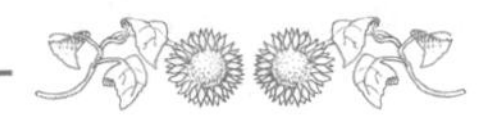

PAR OÙ COMMENCER

- Les personnes qui mangent beaucoup de gras d'une façon régulière ont intérêt à couper le gras progressivement. Rien de pire que les restrictions drastiques pour retomber rapidement dans ses vieilles habitudes.
- Couper en même temps l'excès de sel (chips, bouillons salés, noix salées, etc.) aide à diminuer le désir de gras.
- Un beau repas équilibré, abondant et peu gras, nous donne toute l'énergie nécessaire pour nos activités à venir, sans nous apesantir. Il faut apprendre à se sentir rassasié avant de se sentir lourd. Il faut rester en contact avec son corps, avec la sensation de se sentir bien... en mangeant lentement (33 mastications par bouchée) !

TROIS ÉTAPES POUR RÉDUIRE LES GRAS

1. Substituer aux produits gras des produits moins gras et de bonne qualité.
2. Réduire le gras en cuisinant.
3. Adopter un régime alimentaire globalement bien équilibré.

1. SUBSTITUER DES PRODUITS MOINS GRAS ET DE BONNE QUALITÉ AUX PRODUITS GRAS.

Passons en revue tous les groupes d'aliments.

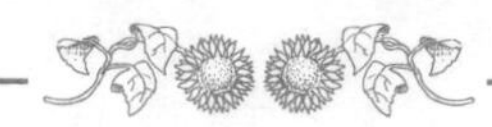

Viande, volaille, poisson, œufs	• Choisir des coupes de viande extra-maigre et enlever tout le gras visible. • S'abstenir de poulet et de poisson pané et frit, des sauces qui les accompagnent, de charcuteries. • Si la restriction des œufs est nécessaire, utiliser deux blancs pour remplacer un jaune. • Faire cuire les œufs dans leur coquille ou les faire pocher mais non frire dans du gras. • Manger qu'occasionnellement des quiches et toute préparation comprenant de la pâte à tarte. • Éviter le fast-food, généralement trop riche en matières grasses.

LE MEILLEUR CONSEIL: MANGER PEU OU PAS DE VIANDE. CHOISIR DES PRODUITS BIO SI POSSIBLE.

Lait et produits laitiers	• Consommer des produits faibles en gras. • Remplacer la crème sure par du yogourt faible en matières grasses. • Utiliser du lait pour remplacer la crème. • Lire les étiquettes des produits peu gras ou sans gras: yogourts glacés, sorbets, laits glacés sont souvent riches en sucre et en additifs. • Les crèmes glacées fabriquées avec de la crème sont presque deux fois plus grasses que les régulières. • Se rappeler que 5 mL (1 c. à thé) de beurre apporte 4 g de gras et 36 calories. • Pour diminuer de moitié le gras du beurre, le fouetter avec autant d'eau et utiliser immédiatement. • S'abstenir des préparations commerciales de poudings ou de cossetardes, de lait condensé sucré, de fromages fondus, de lait au chocolat et de chocolat au lait.

LE MEILLEUR CONSEIL: S'EN TENIR À UNE QUANTITÉ RAISONNABLE.

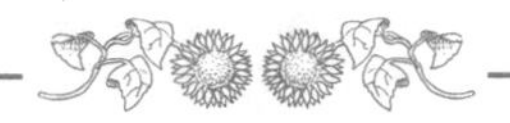

Fruits et légumes	• Faire cuire les légumes à la vapeur ou à l'étuvée. Ajouter une touche d'huile pressée à froid après la cuisson. • Aromatiser les salades avec des herbes, de la ciboulette, du yogourt de chèvre, etc. N'utiliser pas plus de 5 mL (1 c. à thé) d'huile par portion. • Arroser les légumes cuits d'un peu de jus de citron ou de vinaigre pour remplacer le beurre. • Consommer occasionnellement des avocats et des olives. Bien que très riches en gras, ces derniers sont bénéfiques. • S'abstenir de frites, de croustilles (chips). Une pomme de terre cuite au four ne contient pas de gras tandis que 20 frites (pleine friture) en apportent 16 g...

LE MEILLEUR CONSEIL : EN COLLATION, PRENDRE DES LÉGUMES ET DES FRUITS FRAIS POUR REMPLACER LES GÂTEAUX, BISCUITS, BEIGNES, CHIPS, ETC.

Produits céréaliers entiers	• À l'état naturel, ces produits renferment peu de matières grasses. • Ne pas tartiner son pain de beurre avant d'ajouter un beurre de noix. • Bien choisir la sauce d'accompagnement des pâtes alimentaires. • Lire les étiquettes des céréales, biscuits, muffins, biscottes, etc. • Les céréales commerciales de type croque-nature sont les plus grasses (18 à 23 g par portion). • Se méfier des produits cuisinés comme les muffins, les beignes et les desserts en général. Très souvent, ils sont très gras et l'étiquette n'en donne pas la teneur. • Couper la quantité de gras dans les recettes. La quantité minimum de gras pour un muffin est de 15 à 30 mL (1 à 2 c. à s.) par 250 mL (1 t.) de farine ; pour les gâteaux et les biscuits : 30 mL (2 c. à s.).

LE MEILLEUR CONSEIL : MANGER PLUS DE CÉRÉALES À GRAINS ENTIERS ET CHOISIR DE VRAIS BONS PAINS. ILS SONT PLUS SAVOUREUX.

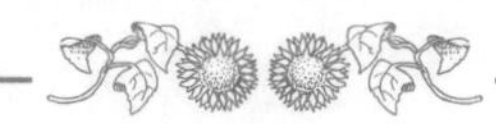

Légumineuses	• À consommer régulièrement dans les menus sans viande. Maigres, elles possèdent un grande valeur nutritive, notamment en protéines, en calcium et en fer. • Éviter de faire frire le tofu dans du gras. • Les fèves au lard, en conserve ou recette maison, renferment une quantité raisonnable de gras. Dans une recette maison, remplacer le lard par une petite quantité d'huile pressée à froid. • Les légumineuses en conserve sont très faibles en gras et constituent un bon départ pour des repas vite faits.

LE MEILLEUR CONSEIL : REMPLACER AU MOINS TROIS REPAS DE VIANDE PAR SEMAINE PAR DES LÉGUMINEUSES.

Noix et graines	• Ce sont nos meilleures sources de gras essentiels. • Éviter les noix et les graines rôties et salées. Aliments très concentrés, consommer peu à la fois mais régulièrement. • Une portion de 15 mL (1 c. à s.) de noix, graines ou arachides fournit de 4 à 6,5 g de gras. Cinq grosses noix du Brésil ou de Grenoble en apportent environ 12 g.
Autres aliments	• Font partie de ce groupe les friandises, les corps gras, les mayonnaises, les sauces à salades, les desserts. • Les livres de recettes naturelles offrent des alternatives savoureuses, souvent peu sucrées et peu grasses.

LE MEILLEUR CONSEIL : REVALORISER LE TRAVAIL DE LA CUISINIÈRE OU DU CUISINIER. PRENDRE PLAISIR À S'OFFRIR DES METS DE QUALITÉ.

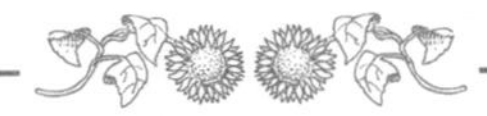

- En général, les aliments compris dans la catégorie «Autres aliments» sont consommés beaucoup plus qu'il ne faudrait. Ils apportent des excès de calories, de gras, de sucre ou de sel. Ils remplacent trop souvent des aliments sains et nutritifs.
- Comme les étiquetttes des produits à éviter ne donnent habituellement pas d'information nutritionnelle, voici la teneur en gras de certains d'entre eux.

Teneur en gras de certains aliments transformés

Aliments	Gras (g)
1 beigne	16
4 biscuits aux brisures de chocolat, maison	9
2 biscuits macaron	9
1 carré au chocolat avec noix	6
1 portion de charlotte russe	17
1 chausson aux pommes, commercial	8
1 chou à la crème avec crème pâtissière	18
12 croustilles (chips)	10
1 éclair à la crème fouettée, glacé au chocolat	24
1 portion de gâteau au chocolat, glacé	10
1 portion de gâteau aux carotte, sans noix	16
1 portion de gâteau blanc, maison non glacé	5
1 pop tart aux fruits	7
1 pointe de tarte aux pacanes	24
1 pâtisserie danoise	18
1 barre granola, ordinaire	4-10
500 mL de maïs soufflé	6-12

Note: Le maïs soufflé sans beurre ou margarine ne contient aucun gras. Il faut compter 4 g de gras par 5 mL (1 c. à thé) de corps gras ajouté.

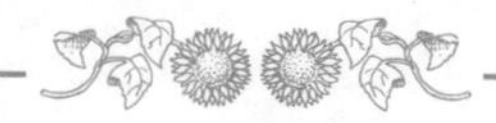

DE BONS CHANGEMENTS

JE MANGEAIS CECI	JE REMPLACE PAR
Bœuf, veau, porc	Fèves blanches, rouges, noires, pois chiches, lentilles, etc. etc. PLUSIEURS FOIS /SEMAINE
Poulet rôti	Poulet ou dinde sans peau
Poisson pané, frit	Poisson au four ou cuit sans gras
Lait, yogourt et fromage réguliers	Produits à basse teneur en M.G.
Vin, crème ou beurre pour assaisonner	Vinaigres fins (de vin, framboise, etc.), jus de citron, herbes
Mayonnaises, vinaigrettes régulières	Vinaigrette maison avec huile pressée à froid Vinaigrette sans huile
Trempettes régulières	Trempettes à base de yogourt maigre, babeurre, légumes
Beurre d'arachide hydrogéné	Beurre d'arachide naturel, beurres de noix
Noix, graines rôties et salées	Noix, amandes, pistaches, pignons, avelines, noisettes, pacanes, graines de sésame entières, de tournesol NATURE
Gâteaux, biscuits, muffins réguliers	Fruits frais, compotes de fruits séchés, gâteaux avec blancs d'œufs, muffins légers
Pâte à tarte au shortening	Pâte à tarte à l'huile
Croustilles (chips) frites à l'huile	Croustilles cuites au four

LE CHOIX ET LE DOSAGE, C'EST SAGE!

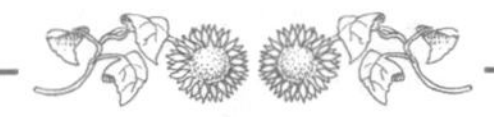

VOICI NOS 7 MEILLEURS ALLIÉS

1. Céréales complètes
2. Pâtes alimentaires
3. Légumes vert foncé
4. Fruits frais et fruits séchés
5. Légumineuses et tofu
6. Noix, graines et huiles pressées à froid
7. Produits laitiers à basse teneur en gras si tolérés

BIEN MANGER AU RESTAURANT

- Commençons par encourager les restaurants qui offrent déjà des menus végétariens ou peu gras. On a l'avantage d'y trouver des grains entiers, de la germination, des pousses et même des algues.
- Avant de se présenter dans un restaurant inconnu, s'informer du menu en téléphonant. Poser aussi des questions sur le mode de préparation des aliments, etc. Se rappeler que la demande crée l'offre !
- Sur place, rechercher dans la section « À la carte » les choix de légumes à la vapeur, riz, salades, soupes maison, soupe minestrone, pizza aux légumes sans fromage ou presque, sauce à spaghetti sans viande, etc.
- Oublier le panier de pain qui fait engouffrer beaucoup de beurre avant même de prendre le repas.

- Dans les restaurants asiatiques, où l'on prépare les légumes sur commande, on peut exiger une cuisson à l'étuvée ou à la vapeur, du riz non frit, etc.
- Toujours spécifier que les assaisonnements tels que beurre, mayonnaise, vinaigrette, doivent être servis à part. Si nécessaire, demander des changements : salade sans fromage, sans bacon, pomme de terre au four nature sans crème sure, etc.
- Les bars à salades sont attrayants mais cachent de mauvaises surprises : éviter les salades de pâtes, de pommes de terre et de légumes déjà couvertes de mayonnaise ou d'autres gras. Ne pas craindre de demander au chef des portions sans gras ajoutés.
- Plusieurs restaurateurs acceptent avec plaisir les suggestions. Mentionner ses préférences pour les plats sans gras, originaux. Si l'on est assidu dans un restaurant, on peut même oser suggérer certaines recettes.
- Manifester sa satisfaction lorsqu'un mets est particulièrement réussi. Comme toute personne qui cuisine à la maison... celles qui travaillent pour le public ont besoin de nos commentaires positifs et encourageants.

idée Une idée qui devrait faire son chemin : faire cuisiner des plats par des personnes disponibles de son entourage. On n'a qu'à offrir ses propres recettes !

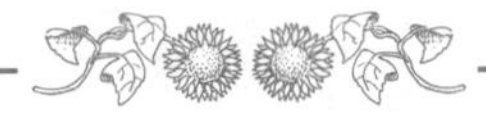

LES COLLATIONS

- Quand on fait du sport, qu'on a mangé un repas en vitesse, qu'on allaite son bébé, etc. on a parfois besoin d'une collation nutritive, pas trop sucrée ou trop grasse.
- Voici quelques choix SANTÉ pour les collations:
  - galette de riz, de seigle,
  - yogourt maigre,
  - muffin léger,
  - barre granola sans gras,
  - fruits séchés trempés,
  - biscuits maison léger,
  - salade de fruits,
  - maïs soufflé sans gras, assaisonné d'un peu de tamari, de levure alimentaire ou de spiruline en flocons.
- Quand on est à court d'idées, obtenir des suggestions de ses amis.

2. RÉDUIRE LE GRAS EN CUISINANT

OU COMMENT NE PAS GÂCHER SES BONS CHOIX PAR UNE PRÉPARATION INADÉQUATE!

- Le beurre, la margarine et même les huiles peuvent être éliminés de la cuisson sans perte de saveur et sans nuire à l'apparence.

Voici 7 trucs simples et faciles:

1. Faire mijoter légumes, viandes, volailles, poissons, légumineuses dans du bouillon de légumes bien aromatisé avec des herbes.
2. Retirer toute trace de gras sur les bouillons ou ragoûts. Refroidir le bouillon, le gras se solidifiera sur le dessus et sera facile à enlever.

3. Ne pas ajouter d'huile ou de beurre au riz, aux pommes de terre pilées, à l'eau de cuisson des pâtes. Aromatiser avec des herbes (persil, basilic, origan, etc.), de l'oignon, des épices.
4. Faire cuire viande, volaille et poisson au four sans leur ajouter de gras. Assaisonner avec du jus de citron, une marinade, du jus de légumes, de l'ail, de l'oignon, du tamari pauvre en sel, des herbes.
5. Utiliser une poêle antiadhésive de bonne qualité dont le revêtement est intact. Elle est utile pour faire cuire des crêpes, revenir des légumes, etc. Utiliser la méthode de cuisson proposée au chapitre précédent.
6. Graisser les moules à muffins, puis les saupoudrer de farine pour éviter le contact avec le gras.
7. Choisir des recettes qui offrent des alternatives intéressantes : soupes de légumineuses pour remplacer la viande, desserts peu gras et peu sucrés, etc.

3. ADOPTER UN RÉGIME ALIMENTAIRE ÉQUILIBRÉ

- Suivre un Guide alimentaire demeure la façon la plus simple d'équilibrer les menus sur l'ensemble de la journée.
- Un Guide alimentaire divise les aliments en groupes et donne le nombre minimum de portions à prendre par jour. Ainsi, il est facile de combler ses besoins nutritifs. Bien sûr, un bon Guide alimentaire ne présente que des aliments sains, complets.
- Nous vous présentons au chapitre suivant un Guide alimentaire végétarien.

CHAPITRE

20

Guide alimentaire végétarien

Après avoir décrit la QUALITÉ des groupes d'aliments qui contiennent des gras et vu comment éviter les excès, voyons maintenant l'alimentation dans son ensemble.

Même si nous savons reconnaître les aliments de qualité, il faut:

1. S'attarder à connaître nos besoins.
2. Savoir quels éléments nutritifs nous apportent chaque groupe d'aliments.
3. Savoir dans quelle proportion nous devons manger les aliments de chacun des groupes.

214 ***Combien d'entre nous entretiennent parfaitement leur automobile, sans avoir la moindre idée du fonctionnement de leur propre corps et de ses besoins?***

- Voici une question qui suscite une passionnante réflexion! Le plus tôt nous comprendrons que notre corps est une «machine» vivante, complexe et merveilleuse, et qu'elle est régie par des lois précises, le plus tôt nous transformerons notre façon de vivre et de se nourrir.

LES ÉLÉMENTS NUTRITIFS

215 ***Quels éléments nutritifs devons-nous retrouver dans les aliments?***

Protéines Lipides

Glucides Vitamines

Minéraux Eau

- Pour bien fonctionner et se reproduire normalement, toutes les cellules de notre corps élaborent des milliers de substances à partir de ces éléments.
- Les aliments doivent particulièrement fournir **45 éléments nutritifs** qu'on dit **essentiels**, car notre organisme ne peut les synthétiser. Ce sont:
  - 9 acides aminés (essentiels)
  - 2 acides gras (essentiels)
  - 13 vitamines
  - 21 minéraux et oligo-éléments
- Pour les trouver, nous devons:
  - choisir les bonnes sources de protéines et de gras;
  - éviter les produits raffinés et manger des aliments naturels, entiers et variés;
  - consommer suffisamment de crudités.
- Bien que ces 45 éléments nutritifs ne soient pas difficiles à trouver, on observe de plus en plus de déficiences nutritionnelles. De quoi faire réfléchir!

216 Dans notre société d'abondance, pourquoi existe-t-il de plus en plus de déficiences nutritionnelles ?

- Soit que :
  - nous mangeons trop de calories renfermant trop peu d'éléments nutritifs ; nous sommes alors suralimentés et sous-nourris.
- Soit que :
  - nous mangeons trop peu de calories et par le fait même, trop peu d'éléments nutritifs.
- Plusieurs facteurs expliquent les déficiences :
  - les excès de matières grasses et de sucre ;
  - une alimentation pauvre en fruits et légumes, donc déficiente en vitamines et minéraux ;
  - une digestion et une absorption déficientes ;
  - le manque d'intérêt pour la qualité de l'alimentation ;
  - le manque de connaissances en nutrition ;
  - le manque d'intérêt pour cuisiner ;
  - le manque de temps ;
  - le manque d'argent ;
  - le manque d'éducation préventive ;
  - l'influence de la publicité de l'industrie alimentaire ;
  - l'image minceur et les régimes amaigrissants déséquilibrés ;
  - l'omniprésence et l'accessibilité du fast-food ;
  - les méthodes modernes d'agriculture qui appauvrissent les sols ;
  - les technologies de transformation qui appauvrissent les aliments ; par exemple, le raffinage, l'hydrogénation des huiles, etc. ;
  - les méthodes inadéquates de conservation et de cuisson des aliments.

LES DÉFICIENCES FAVORISENT L'INSTALLATION DE LA MALADIE.

DANS NOTRE PAYS, NOUS AVONS LE PRIVILÈGE D'AVOIR ACCÈS À UNE MULTITUDE D'ALIMENTS COMME JAMAIS DANS L'HISTOIRE DE L'HUMANITÉ, QU'EN FAISONS-NOUS ?

Mangeons nutritif

Mangeons énergisant

Mangeons frais

L'ÉNERGIE DES ALIMENTS

Non seulement les cellules doivent recevoir tous les éléments nutritifs cités plus haut, elles ont également besoin de suffisamment (ni trop ni trop peu) d'énergie ou de calories pour couvrir les dépenses énergétiques globales du corps.

L'énergie des aliments doit d'abord provenir des glucides (amidon et sucres), puis des lipides (gras) et des protéines. Les études récentes ont démontré que les lipides requiert peu d'énergie pour être utilisés ou mis en réserve. Un régime alimentaire trop riche en matières grasses sera donc particulièrement engraissant.

217 *Combien de calories dit-on manger chaque jour pour couvrir nos besoins ?*

- La quantité de calories nécessaires aux activités d'une personne dépend de plusieurs facteurs, dont l'âge, le sexe, la taille, le niveau d'activité physique, etc.

- Plus une personne est active physiquement, plus elle dépense d'énergie, donc plus elle doit prendre de calories pour compenser les pertes. Sinon, elle puisera son énergie dans ses réserves et maigrira. Si elle prend plus de calories qu'elle n'en brûle, elle engraissera.
- À cause de son métabolisme qui fonctionne naturellement plus vite, au même niveau d'activité physique, l'homme a besoin de plus d'énergie (calories) que la femme.
- Nous ne devons surtout pas compter les calories de tous les aliments que nous mangeons!!! Nous sommes dotés d'un merveilleux réflexe de faim et de satiété qui mesure exactement nos besoins... à la condition de ne pas dérégler cet instinct en mangeant des aliments auxquels nous ne sommes pas réellement adaptés.
- La grande majorité des personnes qui ont une alimentation saine n'ont pas besoin de surveiller leur poids. Il est possible qu'il y ait de petites fluctuations selon les saisons, mais le poids reste généralement dans des limites raisonnables, compte tenu de l'hérédité.

218 Quelle est la meilleure source d'énergie?

- Le meilleur carburant des cellules est le glucose, un sucre simple qui compose l'amidon. Le cerveau, les cellules nerveuses et les globules rouges du sang ne se nourrissent que de glucose.
- L'amidon est la meilleure source de glucose. Il provient surtout des céréales entières, des légumineuses et des pommes de terre.

- Rappelons-nous que les aliments trop concentrés en sucre élèvent trop rapidement notre taux de sucre (glucose) sanguin (la glycémie). De plus, les excès de sucre se transforment en réserve de graisse dans notre corps.
- L'amidon est un sucre complexe qui doit être digéré en sa substance la plus simple, c'est-à-dire en glucose, avant de passer progressivement dans le sang.
- Pour que l'**absorption du glucose** dans le sang se fasse de façon continue, **sur plusieurs heures**, l'amidon doit provenir d'**aliments entiers**, c'est-à-dire **avec leurs fibres alimentaires**.
- Un bon conseil: évitons les farines et les céréales raffinées et choisissons des aliments entiers. Ceci est valable pour tout le monde et encore plus pour les diabétiques et les hypoglycémiques.
- L'autre carburant le mieux utilisé par le corps provient des matières grasses. Les cellules les consomment bien au repos, et plus encore après une vingtaine de minutes d'exercice physique.

NOS SOURCES D'ÉNERGIE ONT CHANGÉ

- NOUS AVONS FAIT FAUSSE ROUTE! Depuis le début du siècle, nos sources de carburant ont changé de camp. L'amidon, qu'on retrouvait dans le pain, le gruau, le sarrasin, les fèves, les pois, les pommes de terre, a été en partie remplacé par des aliments gras (margarine, huile, viande et produits laitiers), sucrés et manufacturés (gras cachés). Le fast-food est devenu omniprésent et nous en subissons à chaque jour les conséquences désastreuses sur notre santé.

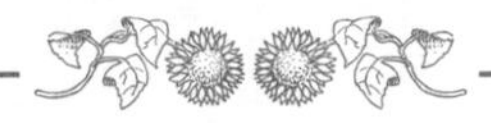

UN GUIDE ALIMENTAIRE

219 *Comment appliquer dans notre quotidien les grands principes de nutrition?*

- Le moyen le plus simple et le plus facile est de suivre un guide alimentaire.
- Un guide alimentaire classe les aliments par groupes selon leurs principales caractéristiques nutritionnelles. Ainsi, on regroupe les céréales et leurs produits de transformation, riches en amidon et en plusieurs vitamines du groupe B.
- Pour obtenir tous les éléments nutritifs en quantité suffisante, il faut manger des aliments de tous les groupes. Certains éléments nutritifs sont fournis par plus d'un groupe, par exemple, les protéines qu'on trouve dans les céréales, les légumineuses, etc. D'autres éléments nutritifs abondent dans un groupe et se font rares ailleurs. C'est le cas notamment de la vitamine C fournie par le groupe des fruits et légumes.
- Pour visualiser la complémentarité des éléments nutritifs, consulter le tableau de la p. 286.
- Un guide alimentaire établit un nombre de portions plus ou moins grand pour chacun des groupes. Ces recommandations visent à combler tous les besoins nutritifs des personnes en santé.

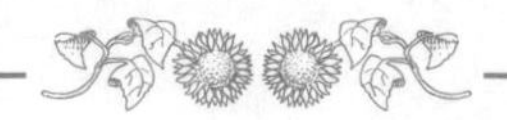

UN GUIDE ALIMENTAIRE VÉGÉTARIEN

Le végétarisme attire de plus en plus l'attention des Nord-Américains. En effet, une personne sur six souhaite diminuer sa consommation de viande.

Les études sur les végétariens, notamment sur des groupes d'Adventistes du Septième Jour, ont montré qu'ils sont plus près de leur poids santé, qu'ils font moins d'hypertension, de pierres à la vésicule biliaire, qu'ils souffrent moins de maladies cardiovasculaires, de constipation, de diverticules, de diabète, de maladies dégénératives et beaucoup moins de cancer.

Même si un individu ne désire pas devenir complètement végétarien, il est toujours très avantageux d'intégrer plusieurs repas sans viande par semaine. Il est certes plus facile de changer ses habitudes doucement mais sûrement. Mieux vaut une ÉVOLUTION qu'une révolution!

220 ***Si je veux adopter un régime végétarien, est-ce que le Guide alimentaire canadien me donne suffisamment d'indication?***

- Pas vraiment. Il ne tient pas compte des noix et des graines et ne met pas l'emphase sur les légumineuses comme sources de protéines.
- En supprimant la viande, il faut veiller à prendre suffisamment de protéines dans une combinaison de légumineuses, de céréales, de noix et graines. Les produits laitiers et les œufs peuvent aussi fournir une bonne qualité de protéines.
- Voici un Guide alimentaire végétarien qui vous simplifiera la tâche d'équilibrer vos repas.

GUIDE ALIMENTAIRE VÉGÉTARIEN

GROUPE D'ALIMENTS	1 PORTION	NOMBRE DE PORTIONS PAR JOUR -ADULTE-
CÉRÉALES À GRAINS ENTIERS		5 à 12
Cérales entières ou en flocons	125 mL (1/2 t.) cuites	
Céréales prêtes à servir	30 g (1 once)	
Tranche de pain, mufin	1	
Pâtes alimentaires	175 mL (3/4 t.)	
LÉGUMES		3 à 7
Légumes crus	125 mL (1/2 t.)	incluant au moins
Légumes feuilles	250 mL (1 t.)	un légume vert
Légumes cuits	125 mL (1/2 t.)	foncé et un légume
Légumes racines	1 moyen	riche en amidon
Algues trempées ou cuites	125 mL (1/2 t.)	
FRUITS		2 à 3
Fruit entier	1 (pomme, poire, etc)	
Fruits en salade	125 mL (1/2 t.)	
Pamplemousse, cantaloup	1/2	
Fruits séchés	60 mL (1/4 t.)	
PRODUITS LAITIERS		2 adulte
Lait	250 mL (1 t.)	3 à 4 adolescent,
Yogourt	175 mL (3/4 t.)	femme enceinte
Fromage frais	125 mL (1/2 t.)	ou allaitante
Fromage	50 g (cube de 3"X1" X1")	2 à 3 enfant
LÉGUMINEUSES		1
Fèves, lentilles et pois cuits	250 mL (1 t.)	
Tofu ou tempeh	125 g (1/2 t.)	
Boisson de soya	250 mL (1 t.)	
OLÉAGINEUX		2
Noix et graines	45 mL (3 c. à s.)	
Beurres de noix	30 mL (2 c. à s.)	
Huile pressée à froid	15 ml (3 c. à thé)	
Avocat	1/2	
Olives	20 moyennes	
ŒUFS	1	0 à 4 par semaine
EAU	250 mL (1 t.)	6 à 8

Note : Pour remplacer complètement les produits laitiers, il faut s'assurer de bien connaître les meilleures sources de calcium, et de les inclure en quantité suffisante au menu tous les jours. Consulter le tableau des pages 197-198.

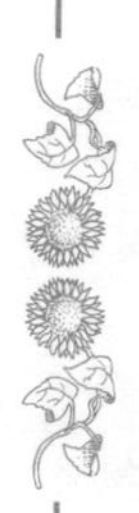

Sources et complémentarité des éléments nutritifs dans le Guide alimentaire végétarien

Céréales à grains entiers	+ Légumes et fruits	+ Produits laitiers	+ Légumineuses	+ Noix et graines	+ Œufs	= Guide alimentaire végétarien
protéines		protéines	protéines	protéines	protéines	protéines
		lipides	lipides	lipides	lipides	lipides
			A.G.E.*	A.G.E.*		A.G.E.*
glucides	glucides		glucides	glucides		glucides
fibres	fibres		fibres	fibres		fibres
thiamine	thiamine		thiamine			thiamine (B_1)
riboflavine	riboflavine	riboflavine				riboflavine (B_2)
niacine						niacine (B_3)
	acide folique		acide folique			acide folique
	pyridoxine		pyridoxine	pyridoxine		pyridoxine (B_6)
		B_{12}				cobalamine (B_{12})
	vitamine A	vitamine A				vitamine A
	vitamine C					vitamine C
		vitamine D			vitamine D	vitamine D
vitamine E	vitamine E**			vitamine E		vitamine E
	calcium	calcium		calcium		calcium
fer	fer		fer			fer
magnésium	magnésium		magnésium	magnésium		magnésium
potassium	potassium	potassium	potassium			potassium
zinc		zinc	zinc	zinc***		zinc

* A.G.E. : acides gras essentiels ; ** vitamine E : seuls l'avocat et l'olive sont de bonnes sources ; *** zinc : seules les graines de citrouille sont d'excellentes sources.

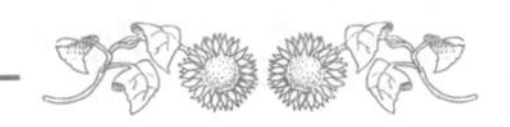

PORTIONS DES ALIMENTS À CONSOMMER CHAQUE JOUR SELON LE GUIDE ALIMENTAIRE VÉGÉTARIEN

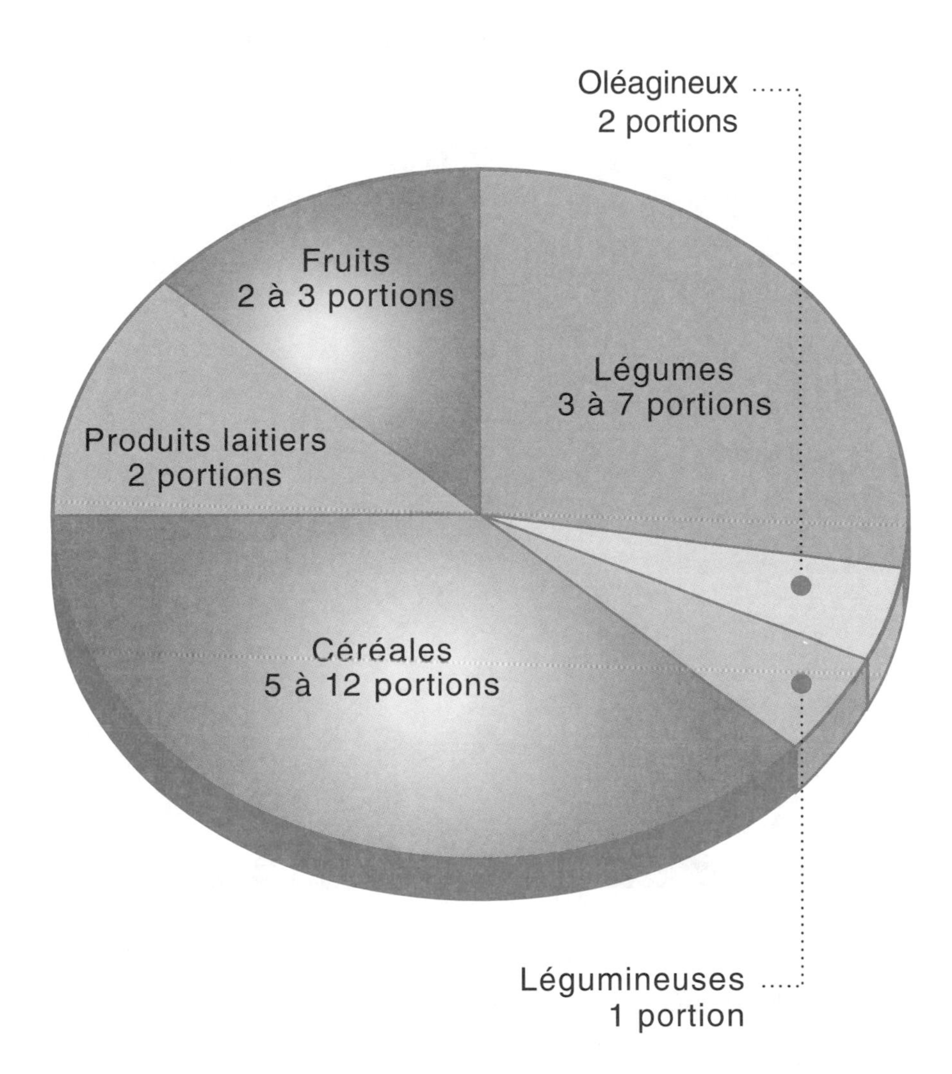

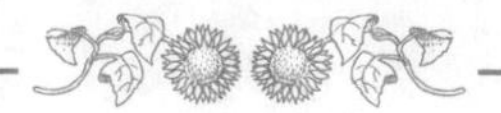

LA SANTÉ GLOBALE DE L'INDIVIDU

Il est admis depuis fort longtemps qu'une alimentation saine, variée et équilibrée représente un des facteurs très importants pour la santé d'un individu.

La santé est le carrefour où se rencontrent toutes les dimensions de l'être.

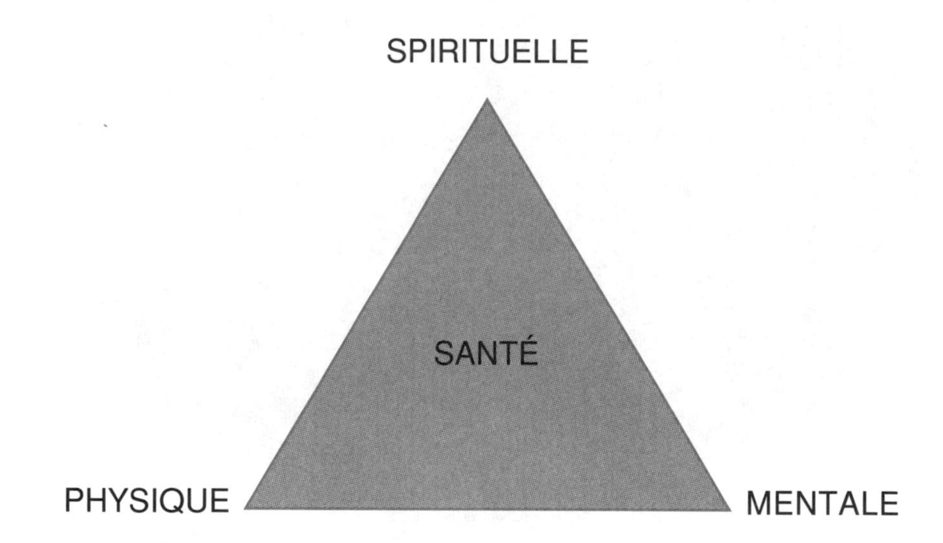

LA SANTÉ, C'EST UNE VISION GLOBALE, ÉLARGISSONS LE CHAMP DE NOS REGARDS!

PASSONS À TABLE!

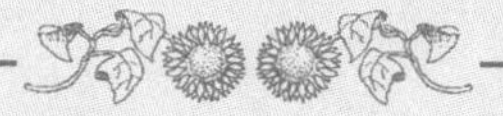

Petit lexique culinaire

Échalote :

Plante à bulbe ressemblant à une gousse d'ail par sa taille et ses caïeux, et à l'oignon par la texture de sa peau.

Fécule de marante :

Fine poudre blanche extraite de la racine d'une plante tropicale. Pour lier sauces et potages. Appelée *arrowroot* en anglais.

Gomme de guar :

Fibres alimentaires solubles. Une très petite quantité suffit à épaissir à merveille tous les liquides. En vente dans les magasins d'aliments naturels.

Harissa :

Pâte piquante à base de piments rouges secs, d'ail, d'herbes, d'épices, de sel et d'huile d'olive. Utiliser dans les couscous ou autres mets d'Afrique du Nord.

Miso :

Pâte de soya ayant subi une fermentation de quelques semaines à 3 ans avec une céréale et du sel. Il en existe différentes variétés, du blanc au très foncé. Plus il est foncé, plus il est fermenté. Il rehausse la saveur des soupes, des sauces. Utiliser en fin de cuisson.

Oignon vert :

Partie verte d'un jeune oignon appelé à tort échalote.

Pâtes japonaises : soba, somen, udon, genmaï.

Soba : Pâtes alimentaires préparées à partir de farine de blé et de sarrasin.
Somen : Petites pâtes alimentaires à base de blé.
Udon : Petites pâtes aplaties à base de blé.
Genmaï : Pâtes à base de riz brun et de blé.

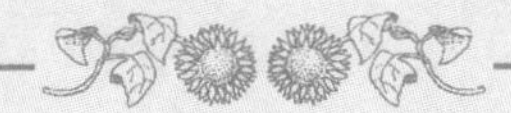

Toutes ces pâtes s'utilisent chaudes ou refroidies (soupes ou salades).

Sarrasin :

Graines de la famille de la rhubarbe qui se consomment comme une céréale. Ne contient pas de gluten et convient aux personnes allergiques au blé. Cuisson rapide. Se vend sous forme de farine et de grains nature ou rôtis (kasha).

Seitan :

Gluten de blé cuit dans un bouillon à base de tamari, gingembre et fines herbes. Ressemble à la viande par son goût et sa texture.

Tahini :

Beurre de sésame décortiqué. De couleur plus pâle, il est moins riche en calcium que le beurre de sésame entier.

Tamari :

Sauce à base de soya, fermentée naturellement. Utiliser comme assaisonnement. Peut remplacer le sel.

Tamarin :

Fruit tropical vendu sous forme de pâte. Utiliser comme condiment. Se vend dans les épiceries orientales.

Tofu :

Boisson de soya coagulée au goût neutre. De texture molle à très ferme. Bonne source de protéines et remplace bien la viande. Meilleure source de calcium si fabriqué avec des sels de calcium. Très versatile.

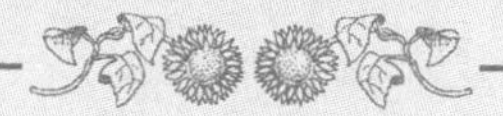

Introduction aux recettes

Les recettes sont des guides, des avenues où laisser libre cours à notre imagination et découvrir de nouvelles idées. Les suivre pas à pas ou les adapter à notre fantaisie, tout est possible.

Toutes les recettes de ce volume sont cuisinées à partir d'aliments sains et naturels : céréales entières, légumineuses dont le tofu, fruits et légumes, seitan, noix, graines et huiles pressées à froid.

Par contre, si vous découvrez ces aliments pour la première fois, vous apprendrez tout à leur sujet dans les *Guide de l'alimentation saine et naturelle* Tomes 1 et 2, de Renée Frappier.

À propos des participants

Nous avons le plaisir de partager quelques-unes des recettes de personnes qui œuvrent dans le domaine de l'alimentation naturelle depuis de nombreuses années.

Un merci chaleureux à chacune d'elle!

À propos de l'analyse nutritionnelle des recettes

Nous avons fait analyser les recettes pour vous offrir des précisions sur leur teneur en plusieurs éléments nutritifs. Vous trouverez, par portion, la quantité de calories, de protéines, de glucides, de lipides (gras), de cholestérol, de gras saturés et des minéraux sodium et potassium.

Les recettes proposées dans ce livre contiennent des quantités raisonnables de gras pour la grande majorité des individus. Par contre, si votre état de santé exige des restrictions sévères (10 à 15 % de vos calories), vous pourrez choisir les recettes qui correspondent à vos besoins et même faire des adaptations. Dans ce cas il vaut mieux privilégier l'huile de canola qui renferme dix fois plus d'oméga-3 que l'huile d'olive et permet donc de combler ses besoins avec dix fois moins de calories.

Les recettes contiennent surtout des gras monoinsaturés et des acides gras essentiels (polyinsaturés). Bien entendu, elles sont très faibles en gras saturés et la plupart d'entre elles n'ont aucun cholestérol.

À propos des couleurs

Il suffit d'y penser ! TOUJOURS accompagner nos repas de légumes colorés. Ce sont les plus riches en divers antioxydants et de plus, ils apportent beaucoup de fibres alimentaires. Un petit geste qui rapporte énormément !

RIEN NE VAUT LA PRÉVENTION,
SURTOUT QUAND C'EST SI BON...
ET SI BEAU !

Important à retenir :

L'huile est l'aliment le plus gras, c'est un corps gras pur. Allons-y mollo !

15 mL (1 c. à s.) D'HUILE = 14 GRAMMES DE GRAS

Centre de Santé Eastman

Le Centre de Santé d'Eastman a été l'innovateur, en 1977, du principe de vacances santé. Gagnant du Prix d'Excellence du Tourisme québécois dans les Cantons de l'Est, le Centre se veut un lieu privilégié de la promotion du bien-être et de la qualité de vie de ses clients.

Le Centre de Santé d'Eastman, reconnu pour ses cures santé, réunit plusieurs professionnels offrant un programme complet de soins corporels, de techniques de détente, de saine nutrition, de traitements régénérateurs, et ce, autant pour le corps que pour l'esprit.

Le Centre de Santé d'Eastman est conçu à l'image d'un petit village champêtre. Ses pavillons séparés ajoutent à son charme et à son originalité. De plus, il offre une vue imprenable sur le Mont Orford.

Centre de Santé d'Eastman
895 Chemin des Diligences
Eastman
J0E 1P0
(450) 297-3009 ou 1-800-665-5272
Site internet : www.spa-eastman.com

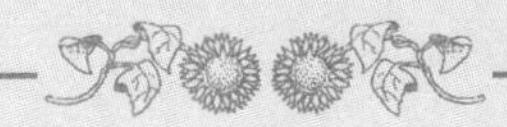

SALADE DE LENTILLES GERMÉES *4 portions*

60 mL (4 c. à s.) de jus de citron frais
30 mL (2 c. à s.) de tamari (sauce soya)
60 mL (1/4 t.) de tahini (beurre de sésame)
500 mL (2 t.) de lentilles germées
2 oignons verts ou plus
45 mL (3 c. à s.) de persil frais ou plus

1. Bien fouetter ensemble le jus de citron, le tamari et le tahini. Incorporer un peu d'eau.
2. Ajouter cette préparation sur les lentilles, les oignons et le persil.

....

Une portion : 172 calories, 13 g de protéines, 12 g de glucides, 8 g de lipides, 0 cholestérol, 0,02 g de gras saturés, 508 mg de sodium, 184 mg de potassium. Bonne source de fer et de calcium.

SALADE DE FÈVES DE LIMA *6 portions*

500 mL (2 t.) de fèves de Lima cuites
750 mL (3 t.) de poireaux en morceaux de grosseur moyenne
2 tomates en cubes

Vinaigrette :

30 mL (2 c. à s.) de jus de citron
60 mL (1/4 t.) d'huile d'olive
2 mL (1/2 c. à thé) de sel
1 mL (1/4 c. à thé) de thym ou plus
2 mL (1/2 c. à thé) de basilic séché
ou 15 mL (1 c. à s.) de basilic frais
45 mL (3 c. à s.) de persil frais
1 mL (1/4 c. à thé) d'origan séché

1. Faire cuire les poireaux à la vapeur. Les laisser refroidir.
2. Mélanger tous les légumes ensemble. Arroser avec la vinaigrette.

....

Une portion : 170 calories, 5,5 g de protéines, 17 g de glucides, 9 g de lipides, 0 cholestérol, 1,2 g de gras saturés, 186 mg de sodium, 447 mg de potassium. Bonne source de fer.

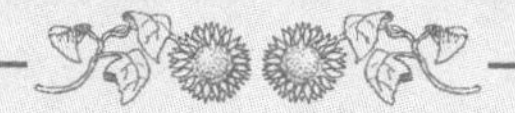

TARTINADE DE FROMAGE RICOTTA

Cette recette peut aussi servir de trempette. Facile, beau et délicieux.

450 g (1 lb) de fromage ricotta faible en gras
1 demi-poivron rouge
45 mL (3 c. à s.) de persil frais
30 mL (2 c. à s.) de yogourt nature faible en gras
Sel au goût

1. Réduire le ricotta en purée dans le robot. Ajouter le poivron. Mélanger juste assez pour laisser de petits morceaux de poivron.
2. Ajouter le persil et le yogourt. Assaisonner.
3. Pour faire une trempette, ajouter un peu plus de yogourt pour obtenir une consistance plus liquide.

....

Par portion de 15 mL : 18 calories, 1,5 g de protéines, 0,8 de glucides, 1 g de lipides, 4 mg de cholestérol, 0,6 g de gras saturés, 16 mg de sodium, 22 mg de potassium.

SOUPE CHINOISE — *5 portions*

15 mL (1 c. à s.) d'huile d'olive
4 oignons hachés
1 gousse d'ail émincée
1 L (4 t.) de bouillon de légumes
5 mL (1 c. à thé) de basilic séché
5 mL (1 c. à thé) de thym séché
5 mL (1 c. à thé) de marjolaine séchée
60 mL (1/4 t.) d'algues hijiki
2 œufs entiers ou 4 blancs

1. Faire revenir les oignons et l'ail dans l'huile.
2. Ajouter le bouillon et les herbes. Laisser mijoter pendant 30 minutes.
3. Ajouter les algues.
4. Casser les œufs dans un bol. Les mélanger un peu à la fourchette. Verser doucement dans le bouillon chaud tout en brassant à la fourchette. Cuire quelques minutes. Rectifier l'assaisonnement.

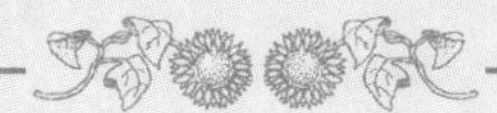

Par portion avec œufs entiers : 90 calories, 3,4 g de protéines, 8 g de glucides, 4,7 g de lipides, 85 mg de cholestérol, 1 g de gras saturés, 117 mg de sodium, 171 mg de potassium.

Par portion avec blancs d'œufs : 74 calories, 3,7 g de protéines, 8 g de glucides, 2,7 g de lipides, 0 cholestérol, 0,3 g de gras saturés, 136 mg de sodium, 186 mg de potassium.

CROQUETTES DE TOURNESOL *10 croquettes*

2 carottes râpées
250 mL (1 t.) de graines de tournesol moulues finement
1 oignon vert haché fin
60 mL (1/4 t.) de persil frais haché
2 ml (1/2 c. à thé) de poudre d'oignon
30 mL (2 c. à s.) de tamari (sauce soya)
2 mL (1/2 c. à thé) de basilic
180 mL (3/4 t.) de tofu ferme réduit en purée
2 mL (1/2 c. à thé) de sel

1. Mélanger tous les ingrédients. Façonner en petites croquettes. Mettre sur une plaque huilée.
2. Cuire au four à 180 °C (350 °F) 10 minutes de chaque côté ou jusqu'à ce qu'elles soient dorées.

Par croquette : 118 calories, 6,8 g de protéines, 5 g de glucides, 9 g de lipides, 0 cholestérol, 1 g de gras saturés, 316 mg de sodium, 208 mg de potassium. Bonne source de fer.

Françoise Pichette

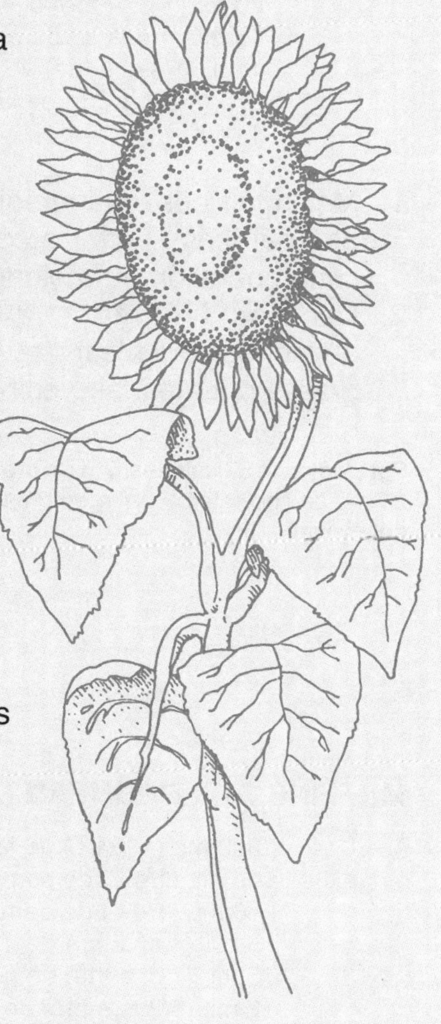

Bachelière en sciences de la nutrition, diplômée en cuisine d'établissement, elle enseigne la nutrition depuis 15 ans à l'Institut de Tourisme et d'Hôtellerie du Québec et dans diverses écoles de médecine douce.

Elle possède plusieurs formations en médecines douces (massothérapie, phytothérapie et homéopathie) et donne des consultations individuelles.

Elle effectue des analyses nutritionnelles ainsi que de l'étiquetage nutritionnel pour des compagnies alimentaires, des restaurateurs et des auteurs de livres de recettes.

Françoise Pichette
(450) 445-6415

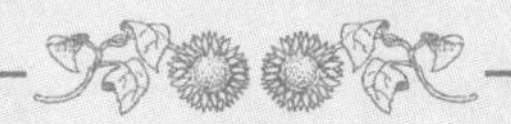

CRÊPES À L'AVOINE *7 crêpes de 12 cm (5 po)*

250 mL (1 t.) de farine de blé entier à pâtisserie
250 mL (1 t.) de flocons d'avoine
20 mL (4 c. à thé) d'huile de carthame
15 mL (1 c. à s.) de poudre à pâte
1 mL (1/4 c. à thé) de sel
375 mL (1 1/2 t.) de lait écrémé
1 œuf

1. Mélanger tous les ingrédients secs. Bien mélanger le lait et l'œuf. Les ajouter aux ingrédients secs. On peut faire cette opération au mélangeur.
2. Déposer 125 mL (1/2 t.) de pâte dans une poêle antiadhésive. Il n'est pas nécessaire de mettre de matière grasse pour les faire cuire.

....

Par portion : 157 calories, 7 g de protéines, 23 g de glucides, 4,5 g de lipides, 31 mg de cholestérol, 0,7 g de gras saturés, 210 mg de sodium, 209 mg de potassium.

MUFFINS AUX PRUNEAUX *12 moyens*

300 mL (1 1/4 t.) de farine de blé entier à pâtisserie
60 mL (1/4 t.) de son
60 mL (1/4 t.) de germe de blé
5 mL (1 c. à thé) de soda à pâte
5 mL (1 c. à thé) de poudre à pâte
2 mL (1/2 c. à thé) de sel
125 mL (1/2 t.) de pruneaux dénoyautés et hachés
180 mL (3/4 t.) d'eau
60 mL (1/4 t.) de mélasse
30 mL (2 c. à s.) d'huile de canola
1 œuf
10 mL (2 c. à thé) de zeste d'orange

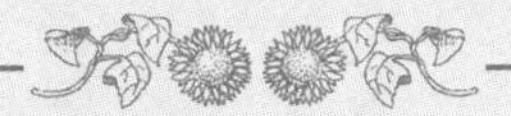

1. Mélanger les 6 premiers ingrédients. Incorporer les pruneaux.
2. Dans un autre bol, combiner ensemble l'eau, la mélasse, l'huile, l'œuf et le zeste d'orange. Incorporer les ingrédients secs et brasser juste assez pour humecter le tout.
3. Verser dans des moules à muffins graissés et enfarinés.
4. Cuire au four à 190 °C (375 °C) de 15 à 20 minutes.

....

Par muffin : 121 calories, 4 g de protéines, 22 g de glucides, 3,4 g de lipides, 17 mg de cholestérol, 0,5 g de gras saturés, 207 mg de sodium, 245 mg de potassium.

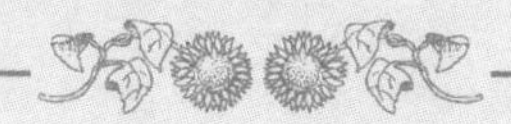

BULGHUR ET LÉGUMES À LA VAPEUR *4 portions*

Ce mets principal, coloré et appétissant, contient beaucoup de fer, de calcium et d'antioxydants.

Bulghur :

375 mL (1 1/2 t.) d'eau ou de bouillon
1 mL (1/4 c. à thé) de sel
1 gousse d'ail émincée
5 mL (1 c. à thé) d'estragon ou autres fines herbes
1 feuille de laurier
250 mL (1 t.) de bulghur sec, moyen ou fin

Légumes :

450 g (1 lb) de chou chinois ou de bok choy
12 champignons
1 grosse patate sucrée
500 mL (2 t.) de pois chiches cuits

Sauce :

15 mL (1 c. à s.) de fécule de maïs
150 mL (1/2 t. + 2 c. à s.) de bouillon ou d'eau
10 mL (2 c. à thé) de tamari (sauce soya)
2 à 5 mL (1/2 à 1 c. à thé) de gingembre frais râpé
1 pincée de piment de Cayenne

1. Dans une casserole, mettre l'eau, le sel, l'ail et les fines herbes. Porter à ébullition, ajouter le bulghur. Porter de nouveau à ébullition, couvrir et baisser le feu au minimum. Cuire de 15 à 20 minutes.
2. Émincer le chou chinois en lanières de 5 cm (1 po). Peler et couper la patate sucrée en deux sur la longueur, puis en tranches de 1 cm (1/4 po).
3. Faire cuire les légumes et les pois chiches à la vapeur, dans une casserole munie d'une marguerite ou dans une étuveuse. L'eau de la casserole ne doit pas toucher aux légumes. Ne pas faire cuire plus de 8 à 10 minutes.
4. Délayer la fécule de maïs dans 15 mL (1 c. à s.) d'eau. Dans une petite casserole, verser le reste de l'eau et le

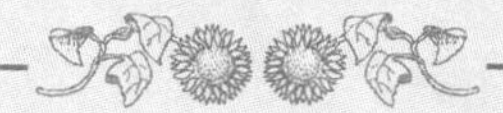

gingembre. Porter à ébullition. Ajouter la fécule en brassant continuellement. Réduire le feu, ajouter le tamari et le cayenne. Rectifier l'assaisonnement.

5. Disposer le bulghur dans le centre de l'assiette et les légumes tout autour. Napper de sauce.

....

Par portion : 321 calories, 13 protéines, 64 g de glucides, 2,8 g de lipides, 0 cholestérol, 0,4 de gras saturés, 613 mg de sodium, 980 mg de potassium.

SAUCE AU FROMAGE ALLÉGÉE *5 portions*

Cette sauce accompagne les pâtes ou les légumes; elle peut aussi servir de trempette. Cette recette n'exige aucune cuisson et se prépare en un clin d'œil.

180 mL (3/4 t.) de fromage cottage à 1 % m.g.
1 gousse d'ail émincée
60 mL (1/4 t.) de lait écrémé
5 mL (1 c. à thé) de jus de citron frais
10 mL (2 c. à thé) de basilic frais
ou 2 mL (1/2 c. à thé) de basilic séché
1 mL (1/4 c. à thé) de poivre
Une pincée de sel
15 mL (1 c. à s.) de persil frais

1. Au robot ou au mélangeur, mélanger le fromage cottage, l'ail et le lait jusqu'à ce que la préparation soit lisse.
2. Ajouter le jus de citron et les assaisonnements. Bien mélanger.
3. Verser la sauce sur des pâtes chaudes et bien les enrober. Servir aussitôt.

....

Par portion de 50 mL : 33 calories, 5 g de protéines, 2 g de glucides, 0,4 g de lipides, 1 mg de cholestérol, 0,2 g de gras saturés, 201 mg de sodium, 62 mg de potassium.

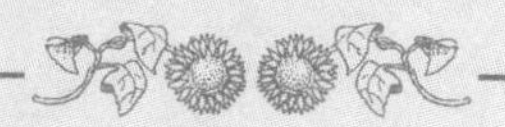

TARTINADE DE POIS CHICHES *4 portions*

250 mL (1 t.) de pois chiches cuits
15 mL (1 c. à s.) d'huile d'olive
10 mL (2 c. à thé) de jus de citron
1 ml (1/4 c. à thé) de sel
1 mL (1/4 c. à thé) d'ail
1 mL (1/4 c. à thé) de poivre

1. Bien écraser les pois chiches au robot ou à l'aide d'un pilon à pomme de terre.
2. Ajouter les autres ingrédients et bien mélanger.
3. Servir comme garniture à sandwich ou à hors d'œuvre.
4. Se congèle très bien.

Note : Cette tartinade est deux fois moins grasse que les recettes habituelles d'hummus.

....

Par portion : 87 calories, 2,6 g de protéines, 10 g de glucides, 4,4 g de lipides, 0 cholestérol, 0,6 g de gras saturés, 334 mg de sodium, 115 mg de potassium.

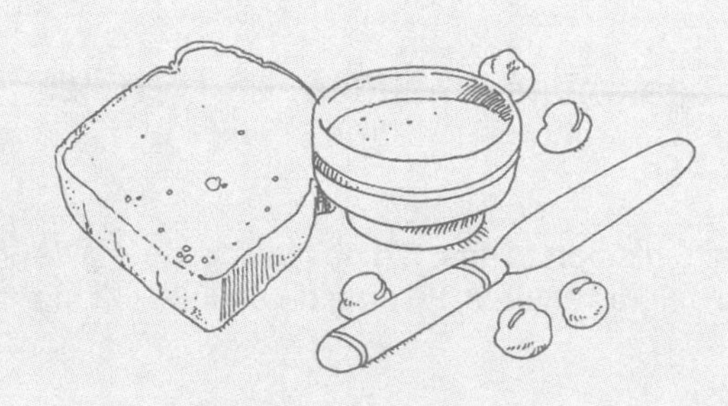

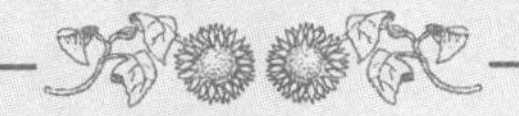

SARRASIN AU CARI *6 portions*

750 mL (3 t.) de sarrasin cuit*
125 mL (1/2 t.) de persil haché finement
60 mL (1/4 t.) d'oignon haché finement
30 mL (2 c. à s.) de vinaigrette maison
15 mL (1 c. à s.) de jus de citron
7 mL (1 1/2 c. à thé) de poudre de cari
5 mL (1 c. à thé) de tamari

1. Mélanger tous les ingrédients.

Méthode de cuisson du sarrasin :

1. Pour obtenir 750 mL (3 t.) de sarrasin cuit, utiliser 250 mL (1 t.) de sarrasin sec.
2. Faire bouillir 375 mL (1 1/2 t.) d'eau avec une feuille de laurier et un peu de sel. Y verser le sarrasin. Couvrir. Baisser le feu et cuire de 15 à 20 minutes.
3. Ne pas remuer pendant et après la cuisson, car le sarrasin deviendrait collant. Laisser reposer pendant quelques minutes avant de servir.

....

Par portion d'environ 125 mL (1/2 t.) : 127 calories, 4 g de protéines, 22 g de glucides, 3,4 g de lipides, 0 cholestérol, 0,5 g de gras saturés, 100 mg de sodium, 180 mg de potassium.

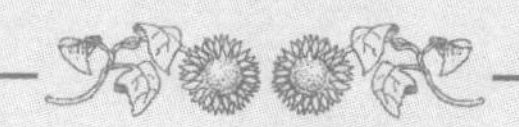

CROQUETTES DE TOFU *10 croquettes*

450 g (1 lb) de tofu ferme
15 mL (1 c. à s.) d'eau
60 mL (1/4 t.) d'oignon vert haché finement
80 mL (1/3 t.) d'oignon haché finement
125 mL (1/2 t.) de champignons hachés
80 mL (1/3 t.) de carottes râpées
60 mL (1/4 t.) d'arachides rôties non salées
15 mL (1 c. à s.) de graines de sésame
5 mL (1 c. à thé) de gingembre frais râpé
5 mL (1 c. à thé) de sel
5 mL (1 c. à thé) de graines de coriandre moulues
5 mL (1c. à thé) de tamari
5 mL (1 c. à thé) de levure alimentaire

1. Égoutter et émietter le tofu au robot. Dans une poêle, mettre l'eau, les oignons verts, l'oignon, les champignons et les carottes. Faire cuire à feu doux.
2. Dans un bol, mélanger tous les ingrédients. Façonner les croquettes. On peut se servir de la cuiller à crème glacée et ensuite aplatir la préparation.
3. Déposer les croquettes sur une plaque à biscuits légèrement huilée et enfarinée.
4. Cuire au four à 180 °C (350 °F) pendant 20 minutes. Il n'est pas nécessaire de les retourner.
5. Ces croquettes se congèlent très bien.

....

Par portion : 102 calories, 8,7 g de protéines, 4,7 g de glucides, 6,4 g de lipides, 0 cholestérol, 1 g de gras saturés, 288 mg de sodium, 202 mg de potassium. Bonne source de fer.

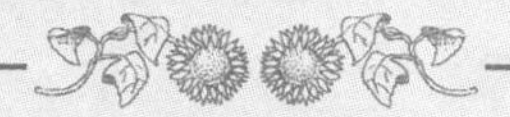

CASSEROLE DE RIZ ET DE LENTILLES *2 portions*

30 mL (2 c. à s.) d'eau
1 gousse d'ail émincée
125 mL (1/2 t.) d'oignon haché
60 mL (1/4 t.) de lentilles sèches, vertes ou brunes
60 mL (1/4 t.) de riz brun
250 mL (1 t.) de tomates en dés
250 mL (1 t.) de bouillon ou d'eau
30 mL (2 c. à s.) de persil haché
2 mL (1/2 c. à thé) de basilic séché

1. Dans une casserole, faire chauffer l'eau et ajouter l'oignon et l'ail. Faire cuire à feu doux en remuant afin que les légumes ne collent pas au fond.
2. Ajouter les lentilles et le riz. Remuer pendant une minute. Incorporer les tomates, le bouillon et le basilic. Porter à ébullition. Couvrir, baisser le feu et laisser cuire pendant une heure.
3. Surveiller la cuisson. Ajouter de l'eau si nécessaire.
4. Rectifier l'assaisonnement. Ajouter le persil frais.
5. Servir avec un légume vert et des crudités.

....

Par portion : 168 calories, 7,3 g de protéines, 33 g de glucides, 1,2 g de lipides, 0 cholestérol, 0,2 g de gras saturés, 21 mg de sodium, 535 mg de potassium.

Tanya Wodicka

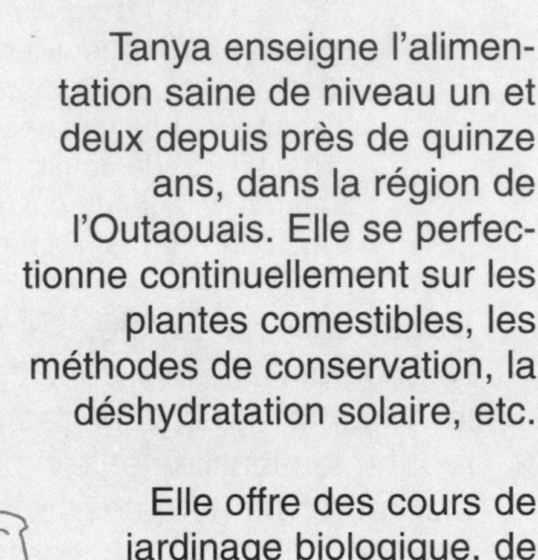

Tanya enseigne l'alimentation saine de niveau un et deux depuis près de quinze ans, dans la région de l'Outaouais. Elle se perfectionne continuellement sur les plantes comestibles, les méthodes de conservation, la déshydratation solaire, etc.

Elle offre des cours de jardinage biologique, de méthode de conservation des aliments, de sculpture sur fruits et légumes et de présentation artistique des mets.

Elle opère un service de traiteur en alimentation saine. Différents groupes, associations et salons de toutes les régions du Québec font appel à ses services.

Tanya Wodicka
(819) 463-4110

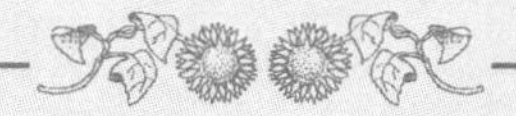

CHAMPAGNE À L'ÉRABLE *6 portions*

45 mL (3 c. à s.) de gingembre frais râpé
500 mL (2 t.) d'eau bouillante
60 mL (1/4 t.) de sirop d'érable
750 mL (3 t.) d'eau minérale gazéifiée
60 mL (1/4 t.) de jus de citron
2 gouttes d'essence de mandarine
1 pincée de piment de Cayenne (facultatif)
2 mandarines ou oranges en tranches pour décorer

1. Infuser le gingembre dans l'eau pendant 10 minutes.
2. Passer au tamis, ajouter le sirop d'érable, le jus de citron, l'essence et le piment de Cayenne. Brasser et réfrigérer.
3. Lorsque le mélange est bien froid, ajouter l'eau minérale.
4. Servir immédiatement dans des coupes de champagne. Garnir avec des tranches de mandarine.

....

Par portion : 60 calories, 0,7 g de protéines, 15 g de glucides, 0,1 g de lipides, 0 cholestérol, 0 gras saturés, 5 mg de sodium, 173 mg de potassium. Bonne source de vitamine C.

SALADE PRINTANIÈRE *4 portions*

500 mL (2 t.) de pois mange-tout
1 pomme rouge délicieuse
15 mL (1 c. à s.) de jus de citron
125 mL (1/2 t.) de pacanes

1. Cuire les pois mange-tout à la vapeur jusqu'à ce qu'ils soient croquants.
2. Les passer très rapidement sous l'eau froide et les assécher.
3. Couper les pois en deux, en diagonale.
4. Couper la pomme en tranches très minces, recouvrir du jus de citron, bien mélanger.
5. Couper les pacanes en deux.
6. Rassembler tous les ingrédients et les mélanger délicatement.
7. Assaisonner avec la sauce aux olives et aux câpres.

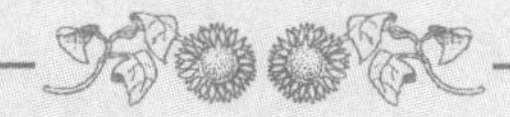

••••••••••••••••••••

Par portion : 172 g de calories, 5,3 g de protéines, 16 g de glucides, 10 g de lipides, 0 cholestérol, 0,8 g de gras saturés, 139 mg de sodium, 347 mg de potassium.

SAUCE AUX OLIVES ET AUX CÂPRES

4 olives noires, dénoyautées et hachées finement
15 mL (1 c. à s.) de câpres, hachées finement
5 mL (1 c. à thé) de moutarde de Dijon
15 mL (1 c. à s.) de persil frais haché finement
15 mL (1 c. à s.) de levure alimentaire
80 mL (1/3 t.) de yogourt nature faible en gras
30 mL (2 c. à s.) de jus de citron frais

1. Mélanger tous les ingrédients dans un bol. Laisser macérer pendant quelques heures, pour un maximum de saveur.
2. Servir sur la salade printanière.

••••••••••••••••••••

Par portion de 15 mL (1 c. à s.) : 13 calories, 1 g de protéines, 1 g de glucides, 0,3 g de lipides, 0 cholestérol, 0 gras saturés, 83 mg de sodium, 52 mg de potassium.

SOUPE AUX LENTILLES GERMÉES *4 portions*

500 mL (2 t.) de lentilles germées
1 oignon moyen émincé
5 mL (1 c. à thé) d'huile de sésame
80 mL (1/3 t.) de noix de Cajou moulues finement
15 mL (1 c. à s.) de farine à pâtisserie
500 mL (2 t.) de bouillon de légumes
30 mL (2 c. à s.) de levure alimentaire
10 mL (2 c. à thé) de poudre d'oignon
10 mL (2 c. à thé) de poudre d'ail
Sel aux légumes, tamari ou gomasio au goût
15 mL (1 c. à s.) de thym frais

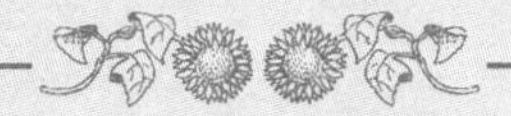

1. Faire sauter dans un wok ou une grande casserole l'oignon et les lentilles germées avec l'huile de sésame. Cuire pendant 5 à 10 minutes tout en remuant.
2. Ajouter un peu d'eau si les lentilles ont tendance à coller au fond.
3. Incorporer les noix de Cajou et la farine. Ajouter graduellement le bouillon tout en brassant. Si la soupe semble trop épaisse à votre goût, ajouter un peu d'eau, de bouillon ou de boisson de soya.
4. Assaisonner avec les ingrédients qui restent.
5. Servir la soupe décorée d'un bouquet de persil ou d'estragon frais.

....

Par portion : 172 calories, 9 g de protéines, 21 g de glucides, 6,8 g de lipides, 0 cholestérol, 1,3 g de gras saturés, 230 mg de sodium, 372 mg de potassium. Bonne source de fer.

ROULÉS DE BABAGANOUJ *6 roulés*

Cette recette est une spécialité du Moyen Orient.

1 aubergine moyenne
250 mL (1 t.) de pois chiches cuits
30 mL (2 c. à s.) de jus de citron frais
60 ml (1/4 t.) de persil frais émincé
30 mL (2 c. à s.) de beurre de sésame
5 ml (1 c. à thé) de sel de mer
2 gousses d'ail émincées
15 mL (1 c. à s.) d'huile d'olive
45 mL (3 c. à s.) d'oignons verts émincés

6 pains Pita ou de pain azyme*
Germes de luzerne pour garnir
Pousses de tournesol (facultatif)

*Un pain azyme est un pain très mince sans levain ni levure. C'est le pain rituel des Juifs.

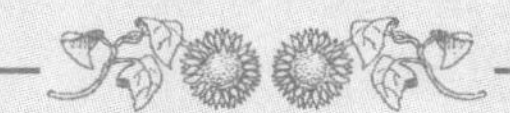

1. Laver l'aubergine, la piquer avec une fourchette et la faire cuire au four à 180 °C (350 °F) environ 45 minutes.
2. Laisser l'aubergine refroidir un peu avant d'en retirer la pulpe et de la mettre en purée dans le robot ou le mélangeur.
3. Ajouter le reste des ingrédients et fouetter jusqu'à l'obtention d'une purée onctueuse.
4. Étendre sur les pains azymes, garnir de luzerne et de pousses, rouler.
5. Le pain Pita peut être farci et tranché en pointes.

....

Par roulé : 303 calories, 10 g de protéines, 46 g de glucides, 10 g de lipides, 2 mg de cholestérol, 1,3 g de gras saturés, 811 mg de sodium, 293 mg de potassium.

LÉGUMES CHINOIS AU TOFU *6 portions*

450 g (16 oz) de tofu ferme en tranches fines

Marinade :

125 mL (1/2 t.) de tamari
60 mL (1/4 t.) de miel
5 mL (1 c. à thé) de cinq-épices ou de gingembre

1. Mélanger tous les ingrédients de la marinade.
2. Ajouter le tofu et l'imprégner de marinade des deux côtés.
3. Laisser mariner environ 30 minutes, puis égoutter tout en réservant la marinade.
4. Dans un four à 180 °C (350°F), faire griller le tofu sur une plaque à biscuits enduite d'un peu d'huile de sésame. Faire cuire pendant 10 minutes de chaque côté.
5. Retirer du four et tenir au chaud.

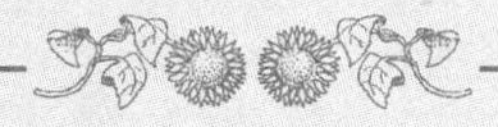

Légumes :

1 oignon rouge coupé en demi-lune
10 mL (2 c. à thé) d'huile de sésame
250 mL (1 t.) de pois mange-tout
1 poivron rouge en lanières
1 poivron jaune en lanières
125 mL (1/2 t.) de carottes en bâtonnets
250 mL (1 t.) de courgettes en rondelles
250 mL (1 t.) de fèves germées
Reste de la marinade

1,5 L (6 t.) de pâtes soba (sarrasin), de riz ou de millet cuit

Pour décorer : graines de sésame, persil, coriandre, ciboulette...

1. Dans un wok ou une grande poêle, faire revenir l'oignon dans l'huile de sésame pendant une minute. Ajouter les pois mange-tout, les poivrons, les carottes et les courgettes. Cuire pendant 5 minutes.
2. Ajouter les fèves germées et la marinade. Laisser mijoter pendant 2 minutes.
3. Verser dans un plat de service sur des pâtes, du riz brun ou du millet. Ajouter le tofu sur les légumes et arroser avec la marinade.
4. Décorer de graines de sésame, de persil, de coriandre ou de ciboulette fraîche... au goût !

....

Par portion : 417 calories, 25 g de protéines, 63 g de glucides, 9 g de lipides, 0 cholestérol, 1,2 g de gras saturés, 1936 mg de sodium, 680 mg de potassium. Excellente source de fer.

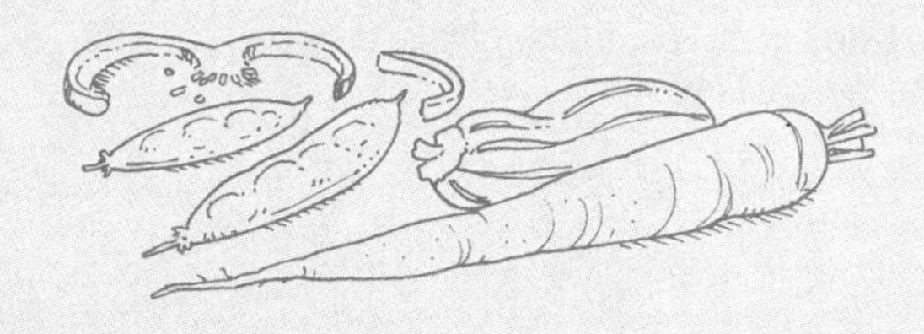

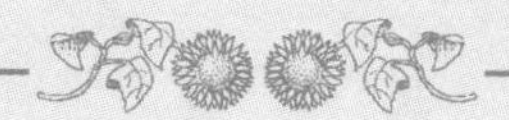

RELISH AUX ZUCCHINIS *7 bocaux de 500 mL*

2 1/2 L (10 t.) de zucchinis râpés
1 L (4 t.) d'oignons râpés
75 mL (5 c. à s.) de sel de mer

1. Bien mélanger ces ingrédients dans un grand récipient. Laisser reposer pendant 12 heures.
2. Rincer le tout à l'eau. Égoutter dans une passoire. Verser dans une grande casserole.

500 mL (2 t.) de vinaigre de cidre
15 mL (1 c. à s.) de muscade moulue
15 mL (1 c. à s.) de moutarde en poudre
1 mL (1/4 c. à thé) de piment de Cayenne
10 ml (2 c. à thé) de sel de céleri
15 mL (1 c. à s.) de curcuma
500 mL (2 t.) de céleri finement haché

1. Ajouter ces ingrédients aux légumes. Porter à ébullition.
2. Laisser mijoter pendant 1 heure, en brassant de temps à autre.
3. Ajouter :

500 mL (2 t.) de miel
30 mL (2 c. à s.) de fécule de marante diluée dans
125 mL (1/2 t.) d'eau

4. Verser lentement tout en remuant. Porter à ébullition pendant 5 minutes.
5. Verser dans des bocaux stérilisés, en laissant environ 2 cm (1 po) d'espace de tête. Plonger un couteau stérilisé dans les bocaux pour faire sortir l'air.

....

Par portion de 10 mL (2 c. à thé) : 8 calories, 0 protéines, 2 g de glucides, 0 g de gras, 0 cholestérol, 0 gras saturés, 94 mg de sodium, 19 mg de potassium.

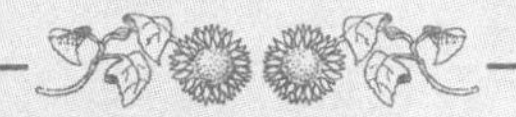

TAPIOCA À L'ANANAS *6 portions*

250 mL (1 t.) de petit tapioca
1 L (4 t.) de jus d'ananas
500 mL (2 t.) d'ananas en cubes, frais ou en conserve
8 gouttes d'essence de noix de coco ou d'orange

1. Verser le tapioca et le jus d'ananas dans une casserole. Faire cuire doucement, en remuant de temps à autre, jusqu'à épaississement.
2. Laisser refroidir, ajouter les cubes d'ananas et l'essence.
3. Servir froid dans de jolies coupes et décorer.

....

Par portion : 207 calories, 1 g de protéines, 52 g de glucides, 0,2 g de lipides, 0 cholestérol, 0 g de gras saturés, 2 mg de sodium, 330 mg de potassium.

Atmo Zakes

D'origine allemande, Atmo adore voyager et cuisiner. Au cours de ses séjours en Asie, en Amérique latine et en Europe, elle a acquis une connaissance approfondie des cuisines locales.

Sa formation d'infirmière et son expérience de plus de 10 ans d'enseignement en alimentation saine lui permettent de préparer des repas bien équilibrés tout en regorgeant de saveurs exotiques.

Atmo donne des cours de cuisine partout au Québec, que ce soit de la cuisine indienne, végétarienne ou encore sur des thèmes comme la préparation de menus pour les Fêtes ou la décoration des mets. Elle offre du support aux cuisinières de groupes qui veulent intégrer plus de plats végétariens dans leurs menus tout en leur apprenant des trucs rapides.

Atmo anime également des soupers-causeries. Pour une soirée magique, elle vous prépare des plats savoureux, s'occupe du décor, de la musique et de l'atmosphère. C'est un festin pour tous les sens !

Atmo Zakes
(514) 457-0295

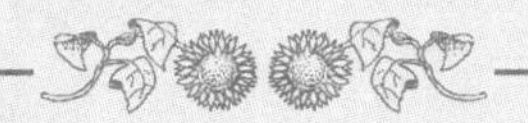

SALADE TROPICALE À LA MANGUE — *2 portions*

Mangay pajji

Une salade aigre-douce, un plat d'accompagnement rafraîchissant qui «éteint le feu» des mets indiens épicés.

1 grosse mangue
5 mL (1 c. à thé) de moutarde noire*
250 mL (1 t.) de yogourt nature faible en gras
Une pincée de piment de Cayenne
5 mL (1 c. à thé) de miel
1 mL (1/4 c. à thé) de sel
5 mL (1 c. à thé) d'huile de tournesol
1 petit piment rouge séché, sans pépins
1 petit oignon ou 1 échalote française

*Les graines de moutarde noire crues possèdent un goût fort, tandis que la cuisson leur donne un goût fin de noisette.

1. Peler et couper la mangue en petits dés d'un centimètre (1/2 po). Mettre de côté.
2. Moudre très finement les trois quarts des graines de moutarde, dans un moulin à café ou un mortier.
3. Verser le yogourt dans un bol à servir.
4. Ajouter les graines de moutarde moulues, le cayenne, le miel, le sel et la mangue. Mélanger et réserver.
5. Faire chauffer l'huile à feu moyen dans une petite poêle. Faire attention de ne pas faire fumer. Dès qu'elle est chaude, ajouter les graines de moutarde entières qui restent. Aussitôt qu'elles commencent à éclater (en quelques secondes), retirer du feu et ajouter le piment rouge.
6. Remettre la poêle sur le feu et dès que le piment commence à fondre, ajouter l'oignon ou l'échalote et faire cuire quelques minutes.
7. Verser le contenu de la poêle dans le bol à servir et bien mélanger le tout.
8. Servir immédiatement ou faire refroidir.

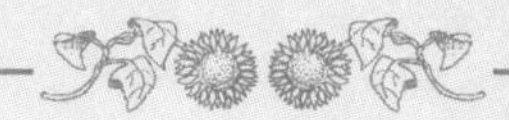

VARIANTES :

- Pour un délicieux dessert, on peut omettre l'huile, les épices et l'échalote.
- Utiliser d'autres fruits : poire, abricot frais ou séché et réhydraté, raisins coupés en deux.

....

Par portion : 167 calories, 8 g de protéines, 31 g de glucides, 2,6 g de lipides, 0 cholestérol, 0,3 g de gras saturés, 307 mg de sodium, 511 mg de potassium. Excellente source de calcium.

RAÏTA AUX POMMES *2 portions*

Cette raïta sert à la fois à éteindre le feu des mets épicés et de digestif. Le yogourt et les épices peuvent être préparés bien à l'avance, mais la pomme doit être râpée et ajoutée juste avant de servir.

300 mL (1 1/4 t.) de yogourt nature faible en gras
2 à 5 mL (1/2 à 1 c. à thé) de cumin en poudre
1/2 mL (1/8 c. à thé) de piment de Cayenne
2 à 5 mL (1/2 à 1 c. à thé) de gingembre frais, pelé et râpé finement
2 mL (1/2 c. à thé) de sel
1 petite pomme acide (Granny Smith)

1. Verser le yogourt dans un joli bol à servir.
2. Ajouter les autres ingrédients excepté la pomme.
3. Mélanger, couvrir et réfrigérer.
4. Au moment de servir, ajouter la pomme râpée grossièrement. Bien mélanger.

VARIANTES :

- Utiliser d'autres fruits de saison ; kiwi, poire, mangue, banane, etc.
- Utiliser des légumes tels que concombre, tomate, zucchini, rutabaga, etc.
- Utiliser comme sauce à salade dans un pain pita.
- Utiliser comme trempette pour des bâtonnets de légumes.

À VOUS DE JOUER !

Par portion : 113 calories, 9 g de protéines, 19 g de glucides, 0,3 g de lipides, 0 cholestérol, 0 g de gras saturés, 644 mg de sodium, 469 mg de potassium. Excellente source de calcium.

DAL **4 portions**

Soupe repas aux lentilles

Le Dal est une purée de lentilles et se prépare avec une grande variété de légumineuses concassées ou très petites. Il constitue, avec le riz, la base de l'alimentation indienne.

1 L (4 t.) d'eau bouillante
500 mL (2 t.) de petites lentilles rouges ou jaunes
5 mL (1 c. à thé) de curcuma
2,5 cm (1 po) de gingembre frais, râpé grossièrement
3 ou 4 gousses d'ail émincées
1 gros oignon émincé
15 mL (1 c. à s.) de ghee ou d'huile de tournesol
1 tomate finement coupée
1 carotte finement râpée
10 mL (2 c. à thé) de sel de mer
5 à 10 mL (1 à 2 c. à thé) de garam masala
ou de poudre de cari
15 mL (1 c. à s.) de coriandre ou persil frais haché

1. Laver les lentilles et les mettre dans une casserole avec l'eau bouillante et le curcuma. Laisser mijoter environ 15 minutes.
2. Verser l'huile ou le ghee dans une poêle sur feu moyen. Y faire revenir le gingembre râpé, l'ail et l'oignon pendant quelques minutes.
3. Ajouter la tomate, la carotte râpée et le sel. Faire revenir 3 à 4 minutes.
4. Ajouter cette préparation aux lentilles. Laisser cuire jusqu'à l'obtention d'une purée.
5. Ajouter le garam masala à la fin de la cuisson. Il ne doit pas bouillir.
6. Servir chaud avec du riz brun ou toute autre céréale.

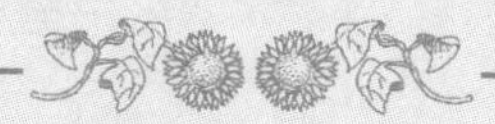

....

Par portion : 260 calories, 19 g de protéines, 42 g de glucides, 3 g de lipides, 0 cholestérol, 0,3 g de gras saturés, 729 mg de sodium, 727 mg de potassium. Très bonne source de fer.

RIZ PARFUMÉ BIRYANI *6 portions*

Pour le riz :

1 L (4 t.) de bouillon de légumes ou d'eau
4 clous de girofle entiers
2 graines de cardamone vert, écrasées
2 feuilles de laurier
2 mL (1/4 c. à thé) de safran dilué
dans 5 mL (1 c. à thé) de lait
(2 % m.g.) très chaud
5 mL (1 c. à thé) de sel de mer
500 mL (2 t.) de riz brun à grain long

Pour les légumes :

30 mL (2 c. à s.) de ghee ou d'huile
250 mL (1 t.) d'oignon haché finement
15 mL (1 c. à s.) de gingembre frais, râpé
1 mL (1/4 c. à thé) de piment de Cayenne
5 mL (1 c. à thé) de curcuma en poudre
2 mL (1/2 c. à thé) de sel
250 mL (1 t.) de champignons tranchés en quatre
250 mL (1 t.) de carottes coupés en dés de 1 cm (1/2 po)
250 mL (1 t.) de pois verts frais ou congelés
5 à 10 mL (1 à 2 c. à thé) de garam masala

Préparation du riz :

1. Dans une grande casserole à fond épais, porter le bouillon à ébullition. Ajouter les épices et le sel. On peut mettre les épices dans un sachet.
2. Diluer le safran dans un peu de lait chaud en le frottant entre deux doigts. Ajouter au bouillon.
3. Ajouter le riz lavé et égoutté, porter à ébullition, puis réduire le feu au minimum. Couvrir et laisser mijoter pendant environ 45 minutes.

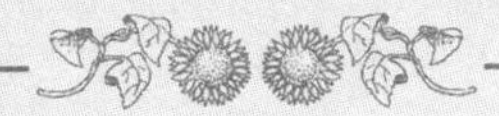

Préparation des légumes :

1. Dans une grande poêle ou dans un wok, sur feu moyen, faire fondre le ghee ou ajouter l'huile.
2. Faire revenir les oignons et le gingembre, le cayenne, le curcuma et le sel pendant 2 minutes.
3. Ajouter les carottes et continuer la cuisson pendant 5 minutes avant d'incorporer les champignons.
4. Couvrir, réduire le feu et laisser mijoter de 5 à 7 minutes.
5. Ajouter les pois et le garam masala. Retirer du feu.
6. Verser les légumes dans la casserole de riz. Incorporer doucement.
7. Servir chaud avec des pappadams (galettes épicées), du dal et un bon chutney ou une raïta pour un repas indien complet.

VARIANTES :

- Servir le riz en couronne et verser les légumes au centre.
- Utiliser d'autres légumes tout en gardant les proportions données.

....

Par portion : 351 calories, 8 g de protéines, 65 g de glucides, 6,7 g de lipides, 12 mg de cholestérol, 3,3 g de gras saturés, 621 mg de sodium, 500 mg de potassium. Bonne source de fer.

GARAM MASALA

La fraîcheur des épices peut faire toute la différence d'un mets. En Inde, on retrouve autant de garam masala que de cuisinières. La recette ci-dessous utilise un mélange typique. Faites vous-même votre mélange en un rien de temps !

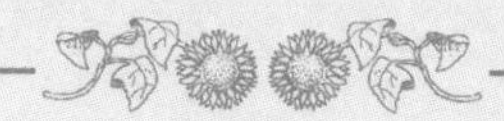

Moudre dans un moulin à café les ingrédients suivants :

4 bâtons de cannelle de 2,5 cm (1 po)
3 clous de girofle
3 grains de poivre noir
2 graines de cardamone noire, écalées
10 mL (2 c. à thé) de graines de cumin noir

Conserver dans un contenant hermétique.

CHUTNEY AUX GRAINES DE SÉSAME *Til Ki Chutney*

125 mL (1/2 t.) de graines de sésame, entières
60 mL (1/4 t.) de coriandre frais, bien tassé
60 mL (1/4 t.) de menthe fraîche, bien tassée
1 mL (1/4 c. à thé) de piment de Cayenne
45 mL (3 c. à s.) de pâte de tamarin*
2 mL (1/2 c. à thé) de sel
90 mL (6 c. à s.) d'eau froide

*La pâte de tamarin est disponible dans les épiceries asiatiques.

1. Faire rôtir, à feu moyen, les graines de sésame à sec dans une poêle à fond épais. Les faire brunir légèrement, mais ne pas les laisser éclater. Bien brasser tout le temps. Les verser dans un bol et laisser refroidir.
2. Moudre les graines dans un moulin à café ou dans un mélangeur. Réduire en poudre très fine.
3. Mettre tous les ingrédients ensemble dans un mélangeur ou dans le robot en y ajoutant l'eau froide. Mélanger jusqu'à l'obtention d'une purée fine et onctueuse.

....

Par portion : 23 calories, 0,6 de protéines, 1,6 g de glucides, 1,7 g de lipides, 0 cholestérol, 0,2 g de gras saturés, 95 mg de sodium, 28 mg de potassium.

TOFU OU PANIR KORMA *6 portions*

Cette recette indienne se prépare traditionnellement avec un fromage frais épais, le panir. Ce produit se vend dans les épiceries asiatiques. Le tofu donne un mets aussi délicieux; il s'imprègne des saveurs et réduit la teneur en gras animal de la recette.

30 mL (2 c. à s.) d'huile d'olive ou de ghee
5 mL (1 c. à thé) de graines de cumin
1 gros oignon haché très fin
2 à 5 cm (1 à 2 po) de racine de gingembre frais et râpé
375 mL (1 1/2 t.) de carottes en petits dés
375 mL (1 1/2 t.) de chou-fleur coupé en petites fleurettes
125 mL (1/2 t.) de pois verts congelés ou de pois mange-tout
60 mL (1/4 t.) de noix de Cajou ou d'amandes
1 à 2 mL (1/4 à 1/2 c. à thé) de piment de Cayenne*
375 mL (1 1/2 t.) de tofu ferme ou de panir, en petits dés
Sel au goût
2 à 5 mL (1/2 à 1 c. à thé) de garam masala*
125 mL (1/2 t.) de coriandre ou de persil frais, haché fin

*Si vous aimez un mets doux, utiliser la plus petite quantité d'épices.

1. Faire chauffer l'huile dans une grande casserole à fond épais. Ajouter les graines de cumin et les faire légèrement brunir.
2. Ajouter les oignons et le gingembre râpé. Cuire 5 minutes.
3. Ajouter les carottes, cuire 5 minutes et ajouter le chou-fleur. Cuire jusqu'à ce que les légumes soient croquants.
4. Ajouter les pois, les noix et toutes les épices sauf le garam masala. Cuire 5 minutes à feu doux.
5. Incorporer le garam masala et la coriandre (ou persil). Couvrir et retirer du feu.
6. Servir comme plat de résistance dans un repas indien ou autre.

Par portion : 222 calories, 13 g de protéines, 16 g de glucides, 13 g de lipides, 0 cholestérol, 2 g de gras saturés, 57 mg de sodium, 483 mg de potassium.

MELON AU SIROP *4 portions*

Un dessert ou une collation rafraîchissante pour les belles journées chaudes.

30 mL (2 c. à s.) de gingembre frais
1 citron Bio de préférence
500 mL (2 t.) d'eau froide
125 mL (1/2 t.) de miel ou de sirop d'érable
1 melon miel ou autre

1. Peler le gingembre et le râper grossièrement.
2. Bien laver le citron et peler des lanières de zeste, sans prendre la pulpe blanche qui donnerait un goût amer. Extraire le jus et réserver.
3. Verser l'eau et le miel (ou sirop d'érable) dans une petite casserole. Ajouter le gingembre et le zeste de citron. Porter à ébullition et laisser mijoter à feu doux pendant environ 7 minutes. Laisser tiédir pendant 15 minutes.
4. Passer au tamis et faire refroidir complètement au réfrigérateur.
5. Couper le melon en deux et retirer les graines. Le peler. Le trancher en cubes de 2 cm (1 po). Déposer dans un beau bol à servir.
6. Ajouter le jus de citron au sirop et verser sur le melon. Couvrir et réfrigérer.
7. Servir joliment décoré de feuilles de menthe ou de fleurs comestibles (courge, capucine, pensée, bourrache, etc.).

VARIANTES :

- Couper le melon avec des emporte-pièces de différentes formes : cœur, animaux, etc. pour donner un air de fête spécial.
- Utiliser d'autres fruits. Délicieux avec de la mangue et des fraises !
- Petit déjeuner paradisiaque avec du yogourt et une céréale croquante !

Par portion : 258 calories, 1,8 g de protéines, 69 g de glucides, 0,4 g de lipides, 0 cholestérol, 0 g de gras saturés, 39 mg de sodium, 951 mg de potassium.

CHAI GLACÉ AU GINGEMBRE *6 portions*

Le chai est la boisson nationale de l'Inde. Voici ma version glacée, énergisante et thérapeutique. Le gingembre est un digestif et un antinausée éprouvé.

1 1/2 L (6 t.) d'eau
30 mL (2 c. à s.) ou 2 sachets de menthe séchée
15 à 30 mL (1 à 2 c. à s.) de gingembre frais, râpé
60 à 125 mL (1/4 à 1/2 t.) de miel ou de sirop d'érable
Le jus d'un citron
Quelques cubes de glace

1. Méthode «à froid» : dans un contenant de 2 L (8 t.), mélanger tous les ingrédients, excepté la glace. Mettre au réfrigérateur pendant au moins 5 heures ou encore toute la nuit. Ajouter les cubes de glace au moment de servir.

2. Méthode «chaude» : Porter à ébullition 500 mL (2 t.) d'eau. Ajouter la menthe, le gingembre et le miel. Laisser reposer 10 minutes. Refroidir avec beaucoup de glace.

VARIANTES :

- Utiliser une autre tisane ou des mélanges fruités.
- Pour un punch aux fruits, ajouter des tranches de fruits de saison dans un joli grand bol.
- Remplacer une partie de l'eau par votre jus préféré et réduire le miel ou le sirop. On peut aussi l'omettre.

Par portion : 49 calories, 0 g de protéines, 13 g de glucides, 0 g de lipides, 0 cholestérol, 0 gras saturés, 8 mg de sodium, 34 mg de potassium.

L'Armoire aux Herbes

Danièle Laberge est une herboriste et une herbocultrice chevronnée.

Depuis 1984, elle travaille sur sa ferme biodynamique, située à Ham Nord, village niché en bordure des Appalaches. C'est là que l'Armoire aux Herbes est née. Maintenant, on y fait pousser plus de 350 variétés de plantes culinaires, ornementales et médicinales.

On y offre une vaste gamme de produits à base d'herbes, disponibles dans les magasins d'aliments naturels : concentrés liquides d'herbes, élixirs floraux, tisanes, onguents.

L'Armoire aux Herbes offre des cours ainsi que des visites des jardins, sur rendez-vous. Danièle Laberge a aussi fondé une maison d'édition, l'Herbothèque, qui publie ses nombreux écrits.

Elle offre une formation complète en herboristerie, appelée HerbArt (par correspondance). Grâce à cet enseignement, le nombre des ami(e)s des herbes croît, et la survie de nos chères alliées, les herbes, sera assurée.

L'Armoire aux Herbes
(819) 344-2080

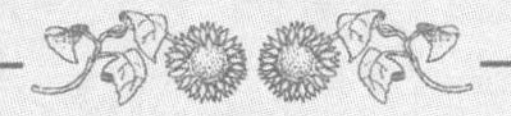

TAPIOCA AU RAISIN *4 portions*

625 mL (2 1/2 t.) de jus de raisin
60 mL (1/4 t.) de tapioca à cuisson rapide
60 mL (1/4 t.) de miel
Jus d'un citron

1. Porter le tout à ébullition. Laisser reposer environ 20 minutes.
2. Servir dans des coupes et les décorer de fruits.

....

Par portion : 185 calories, 0,3 g de protéines, 47 g de glucides, 0,1 g de lipides, 0 cholestérol, 0 gras saturés, 4 mg de sodium, 65 mg de potassium.

TREMPETTE À L'ANETH *8 portions*

L'aneth est un support du système digestif.

250 mL (1 t.) de yogourt ou de crème sûre faible en gras
2 mL (1/2 c. à thé) de sauce tabasco
15 à 30 mL (1 à 2 c. à s.) de feuilles d'aneth hachées finement ou 1 mL (1/4 c. à thé) de graines d'aneth moulues
2 échalotes françaises ou oignons verts émincés
Ail et sel au goût

1. Mélanger tous les ingrédients et réfrigérer.
2. Servir avec des crudités, des biscottes, des croustilles de maïs...

....

Par portion : 17 calories, 1,8 protéines, 2 g de glucides, 0 g de lipides, 0 cholestérol, 0 gras saturés, 90 mg de sodium, 85 mg de potassium.

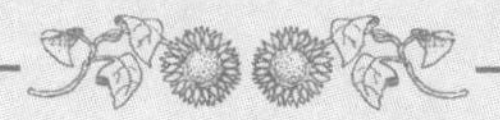

SOUPE AU CONCOMBRE ET À LA MENTHE *5 portions*

La menthe est digestive et alcalinise l'organisme.

1 L (4 t.) de bouillon de légumes
1 oignon haché
500 mL (2 t.) de concombres pelés et coupés en cubes
3 branches de menthe fraîche
15 mL (1 c. à s.) ou plus de farine diluée
dans 30 mL (2 c. à s.) d'eau
Sel et poivre au goût
Quelques rondelles de concombre et feuilles
de menthe pour décorer

1. Porter le bouillon à ébullition. Baisser le feu et ajouter l'oignon. Laisser mijoter 5 minutes.
2. Ajouter les cubes de concombre et 1 branche de menthe. Laisser mijoter 7 minutes.
3. Réduire en purée au mélangeur. Ajouter la farine.
4. Remettre dans la casserole, porter à ébullition et faire cuire doucement jusqu'à ce que la soupe épaississe.
5. Assaisonner, faire refroidir au réfrigérateur.
6. Servir frais. Garnir chaque bol avec des rondelles de concombre et des feuilles de menthe.

Par portion : 60 calories, 1,8 g de protéines, 13 g de glucides, 0,2 g de lipides, 0 cholestérol, 0 g de gras saturés, 292 mg de sodium, 284 mg de potassium. Bonne source de fer.

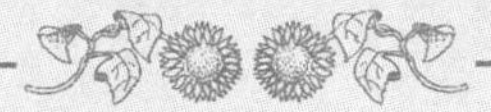

VINAIGRETTE AU RAIFORT

Le raifort est un stimulant gastrique. Il active aussi la circulation sanguine.

125 mL (1/2 t.) de yogourt nature faible en gras
125 mL (1/2 t.) de mayonnaise maison
60 mL (1/4 t.) d'oignons verts hachés finement
2 mL (1/2 c. à thé) de moutarde préparée
5 mL (1 c. à thé) de miel (facultatif)
2 mL (1/2 c. à thé) de raifort en poudre ou
15 mL (1 c. à s.) de raifort frais râpé

1. Bien mélanger tous les ingrédients. Réfrigérer pendant une heure avant de servir.
2. Excellente sur des salades de germes ou de pousses.

....

Par portion de 15 mL (1 c. à s.) : 47 calories, 0,5 g de protéines, 1 g de glucides, 4,6 g de lipides, 3 mg de cholestérol, 0,6 g de gras saturés, 38 mg de sodium, 26 mg de potassium.

FARCE AUX HERBES — *3 portions*

500 mL (2 t.) de chapelure de pain de blé entier
125 mL (1/2 t.) d'oignon émincé
10 mL (2 c. à thé) de sauge fraîche *(excellent stimulant)*
5 mL (1 c. à thé) de thym frais *(supporte l'immunité)*
10 mL (2 c. à thé) de marjolaine fraîche
(relaxante, désinfectante)
Une pincée de sel
Un soupçon de jus de citron
30 mL (2 c. à s.) d'huile d'olive
30 mL (2 c. à s.) de levure alimentaire
1 œuf

1. Mélanger tous les ingrédients.
2. Farcir des tomates, poivrons, courgettes, petites aubergines, oignons. Ce plat s'accompagne bien de riz brun et d'une sauce aux herbes.

....

Par portion de farce : 230 calories, 8 g de protéines, 31 g de glucides, 8 g de lipides, 71 mg de cholestérol, 1,5 g de gras saturés, 407 mg de sodium, 215 mg de potassium. Bonne source de fer.

PAIN AUX HERBES ET AUX OIGNONS *1 pain*

125 mL (1/2 t.) de lait préalablement chauffé
15 mL (1 c. à s.) de miel
5 mL (1 c. à thé) de sel
15 mL (1 c. à s.) d'huile
15 mL (1 c. à s.) de levure à pain
125 mL (1/2 t.) d'eau tiède
625 mL (2 1/2 t.) de farine à pain
1 demi-oignon émincé
5 mL (1 c. à thé) d'une ou de plusieurs herbes au choix :
  romarin *(spécialiste des reins)*
  aneth *(carminatif *)*
  anis *(stimulant digestif)*
  basilic *(calmant, antiseptique intestinal)*
  marjolaine *(relaxante, désinfectante)*

* Qui a la propriété de faire expulser les gaz intestinaux.

1. Combiner le lait chaud, le miel, le sel et l'huile. Laisser tiédir.
2. Dans un grand bol, saupoudrer la levure sur l'eau tiède.
3. Ajouter le lait tiède, l'oignon, la farine et les herbes. Bien brasser pour développer l'élasticité de la pâte.
4. Couvrir la boule de pâte d'un linge humide et laisser lever jusqu'au triple de volume, environ 45 minutes.
5. Abaisser la pâte. La pétrir pendant quelques minutes sur une surface légèrement enfarinée.
6. Déposer la pâte dans un moule à pain de 20 X 10 cm X 7,5 cm (8" X 4" X 3"), bien huilé. Laisser lever 10 à 15 minutes.
7. Faire cuire au four à 180 °C (350 °F) environ une heure.

VARIANTES:

- On peut aussi façonner la pâte en petits pains ou la rouler pour en faire une croûte à pizza.

....

Par tranche : 93 calories, 3,6 g de protéines, 18 g de glucides, 1,4 g de lipides, 0 cholestérol, 0,2 g de gras saturés, 158 mg de sodium, 128 mg de potassium.

La Clef des Champs

Située au cœur des Laurentides, l'Herboristerie la Clef des Champs se spécialise, depuis 1984, dans la culture et la transformation des plantes médicinales.

Marie Provost, Louise Blanchard et leur équipe y font la culture biologique d'une grande variété de plantes qui sont ensuite transformées en teintures, crèmes, huiles, capsules et mélanges à infuser.

Il est possible de visiter les jardins à l'occasion de Portes ouvertes en août.

Marie Provost offre des ateliers portant sur les plantes médicinales en général ou sur des sujets plus particuliers, tels la grossesse, la santé des femmes, les soins aux enfants, les soins aux personnes âgées et les troubles nerveux. Elle est également l'auteure de *Les plantes qui guérissent.*

Les produits de la Clef des Champs sont disponibles dans les magasins d'aliments naturels et chez certains thérapeutes.

La Clef des Champs
Val-David
(819) 322-1561

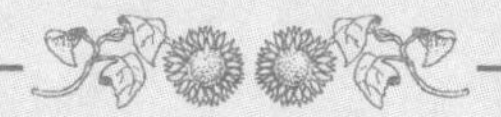

FLEURS COMESTIBLES

Les fleurs nous fascinent par leur beauté et leur odeur. Mais elles peuvent aussi enjoliver un mets, que ce soit une entrée, une salade ou un dessert. Leur saveur douce ou corsée saura vous charmer.

Achillée millefeuille
Ail
Aneth
Angélique
Bégonia
Bourrache
Camomille
Capucine
Céleri
Cerisier
Chèvrefeuille
Chou
Coquelicot (pétales)
Coriandre
Courgette
Églantier
Giroflée
Hosta (boutons)
Impatiente
Lavande
Menthe
Monarde
Œillet
Oignon
Onagre
Passe-rose (boutons)
Pensée
Phlox
Pissenlit
Primevère
Prunier
Rose
Sauge
Souci (Calendula)
Sureau
Tagète
Tilleul
Trèfle
Tulipe
Violette sauvage

ATTENTION : certaines fleurs sont **toxiques : pétunia, digitale et muguet**. Ne consommer que des fleurs provenant de culture BIOlogique.

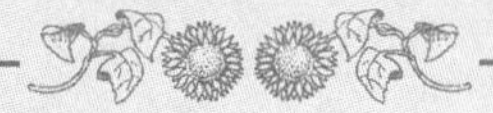

LIMONADES FLEURIES

2 L (8 t.) d'eau tiède
4 citrons en tranches fines
Miel au goût
Fleurs : merisier blanc, sureau, rose, églantier, valériane, monarde, pensée, capucine, violette, etc.

1. Laisser macérer les citrons et les fleurs pendant 24 heures. Filtrer. Ajouter quelques fleurs fraîches avant de servir.

....

Par portion : 19 calories, 0,6 g de protéines, 8 g de glucides, 0 g de lipides, 0 cholestérol, 0 gras saturés, 8 mg de sodium, 81 mg de potassium.

VINAIGRE DE FLEURS ET DE FRUITS

Vinaigre de vin blanc
Fleurs au choix : rose, violette, sauge, romarin, menthe, basilic, trèfle, sureau, lavande, souci, feuilles et fleurs d'hysope, fleurs et tiges d'angélique (goût de gingembre).

1. Remplir de fleurs des bocaux à confiture. Couvrir de vinaigre de vin blanc.
2. Laisser macérer pendant un mois à l'abri de la lumière.
3. Filtrer les vinaigres et verser dans de jolies bouteilles. Fermer hermétiquement. Conserver au frais et à l'abri de la lumière.

VINAIGRE DE FRAMBOISE

1 partie de framboises
2 parties de vinaigre de vin blanc

1. Réduire les framboises en purée dans le mélangeur.
2. Ajouter au vinaigre de vin. Laisser macérer dans un endroit chaud pendant 3 semaines en agitant de temps en temps.
3. Filtrer le vinaigre. Verser dans des bouteilles stérilisées. Conserver au frais et à l'abri de la lumière.

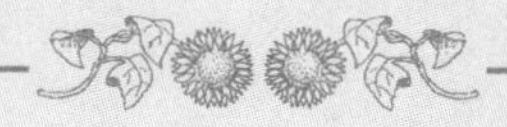

SOUPE AUX ÉPINARDS ET À LA CAPUCINE

4 portions

Les citadins peuvent remplacer l'ortie par des épinards. L'ortie est une plante très riche en fer.

500 mL (2 t.) de feuilles d'ortie fraîches ou
de feuilles d'épinards fraîches
250 mL (1 t.) d'eau
500 mL (2 t.) de boisson de soya
500 mL (2 t.) de bouillon de légumes
Sel et muscade au goût
Fleurs de capucine
Croûtons de pain au goût

1. Faire cuire rapidement les légumes feuilles dans l'eau. Refroidir et passer au mélangeur.
2. Ajouter la boisson de soya, le bouillon de légumes, le sel et la muscade. Mélanger.
3. Verser dans une grande casserole et porter à ébullition.
4. Servir dans des bols et garnir de croûtons et de fleurs de capucine.

VARIANTE :

Utiliser des feuilles d'ortie. Cette plante est riche en fer.

....

Par portion : 75 calories, 3 g de protéines, 13 g de glucides, 1 g de lipides, 0 cholestérol, 0 gras saturés, 135 mg de sodium, 252 mg de potassium. Bonne source de calcium.

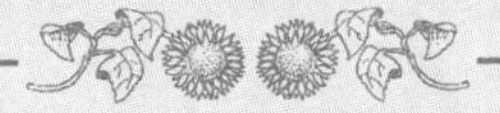

CHOU-FLEUR OU BROCOLI SAUCE COCO

6 portions

1 L (4 t.) de chou-fleur ou de brocoli coupé en fleurettes
10 mL (2 c. à thé) d'huile
1 oignon haché finement
5 mL (1 c. à thé) de poudre de cari
10 mL (2 c. à thé) de farine de blé entier
125 mL (1/2 t.) de boisson de soya
90 mL (6 c. à s.) de lait de coco en conserve
45 mL (3 c. à s.) de feuilles de coriandre fraîches hachées fin
Pétales de fleurs de souci (*Calendula*) pour décorer

1. Faire cuire le brocoli ou le chou-fleur à la vapeur.
2. Faire revenir l'oignon dans l'huile. Ajouter la poudre de cari.
3. Quand l'oignon est transparent, saupoudrer la farine, ajouter la boisson de soya. Cuire 3 minutes.
4. Ajouter le lait de coco. Continuer la cuisson jusqu'à épaississement. Retirer du feu.
5. Servir la sauce sur les légumes chauds.
6. Garnir de coriandre fraîche et de pétales de fleurs.

Par portion : 725 calories, 29 g de protéines, 150 g de glucides, 6,5 g de lipides, 0 cholestérol, 2,4 g de gras saturés, 16 mg de sodium, 1075 mg de potassium.

POLENTA AUX FLEURS DE CIBOULETTE

10 portions

1,5 L (6 t.) d'eau
750 mL (3 t.) de semoule de maïs
5 mL (1 c. à thé) de sel
10 mL (2 c. à thé) d'huile d'olive
1 oignon coupé en rondelles
2 gousses d'ail émincées
2 carottes coupées en cubes
4 branches de céleri coupées en cubes
3 tomates fraîches coupées en cubes
60 mL (1/4 t.) de noix de pin (pignons)
90 mL (6 c. à s.) de pâte de tomate
15 mL (1 c. à s.) de basilic frais haché ou
5 mL (1 c. à thé) de basilic séché
Origan et piment de Cayenne au goût
250 mL (1 t.) de fromage mozzarella râpé
Persil frais et fleurs de ciboulette pour décorer

1. Faire bouillir l'eau salée. Y verser la semoule. Faire cuire en brassant sans cesse pendant environ 10 minutes ou jusqu'à épaississement.
2. Étaler la semoule dans un moule rectangulaire huilé de 33 cm X 23 cm X 5 cm (13" X 9" X 2").
3. Faire revenir l'oignon dans l'huile pendant quelques minutes. Ajouter l'ail, les carottes, le céleri, les tomates et les noix de pin. Faire cuire quelques minutes.
4. Incorporer la pâte de tomate. Ajouter le basilic, l'origan et le piment de Cayenne. Laisser mijoter pendant 10 minutes.
5. Verser la sauce sur la semoule de maïs. Recouvrir de fromage mozzarella.
6. Cuire au four à 180 °C (350 °F) 10 minutes ou jusqu'à ce que le fromage soit fondu.
7. Garnir avec du persil haché et des fleurs de ciboulette.

Par portion: 262 calories, 11 g de protéines, 36 g de glucides, 9 g de lipides, 15 mg de cholestérol, 3 g de gras saturés, 477 mg de sodium, 334 mg de potassium. Bonne source de fer et de calcium.

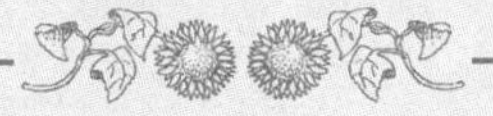

POUDING AU MILLET *10 portions*

Les fleurs de petit œillet rouge offre un goût de clou de girofle.

180 mL (3/4 t.) de millet sec
500 mL (2 t.) d'eau
2 mL (1/2 c. à thé) de sel

Lait d'amande et de sésame :

60 mL (1/4 t.) d'amandes
60 mL (1/4 t.) de graines de sésame
500 mL (2 t.) d'eau
60 mL (1/4 t.) de miel
10 mL (2 c. à thé) de vanille

125 mL (1/2 t.) de raisins secs
60 mL (1/4 t.) de noix de coco râpée

1. Faire cuire le millet dans l'eau salée pendant 15 minutes.
2. Faire le lait d'amande et de sésame : moudre finement les amandes et les graines de sésame dans le mélangeur. Ajouter l'eau, le miel et la vanille. Bien mélanger.
3. Combiner le millet et le lait. Ajouter les raisins et la noix de coco.
4. Verser dans un moule en verre. Faire cuire au four à 180 °C (350 °F) pendant 1 heure. Remuer occasionnellement pendant la cuisson.
5. Laisser refroidir et décorer avec des fleurs d'œillet rouge, de trèfle rouge ou de violette.

....

Par portion : 159 calories, 3,2 g de protéines, 26 g de glucides, 5 g de lipides, 0 cholestérol, 1,3 g de gras saturés, 118 mg de sodium, 137 mg de potassium.

L'Achillée Millefeuille

Les Jardins de l'Achillée Millefeuille se situent en bordure du parc linéaire, entre Mont Tremblant et Labelle.

Sur un terrain de 9 acres, et tout autour d'une maison écologique, Monique et Claude ont aménagé des jardins de légumes, de fleurs, de fines herbes, de petits fruits et de plantes médicinales.

L'Achillée Millefeuille a une vocation éducative et récréative : ateliers de cuisine et de plantes médicinales, visite des jardins, restauration, gîte, camping, massage, etc.

Une halte santé unique pour se ressourcer !

L'Achillée Millefeuille
La Conception
(819) 686-9187

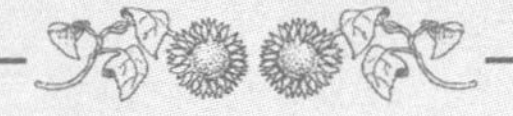

SALADE DE RADIS ROUGE *4 portions*

15 radis rouges
1 poignée de menthe fraîche
1 poignée de persil frais
1 tomate en petits cubes
Ciboulette ou oignon vert au goût
15 mL (1 c. à s.) d'huile d'olive
30 mL (2 c. à s.) de jus de citron
Sel de mer et piment de Cayenne au goût

1. Hacher les radis au robot.
2. Mélanger tous les ingrédients et déguster.

....

Par portion : 82 calories, 2,7 g de protéines, 6 g de glucides, 6 g de lipides, 0 cholestérol, 0,7 g de gras saturés, 176 mg de sodium, 579 mg de potassium. Bonne source de fer.

VELOUTÉ AU PERSIL *8 portions*

10 mL (2 c. à thé) d'huile
1 branche de céleri
1 oignon haché finement
1,5 L (6 t.) de bouillon de légumes
2 pommes de terre en cubes
1/2 rutabaga en cubes
2 bottes de persil haché
500 mL (2 t.) de lait écrémé
Sel, poivre et muscade au goût

1. Faire revenir dans une grande casserole le céleri et l'oignon dans l'huile. Ne pas faire brunir.
2. Ajouter le bouillon, les pommes de terre, le rutabaga et le persil. Cuire pendant 20 minutes.
3. Réduire en purée dans le mélangeur ou le robot.
4. Remettre dans la casserole et ajouter le lait. Assaisonner, réchauffer sans faire bouillir.
5. Décorer de petits bouquets de persil.

••••••••••••••••••••••

Par portion : 100 calories, 3,8 g de protéines, 18 g de glucides, 1,3 g de lipides, 1 mg de cholestérol, 0,2 g de gras saturés, 115 mg de sodium, 400 mg de potassium.

PURÉE DE COURGE AUX POMMES *4 portions*

1 oignon haché
1 courge turban (de type Buttercup) épépinée et coupée en dés
1 pomme pelée et tranchée
125 mL (1/2 t.) de bouillon de légumes
60 mL (1/4 t.) de jus de pomme
2 mL (1/2 c. à thé) de cumin en poudre
1 mL (1/4 c. à thé) de cannelle
60 mL (1/4 t.) de noix de Grenoble ou de pacanes coupées en deux
Sel et poivre au goût

1. Faire suer l'oignon dans une toute petite quantité d'eau, jusqu'à ce qu'il soit transparent.
2. Ajouter la courge, la pomme, le bouillon, le jus de pomme, le cumin et la cannelle. Porter à ébullition. Couvrir et cuire à feu moyen environ 20 minutes ou jusqu'à ce que la courge et la pomme soient tendres.
3. Réduire en purée dans le mélangeur ou au robot. Assaisonner.
4. Huiler légèrement un moule en verre d'une capacité de 2 L (2 pintes). Étendre la préparation. À l'aide d'une fourchette, tracer des lignes décoratives. Garnir avec les noix.
5. Cuire au four à 200 °C (400 °F) de 20 à 25 minutes.

••••••••••••••••••••••

Par portion : 75 calories, 1,8 g de protéines, 14 g de glucides, 2 g de lipides, 0 cholestérol, 0 gras saturés, 12 mg de sodium, 287 mg de potassium.

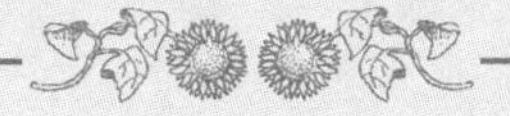

RAGOÛT DE LENTILLES AU POIVRON ROUGE

6 portions

250 mL (1 t.) de lentilles vertes sèches
15 mL (1 c. à s.) d'huile
1 oignon haché
2 branches de céleri hachées
1 gros poivron rouge, épépiné et haché
1 gousse d'ail émincée
500 mL (2 t.) de bouillon de légumes
Sel et poivre au goût

1. Trier et laver les lentilles.
2. Dans une grande casserole, chauffer l'huile sur feu moyen. Ajouter l'oignon, le céleri, le poivron rouge et l'ail. Cuire doucement pendant 5 minutes.
3. Ajouter les lentilles et le bouillon. Porter à ébullition. Réduire le feu, couvrir et laisser mijoter pendant 30 minutes en remuant de temps à autre. Les lentilles doivent être tendres.
4. Assaisonner au goût.

Couscous :

375 mL (1 1/2 t.) d'eau
250 mL (1 t.) de couscous
5 mL (1 c. à thé) de basilic séché
60 mL (1/4 t.) de persil ou de basilic frais, haché
60 mL (1/4 t.) de parmesan fraîchement râpé
1 tomate en tranches
Sel et poivre au goût

1. Porter l'eau à ébullition. Ajouter le couscous et le basilic. Brasser. Couvrir et retirer du feu. Laisser reposer pendant 5 minutes.
2. À l'aide d'une fourchette, séparer les grains de couscous. Ajouter la moitié du persil et mélanger. Assaisonner.
3. Déposer le couscous dans un joli plat de service. Verser le ragoût sur le couscous. Saupoudrer de parmesan, garnir avec les tranches de tomate et le persil.

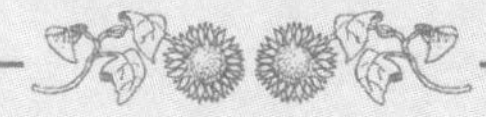

Par portion : 223 calories, 10 g de protéines, 37 g de glucides, 4 g de lipides, 4 mg de cholestérol, 1 g de gras saturés, 124 mg de sodium, 440 mg de potassium. Bonne source de fer.

PARFAIT AUX FRAMBOISES *4 portions*

500 mL (2 t.) de framboises fraîches ou à peine décongelées
30 mL (2 c. à s.) de Succanat (sucre brut)
750 mL (3 t.) de yogourt nature sans gras
30 mL (2 c. à s.) de poudre de caroube
Céréales granola
4 brindilles de menthe
4 coupes à parfait de 325 mL (10 onces)

1. Dans un bol moyen, mélanger les framboises et 15 mL (1 c. à s.) de sucre.
2. Dans un autre bol, mélanger le yogourt, la caroube et le sucre qui reste. Fouetter jusqu'à ce que la texture devienne lisse et onctueuse.
3. Dans chacune des coupes, verser 60 mL (1/4 t.) de la préparation au yogourt. Déposer autant de framboises, recouvrir de granola. Répéter. Terminer avec la préparation de yogourt.
4. Décorer de menthe.

Par portion : 157 calories, 11 g de protéines, 29 g de glucides, 0,7 g de lipides, 0 cholestérol, 0,2 g de gras saturés, 138 mg de sodium, 610 mg de potassium.

Les Jardins du Grand-Portage

Les Jardins du Grand-Portage sont de vastes jardins maraîchers et écologiques, intégrés dans un aménagement paysager à l'anglaise et à l'orientale.

Les Jardins du Grand-Portage attirent autant par leur beauté que par la qualité exceptionnelle de leur table champêtre végétarienne.

L'été, on y offre des visites guidées, accompagnées d'une information pratique sur le jardinage écologique, la conservation des aliments et les plantes médicinales.

Yves Gagnon est l'auteur de plusieurs ouvrages (Les Éditions Colloïdales) sur le jardinage écologique ainsi que d'une vidéocassette tournée dans les Jardins.

Il offre également des cours intensifs en jardinage écologique. Sa chronique à l'émission télévisée «La semaine verte» suscite beaucoup d'intérêt.

Les Jardins du Grand-Portage
St-Didace

(450) 835-5813

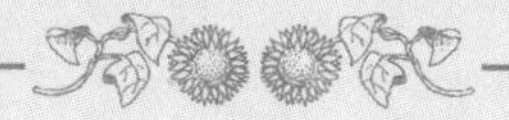

BOISSON RAFRAÎCHISSANTE À LA MENTHE

12 portions

4 L (16 t.) d'eau
4 tiges de menthe fraîche
2 citrons BIO de préférence, coupés en quartiers
1 L (4 t.) de jus de pomme
250 mL (1 t.) de fraises en tranches fines

1. Faire macérer la menthe et les quartiers de citron légèrement pressés dans l'eau, au réfrigérateur, pendant 24 heures.
2. Passer au tamis, ajouter le jus de pomme et les fraises.
3. Servir bien frais décoré d'une petite tige de menthe fraîche.

....

Par portion : 44 calories, 0 protéines, 11 g de glucides, 0,1 g de lipides, 0 cholestérol, 0 gras saturés, 12 mg de sodium, 130 mg de potassium.

TREMPETTE À L'AVOCAT

8 à 10 portions

2 petits avocats bien mûrs
Le jus d'un citron
250 g (1 t.) de fromage Quark faible en gras
2 gousses d'ail
Sel et poivre au goût

1. Passer tous les ingrédients au robot ou au mélangeur.
2. Servir avec des croustilles de maïs ou des crudités.

....

Par portion : 81 calories, 4 g de protéines, 4 g de glucides, 6 g de lipides, 0 cholestérol, 0,9 g de gras saturés, 8 mg de sodium, 229 mg de potassium.

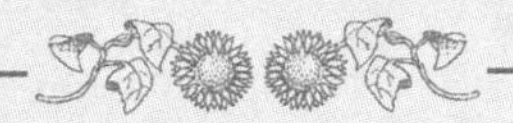

SALADE DE BETTERAVES À L'ORANGE *6 portions*

6 betteraves moyennes
4 oranges
30 mL (2 c. à s.) de vinaigre de cidre
125 mL (1/2 t.) de yogourt faible en gras
15 mL (1 c. à s.) de miel
Sel et coriandre moulue au goût
Une laitue Boston
Quelques noisettes et du persil pour décorer

1. Cuire les betteraves avec leur peau jusqu'à ce qu'elles soient tendres. Les peler et les couper en tranches fines.
2. Disposer les tranches de betteraves dans une grande assiette creuse et les arroser avec le jus de 3 oranges et le vinaigre. Laisser macérer au froid pendant quelques heures. Retourner les betteraves quelques fois.
3. Dans six petites assiettes, disposer un lit de laitue et y déposer les betteraves.
4. Mélanger le jus de la dernière orange, le yogourt, le miel, le sel et la coriandre. Napper les betteraves de cette sauce.
5. Décorer chaque assiette avec un quartier d'orange, quelques noisettes et un bouquet de persil.

Par portion : 129 calories, 3,8 g de protéines, 24 g de glucides, 2 g de lipides, 0 cholestérol, 0,2 g de gras saturés, 76 mg de sodium, 567 mg de potassium.

TERRINE AUX PACANES ET AUX POIVRONS ROUGES *8 à 10 portions*

1 gros oignon haché
250 mL de carottes râpées
2 poivrons rouges hachés
450 g (16 onces) de tofu, émietté
2 œufs battus
250 mL (1 t.) de noix de pacanes
ou de noix de Grenoble, grossièrement moulues
250 mL (1 t.) de flocons d'avoine
125 mL (1/2 t.) de farine de blé entier
60 mL (1/4 t.) de persil haché
Ail, tamari, sarriette, romarin et poivre au goût

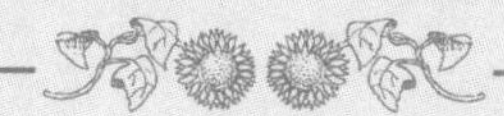

1. Mélanger tous les ingrédients dans un grand bol. Déposer le mélange dans un moule en verre huilé et enfariné. Bien presser.
2. Cuire au four à 180 °C (350 °F) pendant une heure.
3. Laisser reposer 10 minutes. Démouler délicatement après avoir décollé les contours de la terrine.
4. Servir en tranches, nappées de la sauce aux champignons et tamari.

....

Par portion : 216 calories, 12 g de protéines, 17 g de glucides, 13 g de lipides, 42 mg de cholestérol, 1,6 g de gras saturés, 25 mg de sodium, 300 mg de potassium.

SAUCE AUX CHAMPIGNONS *10 portions*

1 oignon émincé
250 mL (1 t.) de champignons émincés
(de Paris, shiitaké, pleurotes)
45 mL (3 c. à s.) d'huile de tournesol
30 mL (2 c. à s.) de farine
60 mL (1/4 t.) de tamari
375 mL (1 1/2 t.) d'eau
Poivre au goût

1. Dans une petite casserole, faire revenir l'oignon et les champignons dans l'huile.
2. Ajouter la farine et bien remuer. Verser le tamari, remuer puis ajouter l'eau petit à petit.
3. Porter graduellement à ébullition en brassant toujours. Laisser mijoter quelques minutes.
4. Assaisonner au goût.
5. Servir avec la terrine aux pacanes et aux poivrons rouges.

....

Par portion : 49 calories, 1 g de protéines, 2 g de glucides, 4 g de lipides, 0 cholestérol, 0,4 g de gras saturés, 403 mg de sodium, 37 mg de potassium.

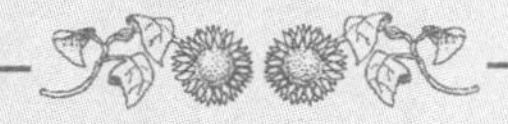

POIS DU SOLEIL LEVANT *4 portions*

125 mL (1/2 t.) d'algues hiziki ou aramé
500 mL (2 t.) de pois frais ou congelés
1 oignon espagnol émincé
1 petite carotte émincée
15 mL (1 c. à s.) d'huile de canola
Tamari au goût

1. Couvrir les algues d'eau et les faire tremper pendant 20 minutes.
2. Les passer au tamis et bien les égoutter.
3. Dans un wok ou une poêle en fonte, faire rissoler pendant quelques minutes l'oignon et la carotte.
4. Ajouter les pois et les faire cuire jusqu'à ce qu'ils soient d'un beau vert foncé.
5. Ajouter les algues, mélanger et laisser cuire 5 minutes.
6. Ajouter le tamari, remuer sur un feu vif pendant une minute et servir immédiatement.

....

Par portion : 145 calories, 4,8 g de protéines, 16 g de glucides, 7 g de lipides, 0 cholestérol, 0,5 g de gras saturés, 118 mg de sodium, 317 mg de potassium.

CROQUETTES DE LENTILLES *8 portions*

500 mL (2 t.) de lentilles cuites
250 mL (1 t.) de chapelure de pain
250 mL (1 t.) de noix moulues, par exemple
 un mélange de noix de Cajou et de Grenoble
2 œufs
1 oignon haché
2 gousses d'ail
Tamari et sarriette au goût
Farine pour enrober les croquettes

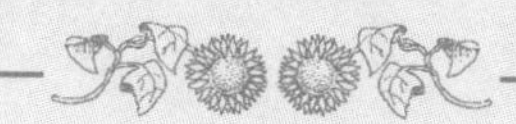

1. Mélanger tous les ingrédients. Façonner en croquettes. Enfariner.
2. Cuire dans une poêle antiadhésive avec un peu d'huile si nécessaire.
3. Servir avec la sauce aux tomates ou utiliser comme galettes à hambourgeois.

....

Par portion : 217 calories, 11 g de protéines, 23 g de glucides, 9 g de lipides, 53 mg de cholestérol, 1,6 g de gras saturés, 135 mg de sodium, 312 mg de potassium. Bonne source de fer.

SAUCE AUX TOMATES

8 portions

1 oignon émincé
1 carotte émincée
1 tige de céleri émincée
15 mL (1 c. à s.) d'huile
796 mL (4 t.) tomates en conserve
156 mL (2/3 t.) de pâte de tomate
15 mL (1 c. à s.) de miel
Ail, sel, poivre et romarin au goût

1. Faire revenir les légumes dans l'huile.
2. Ajouter les tomates et porter à ébullition. Laisser mijoter pendant 30 minutes.
3. Ajouter le miel et les condiments. Laisser mijoter encore quelques minutes avant de servir.

....

Par portion : 84 calories, 2 g de protéines, 13 g de glucides, 2 g de lipides, 0 cholestérol, 0,2 g de gras saturés, 442 mg de sodium, 54 mg de potassium.

La fromagerie Tournevent

Depuis 1976, tout le savoir-faire et les installations de Tournevent ont grandi avec le concept de Qualité comme point de mire. Cette qualité se voit et se goûte dans chacun des produits fabriqués à la Fromagerie Tournevent Inc. de Chesterville.

La fabrication des traditionnels fromages de chèvre à pâte molle (Biquet et Tournevent) occupent la plus grande part des activités de Tournevent.

Le lactosérum (petit-lait) des fromages est récolté, concentré et séché à froid pour obtenir le Calcimil, un complément alimentaire de grande valeur.

Tournevent fabrique également des fromages de type cheddar comme le Chevrino, le Chèvre Noir ainsi que le Feta Tradition.

Les fromages sont distribués dans différents types de commerce partout au Québec. De plus, un service de livraison rapide, Tournevent Express, offre toute la gamme de produits et les livre directement chez vous, sur appel, en moins de 24 heures.

Fromagerie Tournevent Inc.
Chesterville
(819) 382-2208

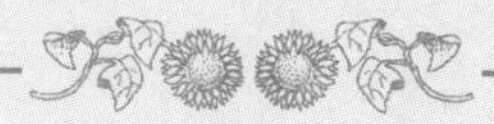

VINAIGRETTE CAPRIATI

175 mL (3/4 t.) d'huile d'olive
90 mL (6 c. à s.) de vinaigre de vin
1 mL (1/4 c. à thé) d'origan
2 mL (1/2 c. à thé) de basilic
1/2 fromage de chèvre sec «Capriati», râpé fin
125 mL (1/2 t.) de yogourt nature (facultatif)
Sel et poivre au goût

1. Dans un bocal, mélanger les 4 premiers ingrédients avec le sel et le poivre. Couvrir et bien agiter.
2. Ajouter le fromage (et le yogourt pour une vinaigrette plus crémeuse). Brasser jusqu'à ce que le tout soit homogène.
3. Délicieuse sur une salade verte, une salade de carottes ou de pommes de terre.

Par portion de 15 mL (1 c. à s.) : 56 calories, 0,4 g de protéines, 0 glucides, 6 g de lipides, 0 cholestérol, 1 g de gras saturés, 7 mg de sodium, 13 mg de potassium.

SALADE VERTE ET ROUGE AU FETA DE CHÈVRE

6 portions

250 mL (1 t.) de chou chinois
250 mL (1 t.) de chou rouge
3 oignons verts
2 branches de céleri
Persil frais
Fromage feta de chèvre «Tradition» (80 g)
250 mL (1 t.) de laitue romaine
6 noix de Grenoble hachées

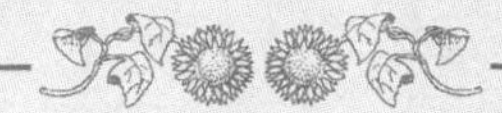

1. Couper finement les feuilles de chou, le chou rouge, les oignons verts, le céleri et le persil.
2. Faire dessaler au goût le fromage feta en le laissant tremper environ 30 minutes dans l'eau froide. Le couper en petits cubes.
3. Déposer tous les ingrédients dans un grand saladier. Arroser de la vinaigrette suivante.

Vinaigrette :

45 mL (3 c. à s.) d'huile d'olive
15 mL (1 c. à s.) de jus de citron frais
Une pincée de basilic
Une pincée d'origan
Sel et poivre au goût

1. Bien mélanger tous les ingrédients. Arroser la salade juste avant de servir.

....

Par portion : 115 calories, 3,4 g de protéines, 2 g de glucides, 10 g de lipides, 6 mg de cholestérol, 3 g de gras saturés, 65 mg de sodium, 140 mg de potassium.

CHÈVRE CHAUD SUR AUBERGINE *8 portions*

1 aubergine
45 mL (3 c. à s.) de sauce tomate
1 gousse d'ail
1 fromage de chèvre aux fines herbes «Biquet» (100 g)

1. Chauffer le four à 180 °C (350 °F).
2. Couper l'aubergine en 8 tranches de 1 cm (1/2 po).
3. Les déposer sur une plaque à biscuits et faire cuire 10 minutes de chaque côté ou jusqu'à légèrement grillé.
4. Hacher finement la gousse d'ail et l'incorporer à la purée de tomate. Étendre sur les tranches d'aubergine.
5. Couper le fromage en 8 tranches à l'aide d'un tranche-œuf. Déposer sur les aubergines.
6. Remettre au four pendant 8 minutes. Servir chaud.

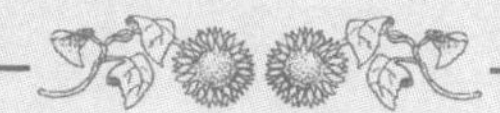

VARIANTE :

- Pour une entrée plus consistante, servir sur un nid de vermicelle.

....

Par portion : 39 calories, 2,5 g de protéines, 1 g de glucides, 2,6 g de lipides, 5 mg de cholestérol, 1,8 g de gras saturés, 81 mg de sodium, 54 mg de potassium.

POTAGE RÉCONFORTANT AUX POIREAUX ET FROMAGE DE CHÈVRE

6 portions

2 gros poireaux en tranches
2 pommes de terre en cubes
1,2 L (5 t.) de bouillon de légumes
1 fromage de chèvre nature «Biquet» (100 g)
1 pincée de piment de Cayenne et de muscade
Sel au goût

1. Cuire les poireaux et les pommes de terre dans le bouillon.
2. Réduire en purée dans le mélangeur.
3. Ajouter le fromage. Mélanger de nouveau. Assaisonner au goût.

....

Par portion : 126 calories, 5 g de protéines, 19 g de glucides, 3,6 g de lipides, 7 mg de cholestérol, 2,5 g de gras saturés, 146 mg de sodium, 274 mg de potassium.

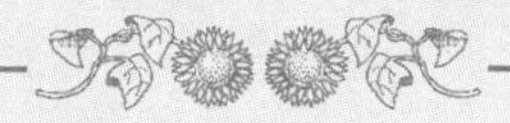

FEUILLES DE VIGNE FARCIES AU FROMAGE DE CHÈVRE

15 roulés

15 feuilles de vigne
1 fromage de chèvre «Biquet» (100 g)
30 mL (2 c. à s.) de yogourt nature
Sel, poivre et piment de Cayenne au goût
1 gousse d'ail hachée finement
250 mL (1 t.) de riz cuit
20 mL (4 c. à thé)) d'huile d'olive
15 mL (1 c. à s.) de vinaigre de cidre
5 mL (1 c. à thé) de basilic

1. Faire mijoter les feuilles de vigne pendant 10 minutes. Égoutter.
2. Défaire le fromage de chèvre à l'aide d'une fourchette. Le mélanger au yogourt. Assaisonner de sel, poivre et cayenne.
3. Ajouter l'ail et incorporer le riz. Bien mélanger le tout.
4. Déposer 15 mL (1 c. à s.) du mélange dans le milieu d'une feuille de vigne. Replier et rouler. Fixer à l'aide d'un cure-dent. Déposer dans un plat creux.
5. Mélanger l'huile, le vinaigre, le basilic et verser sur les feuilles de vigne farcies. Laisser mariner quelques heures à la température ambiante avant de servir. Bien égoutter.
6. Ou conserver au froid et sortir du réfrigérateur 30 minutes avant de servir.

....

Par portion : 44 calories, 1,6 g de protéines, 3 g de glucides, 2,7 g de lipides, 3 mg de cholestérol, 1 g de gras saturés, 26 mg de sodium, 13 mg de potassium.

PIZZA AU FROMAGE DE CHÈVRE

6 portions

1 pâte à pizza de 30 cm (12 po)
250 mL (1 t.) de sauce tomate
Herbes au goût : basilic, thym, origan
3 oignons verts émincés
10 olives noires tranchées
1 fromage de chèvre aux fines herbes (100 g)
Poivre au goût

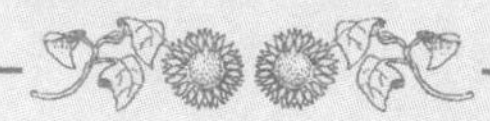

1. Chauffer le four à 190 °C (375 °F).
2. Étendre la sauce tomate sur la pâte. Assaisonner.
3. Ajouter les oignons verts et les olives noires. Garnir de minces tranches de fromage. Poivrer.
4. Mettre au four de 10 à 12 minutes.

Par portion : 202 calories, 7 g de protéines, 30 g de glucides, 6 g de lipides, 7 mg de cholestérol, 2,7 g de gras saturés, 426 mg de sodium, 210 mg de potassium.

CRÊPES FARCIES AU FROMAGE DE CHÈVRE *4 crêpes*

Comme entrée ou repas principal, un délice !

Mélange à crêpes :

180 mL (3/4 t.) de lait
180 mL (3/4 t.) de farine de blé entier
1 œuf
Une pincée de sel

Garniture :

1 oignon haché
1/2 poivron rouge en cubes
4 champignons tranchés
1 tomate en dés
1 fromage de chèvre «Biquet» (100 g)

1. Mélanger les ingrédients du mélange à crêpes. Faire cuire 4 crêpes et les réserver au chaud.
2. Faire revenir doucement l'oignon, le poivron et les champignons dans très peu d'huile.
3. Ajouter la tomate, cuire 1 minute.
4. Répartir les légumes sur les crêpes. Émietter le fromage sur les légumes. Replier les crêpes.
5. Mettre au four à 190 °C (375 °F) pendant 8 minutes.

Par portion : 198 calories, 11 g de protéines, 23 g de glucides, 7 g de lipides, 65 mg de cholestérol, 4 g de gras saturés, 244 mg de sodium, 349 mg de potassium.

Le Commensal*

Depuis 1977, le succès du Commensal repose sur la saveur et la variété de ses mets offerts par le biais de buffets chaud et froid. On peut y déguster un vaste choix de plats autant conventionnels qu'exotiques.

La demande pour des mets cuisinés végétariens de qualité confirme l'intuition originale de ses fondateurs, car le Commensal est devenu le chef de file de l'alimentation végétarienne au Canada. Les restaurants de la chaîne servent plus d'un million de repas par année.

L'équipement de haute technologie de la cuisine centrale et la qualité des matières premières sont garants de la fraîcheur et de la saveur des mets que nous offrons.

Le «prêt-à-manger» du Commensal est disponible dans tous ses restaurants ainsi que dans les épiceries naturelles et conventionnelles.

Service de traiteur du Commensal
(514) 843-6845

* **Commensal :** personne qui mange habituellement à la même table avec une ou plusieurs autres.

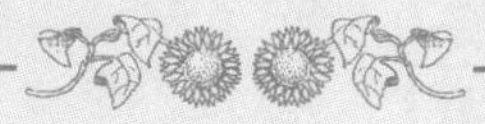

DÉLICE AUX FRAISES

330 mL (1 1/3 t.) de noix de Cajou
Eau
125 mL (1/2 t.) de concentré de jus de fruits
1 L (4 t.) de fraises fraîches

1. Couvrir les noix de Cajou avec de l'eau et laisser tremper pendant une heure et demie.
2. Égoutter. Passer tous les ingrédients au robot jusqu'à l'obtention d'une texture crémeuse.
3. Un pur délice sur vos rôties (sans beurre ou margarine) du matin ou avec des fruits en collation. S'utilise comme un coulis.

....

Par portion de 30 mL (2 c. à s.): 30 calories, 0,6 g de protéines, 3 g de glucides, 1,8 g de lipides, 0 cholestérol, 0,3 g de gras saturés, 1 mg de sodium, 56 mg de potassium.

GASPACHO *6 portions*

Une soupe idéale pour les temps beaux et chauds !

250 mL (1 t.) de tomates fraîches
150 mL (2/3 t.) de concombre
180 mL (3/4 t.) d'eau
45 mL (3 c. à s.) de jus de citron
30 mL (2 c. à s.) d'oignons verts
15 mL (1 c. à s.) de pâte de tomate
10 mL (2 c. à thé) de coriandre fraîche ou de persil
5 mL (1 c. à thé) de sauce chili
10 mL (2 c. à thé) de tamari (sauce soya)
Sel au goût
Origan au goût
180 mL (3/4 t.) de pois chiches cuits

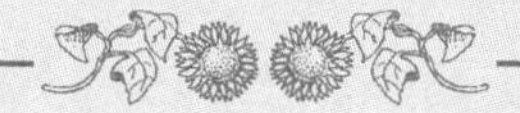

1. Passer tous les ingrédients au mélangeur, sauf les pois chiches, jusqu'à l'obtention d'une texture grossière.
2. Ajouter les pois chiches et mélanger jusqu'à ce qu'ils soient en petits morceaux.
3. Couvrir et faire refroidir au réfrigérateur.
4. Servir bien froid.

....

Par portion : 58 calories, 2,7 g de protéines, 11 g de glucides, 1 g de lipides, 0 cholestérol, 0 gras saturés, 330 mg de sodium, 240 mg de potassium.

SOUPE AUX LENTILLES VERTES *5 portions*

Une bonne soupe d'hiver qui constitue un repas complet avec du pain. Le choisir au levain si possible. C'est le meilleur !

15 mL (1 c. à s.) d'huile de sésame
60 mL (1/4 t.) d'oignon haché
125 mL (1/2 t.) de lentilles vertes sèches
1 ou 2 feuilles de laurier
Thym, poivre et piment de Cayenne au goût
750 mL (3 t.) d'eau
80 mL (1/3 t.) de navet ou rutabaga en cubes
125 mL (1/2 t.) de carottes en cubes
80 mL (1/3 t.) de céleri en cubes
60 mL (1/4 t.) de chou haché
15 mL (1 c. à s.) de tamari (sauce soya)
Sel au goût

1. Chauffer légèrement l'huile dans une grande casserole. Faire revenir l'oignon, ajouter les lentilles, le thym, le poivre, le piment de Cayenne et les feuilles de laurier.
2. Ajouter l'eau, porter au point d'ébullition. Ajouter les légumes, sauf le chou, un par un en portant l'eau au point d'ébullition entre chaque ajout.
3. Lorsque les lentilles sont pratiquement cuites, ajouter le chou et laisser cuire environ 15 minutes.
4. À la fin de la cuisson, assaisonner avec le tamari et le sel au goût.

Par portion : 77 calories, 4 g de protéines, 10 g de glucides, 2,5 g de lipides, 0 cholestérol, 0,3 g de gras saturés, 195 mg de sodium, 227 mg de potassium.

MILLET AU BASILIC *8 portions*

625 mL (2 1/2 t.) de millet
1 L (4 t.) d'eau
10 mL (2 c. à thé) d'huile (facultatif)

1. Passer les grains de millet sous l'eau pour les laver et faire cuire comme du riz.

Légumes :

30 mL (2 c. à s.) d'huile d'olive
500 mL (2 t.) de poireaux en rondelles de 1,5 cm (1/2 po)
625 mL (2 1/2 t.) de chou haché
15 mL (1 c. à s.) de basilic frais haché
ou 5 mL (1 c. à thé) de basilic séché
5 mL (1 c. à thé) de sel
Poivre au goût
Piment de Cayenne au goût
180 mL (3/4 t.) de courgettes en rondelles de 2 cm (3/4 po)
30 mL (2 c. à s.) de tamari (sauce soya)

1. Chauffer légèrement l'huile, ajouter les poireaux, le chou, le basilic, le sel, le poivre et le cayenne. Faire revenir jusqu'à ce que les légumes soient croquants.
2. Ajouter les courgettes. Faire cuire quelques minutes.
3. Ajouter le millet et le tamari. Bien mélanger et servir aussitôt.

Par portion : 257 calories, 7,2 g de protéines, 45 g de glucides, 5 g de lipides, 0 cholestérol, 0,7 g de gras saturés, 527 mg de sodium, 208 mg de potassium.

Fontaine Santé

Fontaine Santé se spécialise dans la mise en marché d'aliments prêt-à-manger tels que la salade taboulé, la tartinade de tofu, l'hummus, le tzatziki, la végé-tourtière, le végépâté, etc.

Les produits de Fontaine Santé sont disponibles dans la plupart des magasins d'alimentation naturelle et des épiceries au Québec et même dans l'est de l'Ontario.

La devise de Fontaine Santé : Bien manger pour mieux vivre !

Fontaine Santé
Ville Saint-Laurent
514-956-7730

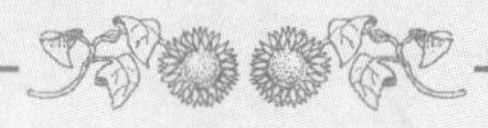

SALADE DE LINGUINE ET DE LÉGUMES

8 portions

Belle salade d'été. Pour en faire une salade repas, ajouter 375 mL (1 1/2 t.) de tofu.

500 g (1 lb) de linguines
2 carottes moyennes en biseaux
250 mL (1 t.) de fleurettes de brocoli
2 poivrons jaunes en fines languettes
2 poivrons rouges en fines languettes
125 mL (1/2 t.) d'olives noires dénoyautées et tranchées

Vinaigrette au basilic :

60 mL (1/4 t.) d'huile d'olive
15 ml (1 c. à s.) de vinaigre de framboise
1 gousse d'ail émincée
2 mL (1/2 c. à thé) de moutarde aux fines herbes ou autre
5 mL (1 c. à thé) de basilic frais (ou de persil frais)

1. Faire cuire les linguines «al dente». Bien égoutter.
2. Faire cuire les carottes et le brocoli à la vapeur tout en les gardant croquants.
3. Combiner les linguines, les légumes et les olives.
4. Passer les ingrédients de la vinaigrette au mélangeur. Rectifier l'assaisonnement. En arroser la salade.

....

Par portion : 243 calories, 8 g de protéines, 42 g de glucides, 6,5 g de lipides, 0 cholestérol, 1 g de gras saturés, 45 mg de sodium, 231 mg de potassium.

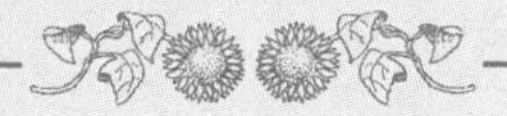

SALADE CROUSTILLANTE À LA THAÏLANDAISE

4 portions

750 mL (3 t.) de fèves germées
375 mL (1 1/2 t.) de laitue romaine déchiquetée
125 mL (1/2 t.) de carottes taillées en allumettes
3 radis tranchés finement
250 mL (1 t.) de croûtons à l'ail
ou de morceaux de pain pita séché

Vinaigrette épicée à l'arachide :

125 mL (1/2 t.) de beurre d'arachide naturel
1 oignon vert haché finement
1 gousse d'ail émincée
125 mL (1/2 t.) de lait de coco ou d'eau
60 mL (1/4 t.) de poivron rouge haché fin
15 mL (1 c. à s.) de coriandre fraîche émincée
2 mL (1/2 c. à thé) de gingembre frais râpé
10 mL (2 c. à thé) de jus de citron frais
15 mL (1 c. à s.) de tamari (sauce soya)
15 ml (1 c. à s.) d'huile de sésame
45 mL (3 c. à s.) de miel (facultatif)
Une pincée de piment de Cayenne

1. Mélanger tous les ingrédients de la salade.
2. Passer au mélangeur tous les ingrédients de la vinaigrette. Incorporer 60 mL (1/4 tasse) de vinaigrette à la salade juste avant de servir. Conserver le reste pour une autre occasion.

Par portion : 141 calories, 4 g de protéines, 22 g de glucides, 5,5 g de lipides, 0 cholestérol, 1,6 g de gras saturés, 225 mg de sodium, 265 mg de potassium.

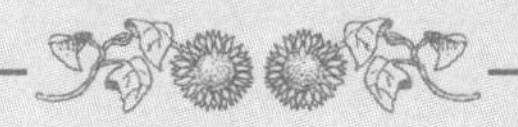

VELOUTÉ DE POIVRON ROUGE ET DE TOMATE

4 portions

15 mL (1 c. à s.) d'huile canola
1 oignon haché finement
125 mL (1/2 t.) de céleri en cubes
4 gros poivrons rouges épépinés et hachés
2 tomates fraîches épluchées, en cubes
1 L (4 t.) de bouillon de légumes
250 mL (1 t.) de pomme de terre en cubes
60 mL (1/4 t.) de tofu mou
Yogourt nature et ciboulette pour décorer

1. Dans une casserole, faire revenir dans l'huile, l'oignon, puis le céleri, les poivrons et les tomates pendant 5 minutes.
2. Ajouter le bouillon et les pommes de terre. Porter à ébullition et laisser mijoter jusqu'à ce que ces dernières soient cuites.
3. Réduire la soupe en purée dans le mélangeur ou le robot. Ajouter le tofu. Mélanger.
4. Remettre le velouté dans la casserole et réchauffer. Ne pas faire bouillir.
5. Servir dans des bols et décorer d'un filet de yogourt et de ciboulette hachée finement.

....

Par portion : 175 calories, 4,7 g de protéines, 31 g de glucides, 4,7 g de lipides, 0 cholestérol, 0,4 g de gras saturés, 106 mg de sodium, 627 mg de potassium.

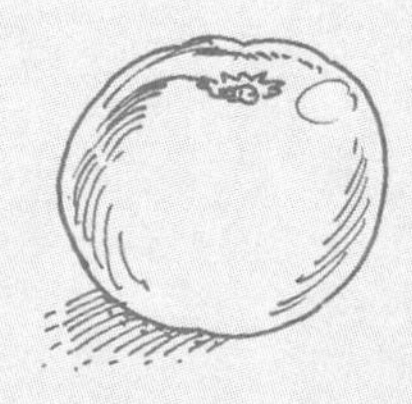

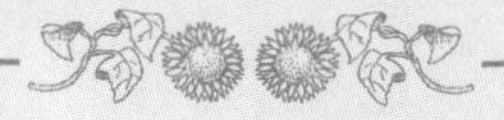

COURGE SPAGHETTI EN CASSEROLE *6 portions*

1 courge spaghetti de grosseur moyenne
250 mL (1 t.) d'oignon haché finement
2 gousses d'ail émincées
15 mL (1 c. à s.) d'huile d'olive ou de canola
2 tomates fraîches en cubes
375 mL (1 1/2 t.) de champignons tranchés
2 mL (1/2 c. à thé) d'origan
250 mL (1 t.) de tofu
250 mL (1 t.) de fromage mozzarella partiellement écrémé
60 mL (1/4 t.) de persil frais haché
5 mL (1 c. à thé) de basilic
Une pincée de thym
Chapelure de pain
Sel et poivre au goût

1. Chauffer le four à 190 °C (375 °F).
2. Couper la courge en deux par le milieu. Enlever les graines à l'aide d'une fourchette.
3. Placer la courge, le côté coupé sur une plaque à biscuits légèrement huilée. Mettre au four environ 30 à 40 minutes. La courge est cuite lorsque sa chair se détache facilement à la fourchette, en faisant des filaments semblables à des spaghettis. Réserver.
4. Dans une grande poêle, faire revenir l'oignon et l'ail dans l'huile. Ajouter les tomates, les champignons et les fines herbes.
5. Retirer du feu, ajouter le tofu et le mozzarella.
6. Mélanger la courge et les légumes. Déposer dans un grand moule en verre légèrement huilé. Assaisonner et saupoudrer de chapelure.
7. Faire réchauffer au four pendant 10 minutes.

Par portion : 280 calories, 20 g de protéines, 22 g de glucides, 14 g de lipides, 25 mg de cholestérol, 5,5 g de gras saturés, 227 mg de sodium, 1011 mg de potassium. Bonne source de fer et de calcium.

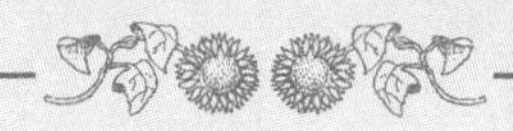

RISOTTO AUX FÈVES ROUGES *4 portions*

15 mL (1 c. à s.) d'huile canola
2 oignons moyens
2 gousses d'ail émincées
10 mL (2 c. à thé) de basilic frais
5 mL (1 c. à thé) de thym frais ou la moitié de thym séché
10 mL (2 c. à thé) de poudre de chili
5 mL (1 c. à thé) de coriandre fraîche hachée finement
500 mL (2 t.) de courgettes en dés
250 mL (1 t.) de carottes en dés
796 mL (28 oz) de tomates en conserve
500 mL (2 t.) de fèves rouges cuites
Sel et poivre au goût
250 mL (1 t.) de riz brun à grain court
625 mL (2 1/2 t.) d'eau ou de bouillon de légumes
Parmesan frais, râpé
Persil frais haché pour décorer

1. Dans une casserole peu profonde, chauffer légèrement l'huile, ajouter les oignons et l'ail. Cuire jusqu'à ce qu'ils soient transparents.
2. Ajouter les fines herbes et laisser cuire quelques minutes. Ajouter les légumes et les fèves rouges. Couvrir et cuire à feu moyen pendant 10 à 15 minutes. Rectifier l'assaisonnement.
3. Pendant ce temps, porter l'eau ou le bouillon à ébullition. Y verser le riz. Baisser le feu et cuire environ 40 minutes ou jusqu'à ce que le riz soit bien cuit.
4. Ajouter le riz cuit au mélange de légumes. Au moment de servir, saupoudrer de parmesan frais et de persil. Servir chaud.

....

Par portion : 345 calories, 14 g de protéines, 63 g de glucides, 4,8 g de lipides, 1 mg de cholestérol, 0,7 g de gras saturés, 584 mg de sodium, 95(mg de potassium. Bonne source de fer et de calcium.

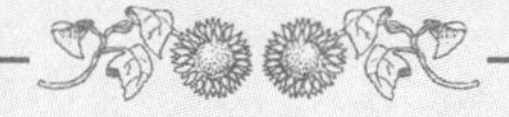

POT-AU-FEU AU SEITAN ET AUX LÉGUMES

4 portions

C'est particulièrement un plaisir de savourer ce mets à l'automne alors que les légumes sont très frais.

30 mL (2 c. à s.) d'huile
1 petit oignon haché fin
2 gousses d'ail émincées
60 mL (1/4 t.) de farine
1 L (4 t.) de bouillon de légumes
60 mL (1/4 t.) de pâte de tomate
1 poireau, partie blanche seulement
2 carotttes moyennes en biseaux
5 à 6 petites pommes de terre
500 mL (2 t.) de haricots verts ou jaunes, en biseaux
300 g (1/2 lb) de seitan régulier en cubes
2 feuilles de laurier
5 mL (1 c. à thé) de thym frais ou la moitié de thym séché
Sel et poivre au goût

1. Dans une grande casserole, chauffer légèrement l'huile et y faire revenir l'oignon et l'ail jusqu'à ce qu'ils soient transparents.
2. Ajouter graduellement la farine. Mélanger avec un fouet et ajouter un peu de bouillon. Brasser.
3. Verser la pâte de tomate. Brasser de nouveau. Ajouter le reste du bouillon, puis les légumes, les cubes de seitan et les assaisonnements.
4. Couvrir et laisser mijoter de 20 à 30 minutes, où jusqu'à ce que les légumes soient cuits.
5. Servir chaud accompagné d'un riz brun à grain long.

....

Par portion : 365 calories, 26 g de protéines, 50 g de glucides, 8 g de lipides, 0 cholestérol, 0,7 g de gras saturés, 366 mg de sodium, 682 mg de potassium.

TOFU À LA SAUCE TÉRIYAKI *4 portions*

450 g (1 lb) de tofu ferme en cubes
6 oignons verts en morceaux de 2 cm (1 po)
500 mL (2 t.) d'ananas en morceaux, frais ou en conserve
60 mL (1/4 t.) de tamari (sauce soya) à faible teneur en sel
15 mL (1 c. à s.) de mirin (vinaigre de riz japonais)
30 mL (2 c. à s.) de sucre brut
5 mL (1 c. à thé) de gingembre frais râpé
1 gousse d'ail émincée
15 mL (1 c. à s.) de fécule de marante

1. Faire griller les cubes de tofu au four pendant 5 minutes, sur une plaque légèrement huilée.
2. Égoutter les ananas et mettre le jus de côté.
2. Ajouter les oignons et l'ananas en morceaux. Cuire 5 minutes. Réserver.
3. Dans une petite casserole, mélanger le jus d'ananas, le tamari, le mirin, le sucre, le gingembre, l'ail et la fécule de marante. Cuire à feu doux jusqu'à épaississement de la sauce.
4. Verser la sauce sur les cubes de tofu.
5. Servir avec des carottes cuites à la vapeur et du riz sauvage.

....

Par portion : 258 calories, 21 g de protéines, 21 g de glucides, 10 g de lipides, 0 cholestérol, 1,8 g de gras saturés, 633 mg de sodium, 454 mg de potassium. Excellente source de fer et bonne source de calcium.

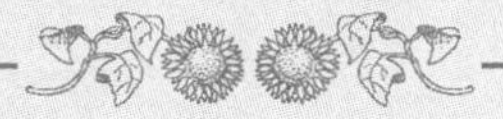

FLAN AU YOGOURT ET AUX PÊCHES **4 portions**

30 mL (2 c. à s.) de gélatine neutre
60 mL (1/4 t.) d'eau froide
375 mL (1 1/2 t.) de boisson de riz ou autre
45 mL (3 c. à s.) de sucre brut ou de miel
500 mL (2 t.) de yogourt nature faible en gras
375 mL (1 1/2 t.) de pêches fraîches pelées ou en conserve
5 mL (1 c. à thé) de vanille

1. Dans un petit bol, faire gonfler la gélatine dans l'eau froide.
2. Chauffer la boisson de riz, le sucre ou le miel en brassant jusqu'à ce que le sucre soit dissous. Retirer du feu.
3. Verser la gélatine gonflée, le yogourt et la vanille dans le mélange encore tiède. Bien mélanger.
4. Mettre au réfrigérateur et laisser prendre à demi.
5. Couper les pêches en petits dés et les incorporer à la préparation partiellement figée. Verser dans de petits moules individuels.
6. Réfrigérer pendant au moins deux heures. Servir très froid.

VARIANTE :

Choisir des fruits de saison tels les framboises, les mûres, les bleuets.

....

Par portion : 170 calories, 11 g de protéines, 31 g de glucides, 1 g de lipides, 2 mg de cholestérol, 0 gras saturés, 126 mg de sodium, 383 mg de potassium. Bonne source de calcium.

Renée et Danielle

Renée

De professeure de sciences à l'enseignement de l'alimentation saine et de la nutrition, la tasse à mesurer a remplacé le bécher.

Depuis plus de 15 ans, l'auteure donne des cours et des conférences où la qualité et les plaisirs reliés à l'alimentation naturelle sont toujours au menu.

Renée Frappier
(450) 448-5049

Danielle

Elle est passée de l'enseignement de la biologie au collégial à la diffusion de l'alimentation naturelle. Son intérêt pour la recherche l'a menée à collaborer à l'écriture de plusieurs livres pour la cuisine professionnelle, à l'UQAR.

Elle est professeure de nutrition dans plusieurs écoles de médecine douce et pratique la naturopathie à Montréal, Sherbrooke et Granby.

Danielle Gosselin, B.Sc. n.d.
(819) 823-8585

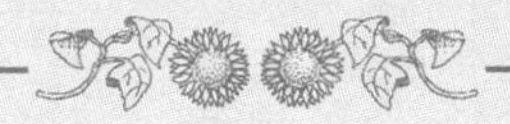

JUS SANTÉ DU MATIN *2 à 3 portions*

Facile, nutritif et savoureux !

250 mL (1 t.) de jus de pomme
250 mL (1 t.) de jus d'aloès ou autre jus
1 banane
250 mL (1 t.) de luzerne germée
15 mL (1 c. à s.) de graines de lin moulues
ou 5 mL (1 c. à thé) d'huile de lin
15 mL (1 c. à s.) de spiruline en poudre

1. Passer le tout au mélangeur jusqu'à consistance lisse. Déguster à petites gorgées !

NOTES :

- Le lin est une source exceptionnelle d'acide alpha-linolénique (oméga-3), un acide gras essentiel.
- Pour s'habituer à consommer régulièrement des graines de lin, en moudre, une petite quantité à la fois, dans un moulin à café ou dans le mélangeur. Conserver dans un contenant hermétique au réfrigérateur.
- Utiliser dans les jus, les céréales, les salades, etc.
- La spiruline représente une bonne source de fer, de bêta-carotène, de chlorophylle et de plusieurs vitamines et minéraux.
- Les fibres alimentaires sont fournies par les graines de lin, la luzerne et la banane.

Par portion : 147 calories, 4 g de protéines, 30 g de glucides, 2,4 g de lipides, 0 cholestérol, 0,3 g de gras saturés, 42 mg de sodium, 530 mg de potassium. Bonne source de fer.

LE CORDIAL DES QUATRE VOLEURS

Cette boisson s'inspire d'une histoire remontant à la grande peste de Toulouse de 1628. Quatre voleurs, bravant la contagion, détroussaient des cadavres et des moribonds.

Capturés et condamnés au bûcher, leur peine fut adoucie en échange de leur secret : un vinaigre dont ils s'aspergeaient et qui était composé, entre autres, de sauge, de romarin et de thym. Ces plantes sont maintenant reconnues pour leurs effets bactéricide, antiseptique et anti-infectieux.

500 mL (2 t.) de jus de carottes, régulier ou lacto-fermenté
500 mL (2 t.) de jus de tomates
2 gouttes d'huile essentielle de sauge
2 gouttes d'huile essentielle de citron
2 gouttes d'huile essentielle de romarin

1. Mélanger tous les ingrédients et laisser reposer pendant quelques heures au réfrigérateur.
2. Toujours bien agiter avant de servir.

VARIANTE :

Utiliser les huiles essentielles de sarriette, origan, basilic, menthe, estragon, etc. Ne pas dépasser l'équivalent de 15 gouttes par jour.

ŒUF POCHÉ

Pour réussir le pochage, l'œuf doit être très frais. Pour savoir si un œuf est frais, le mettre (dans sa coquille) dans une tasse d'eau : il doit caler.

Eau bouillante vinaigrée

1. Casser un œuf dans une tasse. Le blanc d'un œuf frais ne s'étale pas.
2. Le verser d'un coup dans l'eau bouillante fortement vinaigrée. Baisser le feu. Laisser frémir 3 à 5 minutes, selon la consistance que l'on désire donner au jaune.
3. Sortir de l'eau avec une écumoire.
4. Pocher un œuf à la fois.

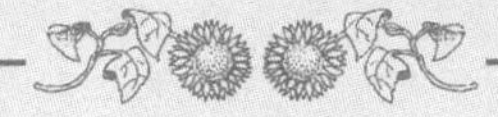

ŒUF CUIT DUR

Au Québec, on appelle un œuf cuit dans sa coquille un œuf à la coque. Dans le langage culinaire, on fait les distinctions suivantes.

Œuf à la coque :	jaune liquide, blanc juste coagulé
Cuisson :	3 minutes dans l'eau bouillante
Œuf mollet :	jaune épais mais encore coulant, blanc coagulé
Cuisson :	6 minutes dans l'eau bouillante
Œuf dur :	jaune et blanc coagulés
Cuisson :	12-15 minutes dans l'eau bouillante

Faire cuire un œuf dur paraît d'une grande simplicité, mais la bonne technique s'avère utile pour éviter d'obtenir un œuf caoutchouteux ou noirci.

Eau bouillante salée, environ 500 mL pour 2 gros œufs

1. Mettre les œufs dans l'eau bouillante salée.
2. Laisser mijoter pendant 12 à 15 minutes.
3. Plonger les œufs immédiatement dans l'eau froide.
4. Retirer la coquille en brisant d'abord le gros bout.

Voici les explications de cette méthode.

- Sortir les œufs du réfrigérateur une dizaine de minutes à l'avance, car un changement brusque de température risque de faire casser la coquille.

- Il est préférable d'utiliser de l'eau bouillante plutôt que de l'eau froide qu'on porte à ébullition. Il a été démontré qu'en utilisant cette méthode, moins de coquilles craquent et celles-ci sont plus faciles à retirer. Si quand même une coquille se fendillait, le sel provoquerait la coagulation du blanc, ce qui scellerait rapidement les fentes.

- Il est important de laisser mijoter au lieu de faire bouillir, car la température d'ébullition durcit trop le blanc. Ainsi, une élévation de 10 °C augmente de 600 fois la vitesse de coagulation.

- Si la température de cuisson est trop basse, le temps de cuisson doit être prolongé. Par contre, le blanc reste si tendre qu'il devient difficile de retirer la coquille. Le jaune prend alors un aspect cireux.

- Si le temps de cuisson est indûment prolongé, il est possible qu'un cerne noirâtre se forme autour du jaune. Cette substance colorée est le résultat d'une réaction entre un composé de soufre du blanc et le fer du jaune. Le refroidissement immédiat des œufs prévient cette réaction.

SALADE PRESQUE NIÇOISE **4 portions**

Traditionnellement, cette salade renferme des anchois et du thon, mais voici une version végétarienne.

2 œufs
250 mL (1 t.) de haricots verts
250 mL (1 t.) de fèves de Lima vertes congelées
2 tomates en cubes
1 poivron vert en cubes
1 concombre en tranches fines
1 oignon espagnol en tranches fines
4 cœurs d'artichauts en conserve coupés en deux
16 olives noires
15 ml (1 c. à s.) de câpres
Persil, cerfeuil, estragon, basilic au goût

Vinaigrette :

45 mL (3 c. à s.) d'huile d'olive
15 mL (1 c. à s.) de vinaigre de vin
1 gousse d'ail émincée
Sel et poivre au goût

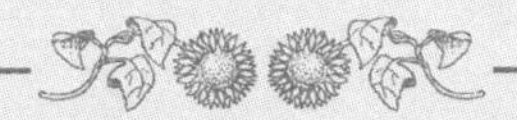

1. Faire cuire les œufs durs selon la technique proposée dans la recette précédente. Les couper en quartiers. Mettre de côté.
2. Faire cuire les haricots verts et les fèves de Lima à la vapeur tout en les gardant croquants.
3. Combiner tous les légumes dans un grand saladier. Disposer joliment les œufs durs, les olives et les câpres sur le dessus. Assaisonner avec les herbes.
4. Arroser de vinaigrette juste au moment de servir.

....

Par portion : 303 calories, 12 g de protéines, 33 g de glucides, 16 g de lipides, 106 mg de cholestérol, 2,5 g de gras saturés, 333 mg de sodium, 1063 mg de potassium.

SALADE AU POIVRON *6 portions*

Les poivrons sont de gros piments doux et charnus. On en retrouve de plusieurs couleurs. Les piments, plus petits, se caractérisent par leur goût piquant si ce n'est pas brûlant.

3 poivrons rouges ou verts ou les deux
8 grosses olives noires, dénoyautées et émincées
1 gousse d'ail émincée
30 mL (2 c. à s.) d'huile d'olive
15 mL (1 c. à s.) de jus de citron ou de lime
Sel et poivre au goût

1. Tailler les poivrons en deux, puis en fines lamelles.
2. Ajouter les autres ingrédients, couvrir et laisser reposer au froid pendant au moins une heure.
3. Vérifier l'assaisonnement avant de servir.

....

Par portion : 58 calories, 0,4 g de protéines, 3 g de glucides, 5 g de lipides, 0 cholestérol, 0,7 g de gras saturés, 51 mg de sodium, 70 mg de potassium.

SALADE AUX 3 RIZ *6-8 portions*

250 ml (1 t.) de riz brun à grain long
250 mL (1 t.) de riz sauvage (noir)
250 mL (1 t.) de riz wehaoni (rouge)
1,5 L (6 t.) d'eau bouillante
2 poivrons verts en petits cubes
1 poivron rouge en petits cubes
1 gros oignon rouge haché
Fines herbes fraîches émincées : estragon, persil

Sauce à salade :

60 mL (1/4 t.) d'huile d'olive
30 mL (2 c. à s.) de vinaigre à l'estragon
5 mL (1 c. à thé) de vinaigre balsamique
5 mL (1 c. à thé) de poudre de cari

1. Plonger les trois riz ensemble dans l'eau bouillante légèrement salée. Porter à ébullition, baisser le feu au minimum, couvrir et cuire pendant 45 minutes.
2. Faire refroidir les riz, ajouter les légumes, les herbes et la sauce à salade. Mélanger. Servir et savourer.

Pour compléter les protéines du riz :

- ajouter 500 mL (2 t.) de légumineuses cuites, comme des lentilles ou des doliques à œil noir;
- servir un yogourt faible en gras pour dessert.

Par portion : 315 calories, 7 g de protéines, 54 g de glucides, 8,4 g de lipides, 0 cholestérol, 1,2 g de gras saturés, 9 mg de sodium, 282 mg de potassium.

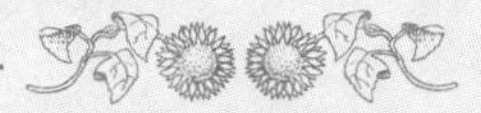

SAUCES À SALADE SANS HUILE

Assaisonner sa salade quotidienne constitue un acte anodin pour la majorité d'entre nous. Pourtant, c'est souvent là que se joue la différence dans notre consommation journalière totale de gras. Voici donc quelques recettes de vinaigrettes sans huile que vous pourrez utiliser sans compter...

Concoctez les vôtres, rien de plus simple !

SAUCE À SALADE SANS HUILE À LA PAPAYE

125 mL (1/2 t.) de nectar de papaye
60 mL (1/4 t.) de jus de citron
10 mL (2 c. à thé) de basilic frais haché finement
2 mL (1/2 c. à thé) de gomme de guar
1 pincée de sel

1. Bien mélanger. Délicieux sur tous les mets.

....

Par portion de 15 mL (1 c. à s) : 8 calories, 0 protéine, 2 g de glucides, 0 lipides, 0 cholestérol, 29 mg de sodium, 23 mg de potassium.

SAUCE À SALADE SANS HUILE À LA POIRE

60 mL (1/4 t.) de nectar de poire
60 mL (1/4 t.) de jus d'orange
30 mL (2 c. à s.) d'hydromel (vinaigre de miel)
10 mL (2 c. à thé) de jus de citron frais
5 mL (1 c. à thé) de basilic frais haché finement
1 pincée de sel

1. Bien mélanger. S'utilise sur des légumes, différentes salades et céréales.

....

Par portion de 15 mL (1 c. à s) : 8 calories, 0 protéine, 2 g de glucides, 0 lipide, 0 cholestérol, 29 mg de sodium, 23 mg de potassium.

SAUCE À SALADE SANS HUILE AU CONCOMBRE

375 mL (1 1/2 t.) de concombre tranché
1 gousse d'ail
60 mL (1/4 t.) d'eau
60 mL (1/4 t.) de yogourt sans gras
1 oignon vert
30 mL (2 c. à s.) de tamari à faible teneur en sel
1 mL (1/4 c. à thé) de gomme de guar
15 mL (1 c. à s.) de jus de citron frais
2 mL (1/2 c. à thé) de poudre de cari

1. Passer tous les ingrédients au mélangeur jusqu'à l'obtention d'une sauce très lisse.
2. Servir sur des salades de chou ou des légumes cuits.

....

Par portion de 30 mL (2 c. à s) : 6 calories, 0,5 g protéines, 1 g de glucides, 0,2 g de lipides, 0 cholestérol, 0 gras saturés, 74 mg de sodium, 26 mg de potassium.

SAUCE À SALADE SANS HUILE À LA POMME

Si simple et surprenant !

125 mL (1/2 t.) de jus de pomme brut
30 mL (2 c. à s.) de vinaigre de cidre de pomme
1 mL (1/4 c. à thé) de gomme de guar

1. Mélanger et servir sur des haricots verts bien chauds ou sur tout autre légume de votre choix.

VARIANTE :

Ajouter de l'oignon vert, des herbes au goût.

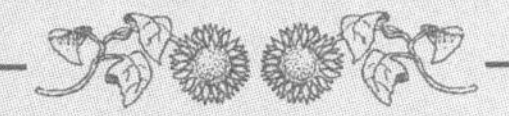

SAUCE À SALADE AU TAHINI

Cette sauce se sert bien sur une grande variété de salade.

125 mL (1/2 t.) de yogourt sans gras
60 mL (1/4 t.) de tahini (beurre de sésame)
1 gousse d'ail émincée
30 mL (2 c. à s.) de persil haché fin
30 mL (2 c. à s.) de tamari (sauce soya)
30 mL (2 c. à s.) de jus de citron

1. Bien mélanger tous les ingrédients.
2. Se conserve au réfrigérateur pendant une semaine.

Par portion de 15 mL (1 c. à s.) : 15 calories, 0,8 g de protéines, 0,5 g de glucides, 1 g de lipides, 0 cholestérol, 0 gras saturés, 63 mg de sodium, 13 mg de potassium.

SAUCE À SALADE AU YOGOURT

L'utilisation de basilic frais en fait un délice !

250 mL (1 t.) de yogourt faible en gras
125 mL (1/2 t.) de jus de tomate frais
30 mL (2 c. à s.) d'huile d'olive
2 oignons verts émincés
10 mL (2 c. à thé) de graines de sésame moulues
4 olives noires dénoyautées et émincées
1 mL (1/4 c. à thé) de piment de Cayenne
Basilic et sel au goût

1. Bien mélanger tous les ingrédients. Laisser reposer au moins une heure avant de servir.

Par portion de 15 mL (1 c. à s.) : 14 calories, 0,5 g de protéines, 1 g de glucides, 1 g de lipides, 0 cholestérol, 0 g de gras saturés, 16 mg de sodium, 34 mg de potassium.

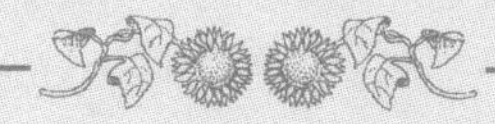

MAYONNAISE

Faire sa propre mayonnaise procure une petite fierté bien légitime. C'est rapide et simple comme bonjour à préparer !

1 œuf entier
30 mL (2 c. à s.) de jus de citron frais
1 oignon vert
60 mL (1/4 t.) de persil frais
2 mL (1/2 c. à thé) de moutarde sèche
250 mL (1 t.) d'huile de canola
Une pincée de sel

1. Mettre l'œuf dans le mélangeur ou le robot. Ajouter les autres ingrédients et seulement 60 mL (1/4 t.) d'huile. Mélanger.
2. Pendant que l'appareil fonctionne à basse vitesse, ajouter le reste de l'huile en filet.
3. Conserver au réfrigérateur.

Cette recette, quoique riche en gras, en fournit un peu moins (1 à 2 g) que la mayonnaise commerciale. Et la qualité de l'huile ne se compare pas !

VARIANTE :

Ajouter des herbes au goût : basilic, romarin, sauge, etc.

....

Par portion de 15 mL (1 c. à s.): 81 calories, 0,3 g de protéines, 0 glucides, 9 g de lipides, 8 mg de cholestérol, 0,8 g de gras saturés, 22 mg de sodium, 8 mg de potassium.

COURGETTES EN CANAPÉS — *4 portions*

Un délice pour les yeux !

2 petites courgettes
1 gros oignon rouge émincé
2 gousses d'ail émincées
Persil frais haché finement
15 mL (1 c. à s.) de levure alimentaire
15 mL (1 c. à s.) de tamari

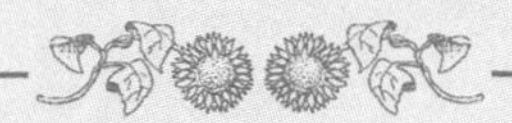

1. Couper les courgettes en tronçons de 2,5 cm (1 po).
2. À l'aide d'une petite cuiller à melon, vider l'intérieur sans perforer la base du tronçon.
3. Émincer la pulpe des courgettes.
4. Faire cuire l'oignon et la pulpe des courgettes dans une poêle antiadhésive, dans 15 mL (1 c. à s.) d'eau. Ajouter le persil, le tamari et la levure alimentaire.
4. Farcir les tronçons de courgettes et disposer sur une belle assiette garnie de feuilles de laitue Boston.

....

Par portion : 33 calories, 2,7 g de protéines, 6 g de glucides, 0,2 g de lipides, 0 cholestérol, 0 gras saturés, 261 mg de sodium, 333 mg de potassium.

SOUPE AU MISO ET PÂTES UDON *5 portions*

Pour découvrir les délicieuses pâtes japonaises.

1 L (4 t.) d'eau
60 g (1/4 lb) de pâte udon coupées
en morceaux de 5 cm (2 po)
225 g (8 oz) de tofu mou en cubes
1 oignon vert émincé
20 mL (4 c. à thé) de miso

1. Dans une casserole, porter l'eau à ébullition et y faire cuire les pâtes pendant 8 minutes.
2. Ajoutes les cubes de tofu et l'oignon. Poursuivre la cuisson 2 minutes de plus.
3. Retirer du feu et ajouter le miso dilué dans un peu de bouillon.

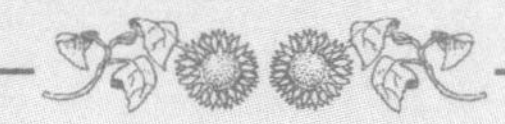

VARIANTES :

Utiliser d'autres variétés de pâtes japonaises telles les soba, les somen ou les genmaï (voir le lexique culinaire). Ajouter du poireau émincé, du chou chinois en lamelles ou des carottes en allumettes.

....

Par portion : 77 calories, 4 g de protéines, 11 g de glucides, 1,6 g de lipides, 0 cholestérol, 0,2 g de gras saturés, 400 mg de sodium, 110 mg de potassium.

SOUPE MINESTRONE *10 portions*

Il vaut la peine de cuisiner cette grande quantité de soupe appétissante et réconfortante. Les restes se congèlent bien.

10 mL (2 c. à thé) d'huile d'olive
1 oignon haché finement
4 gousses d'ail émincées
3 branches de céleri hachées
2 carottes en rondelles
1 courgette en tranches
125 mL (1/2 t.) de haricots verts
60 mL (1/4 t.) d'eau
1 tomate hachée
2 L (8 t.) de bouillon de légumes
250 mL (1 t.) de pâtes alimentaires (macaroni ou pâtes soba)
500 mL (2 t.) de fèves rouges et/ou blanches cuites
10 mL (2 c. à thé) d'origan séché
15 mL (1 c. à s.) de basilic frais ou 5 mL (1 c. à thé) séché
Sel et poivre au goût

1. Dans une grande casserole, chauffer légèrement l'huile et ajouter l'oignon, l'ail, et le céleri. Faire revenir pendant quelques minutes.
2. Ajouter les autres légumes (sauf les tomates) et l'eau. Laisser cuire 10 minutes en brassant de temps à autre.
3. Ajouter la tomate, le bouillon, les pâtes, les fèves et les assaisonnements. Porter à ébullition, baisser le feu et laisser mijoter jusqu'à ce que les légumes et les pâtes soient cuites, environ 15 minutes.

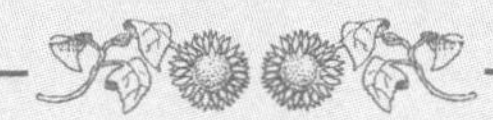

VARIANTE :

Ajouter du jus de tomate ou utiliser 1 L de jus de tomate et 1 L de bouillon.

Par portion : 141 calories, 5,5 g de protéines, 27 g de glucides, 1,3 g de lipides, 0 cholestérol, 0,2 g de gras saturés, 100 mg de sodium, 412 mg de potassium. Bonne source de fer.

BROCHETTES DE LÉGUMES — *4 brochettes*

Pour le plaisir des yeux et du palais ! Utiliser vos légumes favoris. Se sert en accompagnement de plats à base de céréales.

2 courgettes coupées en morceaux de 5 cm (2 po)
6 champignons en quartiers
1 poivron rouge ou vert en quartiers
1 oignon en quartiers
1 grosse tomate

Sauce à marinade sans huile

125 mL (1/2 t.) de tamari (sauce soya)
250 mL (1 t.) d'eau
3 gousses d'ail
2,5 cm (1 po) de gingembre frais râpé
ou 5 mL (1 c. à thé) de gingembre moulu
5 mL (1 c. à thé) de basilic séché
5 mL (1 c. à thé) de thym séché
ou des herbes fraîches hachées finement

1. Couper les légumes et les arroser de la marinade. Laisser mariner pendant 1 à 2 heures.
2. Enfiler les légumes sur les brochettes, les placer sur une plaque huilée.
3. Faire griller au four, sur la grille du haut, environ 5 minutes de chaque côté.
4. Servir sur du riz ou des pâtes.

VARIANTE :

Ajouter quelques cubes de tofu ou de tempeh marinés pour mieux compléter la protéine de la céréale.

....
Par portion : 42 calories, 3,5 g de protéines, 8 g de glucides, 0,5 g de lipides, 0 cholestérol, 0 gras saturés, 270 mg de sodium, 550 mg de potassium.

COUSCOUS AUX LÉGUMES *8 portions*

Plat traditionnel de l'Afrique du Nord à base de semoule de blé dur. Savoureux et nutritif, c'est un repas complet.

15 mL (1 c. à s.) d'huile d'olive
1 oignon haché
4 gousses d'ail émincées
4 carottes tranchées en diagonale
500 ml (2 t.) de navet en petits cubes
2,5 cm (1 po) de gingembre frais
ou 5 mL de gingembre moulu
5 mL (1 c. à thé) de paprika
10 mL (2 c. à thé) de curcuma ou de poudre de cari
1 L (4 t.) de bouillon de légumes ou de miso
1 poivron vert en morceaux
2 petites courgettes en rondelles
375 mL (12 oz) de tomates broyées en conserve
500 mL (2 t.) de pois chiches cuits
Harissa, sel et poivre au goût

Couscous

500 mL (2 t.) de couscous
750 mL (3 t.) d'eau bouillante

1. Dans une grande casserole, chauffer légèrement l'huile. Faire revenir l'oignon et l'ail pendant quelques minutes.
2. Ajouter les carottes, le navet, le gingembre, les épices et 500 mL (2 t.) de bouillon. Porter à ébullition et laisser mijoter pendant 10 minutes.
3. Ajouter les poivrons, les courgettes, les tomates, les pois chiches et le reste du bouillon. Porter à ébullition, baisser le feu. Laisser mijoter jusqu'à ce que les légumes soient tendres, environ 15 minutes. Rectifier l'assaisonnement.
4. Pendant ce temps, dans un autre bol, verser l'eau

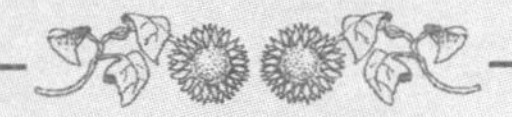

bouillante sur le couscous. Couvrir et laisser reposer. Après 5 minutes, soulever délicatement le couscous avec une fourchette pour l'aérer.

5. Placer le couscous dans les assiettes, faire un nid pour y déposer la préparation de légumes.

....

Par portion : 261 calories, 8,7 g de protéines, 51 g de glucides, 3 g de lipides, 0 g de cholestérol, 0,4 g de gras saturés, 374 mg de sodium, 488 mg de potassium.

CHILI SIN CARNE *6 portions*

Chili sin carne signifie chili sans viande.

2 oignons hachés fin
4 gousses d'ail émincées
15 mL (2 c. à s.) d'huile d'olive
2 carottes hachées fin
796 mL (28 oz) de tomates en conserve en dés
10 ml (2 c. à thé) de poudre de Chili
5 mL (1 c. à thé) d'origan
5 mL (1 c. à thé) de piment séché
1 mL (1/4 c. à thé) de piment de Cayenne
5 mL (1 c. à thé) de cumin
750 ml (3 t.) de fèves rouges cuites
375 mL (12 oz) de maïs en grains

1. Dans une grande casserole, faire revenir dans l'huile les oignons et l'ail à feu doux.
2. Ajouter les carottes. Faire cuire quelques minutes.
3. Ajouter les tomates et les assaisonnements. Porter à ébullition, baisser le feu et laisser mijoter 30 minutes à découvert.
4. Ajouter les fèves cuites et le maïs. Laisser mijoter 10 minutes.

....

Par portion : 246 calories, 11 g de protéines, 45 g de glucides, 3,5 g de lipides, 0 cholestérol, 0,5 g de gras saturés, 542 mg de sodium, 614 mg de potassium.

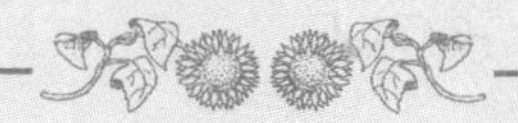

DÉLICE À LA MANGUE *2 portions*

Directement de Vancouver, de notre amie Nicole, une crème douce et onctueuse qui se mange aussi bien au déjeuner qu'au dessert.

1 mangue fraîche
5 mL (1 c. à thé) de gingembre frais finement haché
125 mL (1/2 t.) de yogourt faible en gras
15 mL (1 c. à s) de jus de citron
Poivre rose concassé au goût
10 mL (2 c. à thé) de basilic frais

1. Mélanger le tout au robot.
2. Servir dans de jolies coupes. Garnir avec une feuille de basilic.

....

Par portion : 133 calories, 6,7 g de protéines, 28 g de glucides, 0,4 g de lipides, 2 mg de cholestérol, 0 g de gras saturés, 90 mg de sodium, 470 mg de potassium. Bonne source de calcium.

PÂTE À TARTE LÉGÈRE À L'HUILE *Pour 2 tartes complètes de 23 cm (9 po)*

Cette recette n'est pas sans gras, mais elle en renferme la moitié moins qu'une pâte à tarte conventionnelle. De plus, ses gras sont de bonne qualité.

750 mL (3 t.) de farine de blé entier à pâtisserie
2 mL (1/2 c. à thé) de sel
125 mL (1/2 t.) d'huile de maïs
125 mL (1/2 t.) d'eau froide
1 œuf légèrement battu
15 mL (1 c. à s.) de jus de citron

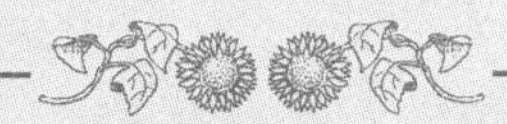

1. Dans un grand bol, mélanger la farine et le sel.
2. Dans un petit bol, bien mélanger l'huile, l'eau, l'œuf et le jus de citron.
3. Verser ce mélange au centre de la farine. Incorporer graduellement la farine au liquide et former une boule avec les mains.
4. Réfrigérer la pâte de 15 à 30 minutes avant de rouler la pâte (facultatif).
5. Diviser et rouler la pâte sur une surface enfarinée ou entre deux feuilles de papier ciré.

····················

Par portion de 1/12 de tarte : 188 calories, 4,6 g de protéines, 22 g de glucides, 10 g de lipides, 17 g de cholestérol, 1,3 g de gras saturés, 79 mg de sodium, 128 mg de potassium.

GOMASHIO (SEL DE SÉSAME)

Ce sel assaisonne tout en apportant du calcium et un peu moins de sodium.

250 ml (1 t.) de graines de sésame entières
5 mL (1 c. à thé) de sel marin

1. Bien laver les graines. Égoutter.
2. Les faire griller dans une poêle en fonte pendant quelques minutes, tout en brassant.
3. Lorsque les graines ont légèrement bruni, ajouter le sel et griller une minute de plus.
4. Laisser refroidir et moudre au suribachi (mortier japonais) ou au mélangeur.

····················

Par portion de 5 mL (1 c. à thé) : 16 calories, 0,5 g de protéines, 0,6 de glucides, 1,4 g de lipides, 0 cholestérol, 0,2 g de gras saturés, 42 mg de sodium, 13 mg de potassium.

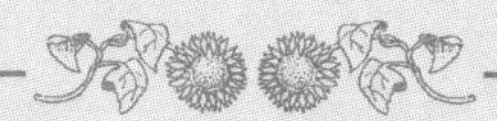

BEURRES DE NOIX ÉMULSIONNÉS

Préparés ainsi, les beurres de noix acquièrent une texture agréable et sont plus digestes.

Beurre d'arachide, d'amande ou de sésame...
Eau tiède

1. Fouetter à la fourchette la quantité désirée de beurre de noix avec un peu d'eau à la fois.
2. Bien battre jusqu'à consistance de crème onctueuse.

NOTES :

- Selon la quantité d'eau utilisée, vous obtiendrez une tartinade, une sauce pour y tremper des fruits ou une sauce à salade.

- Servir immédiatement sur du pain, des crêpes, avec des fruits. Particulièrement délicieux sur une salade verte ou de betteraves râpées.

- À préparer en petite quantité pour une meilleure conservation.

BEURRE CLARIFIÉ

Le beurre clarifié est utilisé depuis des millénaires dans la cuisine indienne *(ghee)* et la cuisine européenne. Étant débarrassé de son eau et des solides du lait, il se conserve plus longtemps que le beurre régulier. Riche en gras saturés, il doit être consommé avec parcimonie.

1. Couper 450 g (1 livre) de beurre doux (non salé) en petits morceaux.
2. Faire fondre le beurre dans une casserole épaisse sur feu doux.
3. Dès que le beurre est fondu, augmenter le feu à médium. Une mousse blanche se formera à la surface. Écumer à l'aide d'un tamis très fin.
4. Laisser cuire le beurre très doucement environ 10 minutes.
5. Laisser tiédir. L'eau et les solides du lait se déposeront au fond. Égoutter.
6. Refroidir et conserver au froid de préférence.

BEURRE MOITIÉ-MOITIÉ

Pour ceux qui aiment le beurre et veulent diminuer la quantité de gras saturés, tout en ajoutant des gras monoinsaturés. Comme tout corps gras, utiliser sagement.

100 g (1/4 lb) de beurre demi-sel
125 mL (1/2 t.) d'huile d'olive

1. Laisser le beurre s'amollir à la température de la pièce. Le mettre dans un bol pour malaxeur. Fouetter le beurre avec le malaxeur, en incorporant graduellement l'huile.
2. On peut ajouter des herbes, des fleurs comestibles (capucine, bourrache, etc.).

....

Par 5 mL (1 c. à thé) : 37 calories, 0 protéines, 0 glucides, 4,2 g de lipides, 5,2 mg de cholestérol, 1,5 g de gras saturés, 20 mg de sodium, 0 potassium.

LEXIQUE

Acide alpha-linolénique — *Acide gras essentiel comprenant 3 liens doubles. Les meilleures sources sont le lin, le soya, les graines de citrouille et les noix de Grenoble.*

Acide aminé — *Constituant de base des protéines.*

Acide gamma-linolénique — *Acide gras que nos cellules peuvent normalement fabriquer. Les meilleures sources sont les huiles d'onagre et de bourrache.*

Acide gras essentiel — *Acide gras que notre corps ne peut fabriquer. Nous devons le prendre dans les aliments, sinon il y a carence. Il existe deux acides gras essentiels. Ils sont parfois appelés vitamines F.*

Acide gras monoinsaturé — *Acide gras possédant un lien double. Exemple : l'acide oléique présent dans l'huile d'olive.*

Acide gras polyinsaturé — *Acide gras possédant au moins deux liens doubles. Exemples : l'acide linoléique (2 liens doubles) et l'acide alpha-linolénique (3 liens doubles).*

Acide gras saturé — *Acide gras portant le maximum possible d'atomes d'hydrogène. Exemple : l'acide stéarique abondant dans la viande.*

Antioxydant — *Substance qui en protège une autre en étant elle-même oxydée. Par exemple, les vitamines A (bêta-carotène), C et E.*

Artériosclérose — *Épaississement et perte d'élasticité des parois artérielles. L'athérosclérose est le type le plus connu d'artériosclérose.*

Athérosclérose *Épaississement de la paroi artérielle qui entraîne un rétrécissement de la lumière du vaisseau sanguin. L'athérosclérose est caractérisée par la présence de plaques sur la paroi des artères. Dans les artères du cerveau, elle est la cause des accidents cérébro-vasculaires. Les plaques sont le plus souvent observées chez les personnes ayant un taux de cholestérol élevé.*

Bile *Substance fabriquée par le foie et mise en réserve dans la vésicule biliaire. La bile favorise l'émulsion et la digestion des lipides dans le petit intestin.*

Caroténoïdes *Pigments orangés, jaunes et rouges qui se trouvent dans les végétaux, les fruits et les légumes.*

Cholestérol *Substance grasse formée par notre organisme et celui des animaux. Il est un constituant de nos cellules. Il est nécessaire à la fabrication des hormones sexuelles, de la bile et de la vitamine D.*

Cholestérol HDL *Transporteur du cholestérol des cellules vers le foie. Souvent appelé «bon» cholestérol.*

Cholestérol LDL *Transporteur du cholestérol du foie vers les cellules. Souvent appelé «mauvais» cholestérol.*

Enzyme *Protéine qui accélère les réactions biochimiques dans le corps.*

Glucides *Groupe de composés qui comprend l'amidon, les sucres (ex. : glucose, lactose) et la plupart des fibres alimentaires. Ils sont aussi appelés hydrates de carbone.*

Hormone *Substance généralement produite par une glande et qui exerce une action précise sur un autre tissu ou un autre organe. Exemples : insuline du pancréas, hormones sexuelles.*

Intoxication alimentaire — *Empoisonnement dû à l'ingestion d'aliments contaminés soit par des microoganismes, soit par des toxines produites par ces derniers, soit par des substances toxiques naturelles.*

Lécithine — *Émulsifiant qui existe à l'état naturel dans plusieurs aliments, principalement dans le jaune d'œuf et le soya. Il aide à solubiliser le cholestérol.*

Lipides — *Groupe de composés non solubles dans l'eau. Ils sont souvent désignés par les termes matières grasses, graisses et gras.*

Métabolisme — *Ensemble des transformations chimiques qui se produisent dans l'organisme. Ceci comprend les réactions de synthèse, les réactions de dégradation et les réactions énergétiques.*

Métabolisme basal — *Dépense d'énergie nécessaire au déroulement des phénomènes vitaux (battements du cœur, respiration, etc.) au repos et à jeun.*

Minéral Minéraux — *Substance(s) requise(s) en quantité minime dans l'alimentation pour assurer la croissance et le maintien de la vie. Exemples : calcium, fer, magnésium.*

Oméga-3 — *Désigne les acides gras dont le premier lien double se situe sur le troisième carbone. Les plus connus sont l'acide alpha-linolénique, les huiles de poisson EPA et DHA.*

Oméga-6 — *Désigne les acides gras dont le premier lien double se situe sur le sixième carbone. Le plus connu est l'acide linoléique.*

Oméga-9 — *Terme qui désigne un acide gras dont le lien double se situe sur le neuvième carbone. Le plus connu est l'acide oléique.*

Oxydation — *Réaction chimique par laquelle une substance se combine à l'oxygène et perd sa structure d'origine. Par exemple, les gras polyinsaturés peuvent s'oxyder. Le rancissement se fait généralement par oxydation.*

Point de fumée — *Température à laquelle un corps gras se décompose et dégage une fumée irritante pour les yeux et le nez. Un corps gras qui fume contient des substances toxiques.*

Prostaglandines — *Substances naturellement fabriquées par le corps. Elles dérivent des acides gras. Elles ont des effets multiples et variés, entre autres sur la coagulation du sang, la douleur et l'inflammation.*

Protéines — *Groupes de composés formés d'acides aminés attachés les uns aux autres. Les protéines sont essentielles à la croissance et au maintien de la vie.*

Thrombose — *Formation d'un caillot dans un vaisseau sanguin. Dans une artère, il peut grossir jusqu'à l'obstruer, empêchant le sang et l'oxygène de nourrir les cellules environnantes. Un tel caillot dans une des artères importantes du cœur représente la cause habituelle de l'infarctus. Présent dans une artère du cerveau, c'est la cause habituelle de l'accident cérébrovasculaire. Des caillots peuvent aussi se former dans d'autres parties du corps et migrer vers les poumons, le cœur, etc.*

Triglycéride — *Substance grasse composée d'un glycérol et de trois acides gras. Les graisses et les huiles sont constituées de triglycérides.*

Vitamine — *Substance requise en quantité minime pour assurer la croissance et le maintien de la santé. On connaît les vitamines sous le nom d'une lettre : A, C, D, E, K et le groupe B.*

BIBLIOGRAPHIE

Association médicale canadienne, *Encyclopédie médicale de la famille*, Sélection Reader's Digest, 1993.
Balch, James F. et Phyllis A., *Prescription for Nutritional Healing*, Avery Publishing Group Inc., 1990.
Bernier, J.J. et coll., *Les aliments dans le tube digestif*, Doin éditeurs, 1988.
Blake Weisenthal, D., «Heartening News about Fish Oil» dans *Vegetarian Times*, Août 1987.
Bourre, Jean-Marie. *La diététique du cerveau*, Éditions Odile Jacob, 1990.
Bourre, Jean-Marie. *Les bonnes graisses*, Editions Odile Jacob, 1991.
Brault Dubuc, M.et Caron Lahaie L. *Valeur nutritive des aliments*, Montréal, Société Brault-Lahaie, 8e édition, 1998.
Brisson, Germain. *Lipides et nutrition humaine,* Presses de l'Université Laval, 1982.
Carper, Jean. *Les aliments et leurs vertus*, Les Éditions de l'Homme, 1994.
Charley, Helen, *Food Science*, 2nd ed., Macmillan Puyblishing Company, 1982.
Cooper Kenneth H., *Controlling Cholesterol*, Bantam Books, 1988.
Cousens, Gabriel, *Conscious Eating*, Vision Books International, 1992.
Curtay, Dr Jean-Paul, *La nutrithérapie,* Édition Boiron, 1995.
Eramus Udo, *Fats that Heal Fats that Kill*, Alive Books, Vancouver, 1993.
«Food S and Food Production Encyclopedia», Van Nostrand Reinhold Company, 1982.
Fruchart,Jean-Charles, «Le transport du cholestérol et sa fixation dans les artères» dans *Pour la science* N° 175 Mai 1992.
Gold, Robert et K. Gold-Rose, *The Good Fat Diet*, Bantam Books, 1987.
Guthrie, A. Helen, *Introductory Nutrition*, Times Mirror/Mosby College Publishing 7th ed.,1989.
Le rôle des graisses et huiles alimentaires en nutrition humaine : un rapport fao/oms, Organisation des Nations Unies pour l'alimentation et l'agriculture, Rome 1977.
Karleskind, A. (Coordonnateur), *Manuel des corps gras*, Tomes 1 et 2, Technique et Documentation, Lavoisier, 1992.
Lamontagne, Danielle, *Le Guide alimentaire végétarien*, Les Éditions Léa Beauregard,1998.
Larousse gastronomique, Larousse, 1984.
Lambert-Lagacé, Louise et Laflamme, Michelle, *Bons gras mauvais gras*, Les Éditions de l'Homme, 1993.
Le Goff, L., *Alimentation Biologique*, Éditions Roger Jollois, 1997.
Luc, G., et coll., *Cholestérol et athérosclérose*, Abrégés, Masson, 1991.
Monette, Solange, *Dictionnaire encyclopédique des aliments*, Éditions Québec/Amérique, 1989.
«Le rôle des graisses et huiles alimentaires en nutrition humaine : un rapport fao/oms», ONU pour l'alimentation et l'agriculture, Rome 1977.
Ornish, Dean, *Stress, Diet & Your Heart*, Signet Book, 1982.
Ornish, D, *Dr Dean Ornish's Program for Reversing Heart Disease*, Ballantine Books,1990.

Ornish, Dean, *Mangez, réfléchissez et maigrissez*, Les Éditions de l'Homme, 1994.
Pitchford, Paul, *Healing with Whole Foods*, North Atlantic Books, 1993.
Renaud, Serge, *Le régime santé,* Éditions Odile Jacob, 1995.
Santé et Bien-être social, *Recommandations sur la nutrition*, Rapport du Comité de révision scientifique,1990.
Souccar, Thierry, *La révolution des vitamines*, First, Collection Vie pratique,1995.
Souccar, Thierry, et Curtay, Dr J.P., *Le nouveau guide des vitamines,* Éditions du Seuil, 1996
«The Mount Sinai School of Medicine Complete Book of Nutrition», St. Martin's Press, New York, 1990.
Toussaint-Samat., Maguelonne, *Histoire naturelle et morale de la nourriture*, Paris, Bordas, 1987.
Whitney, Hamilton, Rolfes, *Understanding Nutrition*, Sixth Edition, West Publishing Company, 1993.
Entressangles B., «Mise au point sur les isomères trans alimentaires» dans Cahier de nutrition et diététique, Volume XXI, Août 1986.
Werbach, Melvyn R., *Nutritional Influences on Illness*, Keats Pulblishing Inc., 1988.

Principaux articles scientifiques

Burr M., Butland B. «Heart disease in British Vegetarians», *Am J Clin Nutr*, 1988 48; 830-32.
Chan, P. et coll. «Economic impact of cardiovascular disease in Canada» Can J Cardiol vol. 12, no 10 October 1996
Connor W.E. et coll. «Essential fatty acids : the importance of *n*-3 fatty acids in the retina and brain», *Nutrition Reviews*, April 1992, Vol. 50, N° 4.
Crawford M., «The role of dietary fatty acids in biology : their place in the evolution of the human brain», *Nutrition Reviews*, Vol. 50, N° 4, April 1992 ; (11) 3-11.
Drevon C., «Marine oils and their effects», *Nutrition Reviews*, Vol. 50, N° 4.
Dwyer J., «Health aspects of vegetarian diets», *Am J Clin Nutr* 1988, 48 ; 712-38.
Heimendinger J. et coll. «Dietary behavior change : the change of recasting the role of fruit and vegetables in the American diet», *Am J Clin Nutr*, 61 : N° 6.
Jiang He et coll., «Oats and buckwheat intakes and cardiovascular disease risk factors in an ethnic minority of China», *Am J Clin Nutr,* June 1995, 61 ; 366-72.
Morris J.N., «Vigourous exercise in leisure time : protection against coronary heart disease», *Lancet*, 1980, 8206 ; 1207-10.
Norum K., «Dietary fat and blood lipids», *Nutrition Reviews*, Vol. 50, N° 4.
Selhub, J.et coll., *New England J. Med.* 1995; 332, 286-291.
Supplément cardiologie du *JAMA*, 30 juin 1990, Vol. 15, N° 215.
Supplement on first international congress on vegetarian nutrition, *Am J Clin Nutr*, 1988, 48 ; 707-925.
Varela G., «Some effects of deep frying on dietary fat intake», *Nutrition Reviews,* Vol. 50, N° 9 September 1992 ; 256-62.
Willet W.C. et coll. «Intake of trans fatty acids and risk of coronary heart disease among women», *Lancet* 1993, 341 ; 581-85.
Willet W.C. et coll. «Mediterranean diet pyramid : a cultural model for healthy eating», *Am J Clin Nutr*, June 1995, 61, N° 6 (S).

INDEX

A

B

C

D

E

F

G

H

L

M

N

O

P

R

S

T

V

LISTE DES TABLEAUX

POUR EN SAVOIR PLUS LONG

SAVIEZ-VOUS QUE?

TABLE DES MATIÈRES *Théorie*

Chapitres

TABLE DES MATIÈRES *Recettes*

SECTION RECETTES PAR THÈMES

BOISSONS

ENTRÉES ET TARTINADES

SALADES

SAUCES ET SAUCES À SALADE

SOUPES

LÉGUMES

METS PRINCIPAUX

DESSERTS

DIVERS

"Procédé de reliure qui
vous permet de consulter
ce livre sans avoir à le
tenir pour le garder
ouvert".